FILHO DO HAMAS

FILHO DO HAMAS

MOSAB HASSAN YOUSEF
COM RON BRACKIN

SEXTANTE

Título original: *Son of Hamas*
Copyright © 2010 por Mosab Hassan Yousef
Copyright da foto da capa © 2009 por Tyndale House Publishers, Inc.
Todos os direitos reservados.
Copyright da tradução © 2010 por GMT Editores Ltda.
Todos os direitos reservados. Nenhuma parte deste livro pode ser utilizada ou reproduzida sob quaisquer meios existentes sem autorização por escrito dos editores.
Publicado em acordo com Tyndale House Publishers, Inc.

tradução
Marcello Lino

preparo de originais
Cristiane Pacanowski

revisão
Ana Grillo e Luis Américo Costa

projeto gráfico e diagramação
DTPhoenix Editorial

adaptação da capa
Miriam Lerner

impressão e acabamento
Lis Gráfica e Editora Ltda.

CIP-BRASIL. CATALOGAÇÃO-NA-FONTE
SINDICATO NACIONAL DOS EDITORES DE LIVROS, RJ

Y75f   Yousef, Mosab Hassan
        Filho do Hamas / Mosab Hassan Yousef com Ron Brackin [tradução de Marcello Lino]. Rio de Janeiro: Sextante, 2010.

        Tradução de: Son of Hamas
        ISBN 978-85-7542-561-9

        1. Yousef, Mosab Hassan. 2. Hamas. 3. Islamismo e política. 4. Conflito árabe-israelense. 5. Convertidos ao Cristianismo do Islamismo. I. Brackin, Ron. II. Título.

10-1495   CDD: 920.9248246
                               CDU: 929:27-184.35

Todos os direitos reservados, no Brasil, por
GMT Editores Ltda.
Rua Voluntários da Pátria, 45 – 14.º andar – Botafogo
22270-000 – Rio de Janeiro – RJ
Tel.: (21) 2538-4100
E-mail: atendimento@sextante.com.br
www.sextante.com.br

A meu amado pai e à minha família, que ofendi
Às vítimas do conflito entre Israel e a Palestina
A cada vida que meu Senhor salvou

MEUS FAMILIARES, tenho muito orgulho de vocês. Somente meu Deus pode entender o que vocês têm passado. Sei que o que fiz abriu outra ferida profunda e pode ser que ela não cicatrize nesta vida e que talvez vocês tenham de conviver com essa vergonha para sempre.

Eu poderia ter sido um herói e motivo de orgulho para o meu povo, um combatente que dedicasse a vida e a família à causa de uma nação. Mesmo que eu fosse morto, minha história seria contada por muitas gerações, que se orgulhariam de mim para sempre.

No entanto, em vez de herói, me tornei um traidor aos olhos do meu povo. Embora já tenham se orgulhado de mim, agora eu lhes causo apenas vergonha. Apesar de já ter sido um príncipe, agora não passo de um estranho em um país estrangeiro lutando contra a solidão e a escuridão.

Sei que vocês me consideram um traidor, mas, por favor, compreendam que não traí vocês, e sim a noção que têm do que é ser um herói. Só quando as nações do Oriente Médio – formadas tanto por judeus como por árabes – começarem a entender parte do que entendo, haverá paz. Se meu Senhor foi rejeitado por salvar o mundo do castigo do inferno, então eu aceito o fato de ser renegado também!

Não sei o que o futuro me reserva, mas não tenho medo. E, agora, quero contar a vocês algo que me ajudou a sobreviver até este momento: toda a culpa e a vergonha que carrego há tantos anos é um preço pequeno a pagar se ao menos uma vida inocente for salva.

Quantas pessoas reconhecem e compreendem o que fiz? Não muitas. Mas tudo bem. Eu acreditava no que fazia, e ainda acredito, e esse é o combustível que me incentiva a continuar nesta longa jornada. Cada gota de sangue inocente que foi poupada me dá esperança para seguir em frente até o último dia.

Eu paguei, vocês pagaram, mas as contas da guerra e da paz parecem não acabar nunca. Que Deus nos acompanhe e nos dê força para carregar esse pesado fardo.

Com amor,
Seu filho

SUMÁRIO

Uma palavra do autor 9

Prefácio 11

Mapa de Israel e dos territórios ocupados 14

CAPÍTULO 1: Capturado *15*

CAPÍTULO 2: A escada da fé *19*

CAPÍTULO 3: A Irmandade Muçulmana *28*

CAPÍTULO 4: Atirando pedras *36*

CAPÍTULO 5: Sobrevivência *45*

CAPÍTULO 6: A volta de um herói *53*

CAPÍTULO 7: Radical *59*

CAPÍTULO 8: Atiçando as chamas *64*

CAPÍTULO 9: Armas *76*

CAPÍTULO 10: O abatedouro *83*

CAPÍTULO 11: A oferta *93*

CAPÍTULO 12: Número 823 *104*

CAPÍTULO 13: Não confie em ninguém *113*

CAPÍTULO 14: Rebelião *123*

CAPÍTULO 15: A estrada para Damasco *132*

CAPÍTULO 16: A Segunda Intifada *145*

CAPÍTULO 17: Agente secreto *156*

CAPÍTULO 18: O mais procurado *168*

CAPÍTULO 19: Sapatos *177*

CAPÍTULO 20: Dividido *187*

CAPÍTULO 21: O jogo *195*

CAPÍTULO 22: Escudo defensivo *207*

CAPÍTULO 23: Proteção sobrenatural *217*

CAPÍTULO 24: Prisão preventiva *225*

CAPÍTULO 25: Saleh *236*

CAPÍTULO 26: Uma visão para o Hamas *248*

CAPÍTULO 27: Adeus *257*

Epílogo 268

Postscriptum 272

Os personagens 277

Glossário 280

Cronologia 283

Notas 285

UMA PALAVRA DO AUTOR

O TEMPO É SEQUENCIAL, como um fio que cobre a distância entre nascimento e morte.

No entanto, os acontecimentos se parecem mais com um tapete persa – milhares de fios das mais lindas cores se entrelaçando para formar complexos padrões e imagens. Qualquer tentativa de colocar os acontecimentos em uma ordem puramente cronológica seria como soltar os fios e organizá-los em uma sequência linear. Isso poderia ser mais simples, mas o desenho se perderia.

Os acontecimentos relatados neste livro são minhas lembranças mais precisas, tiradas do novelo da minha vida nos territórios ocupados por Israel e tecidas à medida que iam ocorrendo, de forma consecutiva e simultânea.

Para fornecer pontos de referência e explicar os nomes e termos árabes, incluí uma breve cronologia nos apêndices, além de um glossário e uma lista dos personagens reais mencionados ao longo do livro.

Por razões de segurança, omiti intencionalmente boa parte dos detalhes das operações confidenciais realizadas pelo serviço de segurança de Israel, o Shin Bet. As informações reveladas neste livro não põem em risco, de forma alguma, a guerra global ao terrorismo, na qual Israel desempenha um papel de liderança.

PREFÁCIO

Há mais de cinco décadas, a paz no Oriente Médio tem sido o Santo Graal de diplomatas, primeiros-ministros e presidentes. Os novos rostos que surgem no cenário mundial acreditam ser capazes de resolver o conflito árabe-israelense. No entanto, todos fracassam por completo, como seus predecessores.

O fato é que poucos ocidentais conseguem entender as complexidades dessa região e de seu povo. Porém eu consigo, em razão de uma perspectiva totalmente singular: sou fruto dessa região e desse conflito. Sou filho do Islã e de um homem acusado de terrorismo. Mas também sou um seguidor de Jesus.

Antes de completar 21 anos, vi coisas que ninguém deveria ver: pobreza abjeta, abuso de poder, tortura e morte. Testemunhei dos bastidores as negociações de líderes supremos do Oriente Médio que são manchete nos jornais de todo o mundo. Desfrutei da confiança dos mais altos escalões do Hamas e participei da Primeira Intifada. Fui preso e fiquei encarcerado nas entranhas da mais temida prisão de Israel. E, como você ficará sabendo, fiz escolhas que me tornaram um traidor aos olhos do povo que amo.

Essa jornada improvável me fez passar por lugares obscuros e me deu acesso a segredos extraordinários. Nas páginas deste livro, finalmente revelo alguns desses antigos segredos, expondo fatos e processos que, até agora, eram do conhecimento de poucas pessoas misteriosas.

A revelação dessas verdades provavelmente propagará ondas de choque em certas regiões do Oriente Médio, mas espero que também traga conforto às famílias de muitas vítimas desse conflito interminável e as ajude a pôr um ponto final em seu sofrimento.

Ao conviver com cidadãos americanos hoje, vejo que muitos deles têm inúmeras perguntas sobre o conflito árabe-israelense, mas poucas respostas e informações pertinentes. Ouço perguntas como:

"Por que as pessoas não conseguem conviver umas com as outras no Oriente Médio?"

"Quem tem razão: israelenses ou palestinos?"

"A quem a terra realmente pertence? Por que os palestinos simplesmente não se mudam para outros países árabes?"

"Por que Israel não devolve a terra e as propriedades que conquistou na Guerra dos Seis Dias, em 1967?"

"Por que tantos palestinos ainda vivem em campos de refugiados? Por que eles não têm seu próprio Estado?"

"Por que os palestinos odeiam tanto Israel?"

"Como Israel consegue se proteger de terroristas suicidas e bombardeios frequentes?"

Todas essas perguntas são válidas, porém nenhuma delas toca na verdadeira questão, na origem do problema. O atual conflito remonta à animosidade entre Sara e Hagar, descrita no Gênesis, o primeiro livro da Bíblia. No entanto, para entender a realidade política e cultural do Oriente Médio, não precisamos ir muito além das consequências da Primeira Guerra Mundial.

Quando o combate terminou, os territórios palestinos, lar do povo palestino havia séculos, ficaram sob o mandato da Grã-Bretanha. E o governo britânico apresentou um plano inesperado para a região na Declaração de Balfour em 1917: "O governo de Sua Majestade encara de maneira favorável o estabelecimento na Palestina de um lar nacional para o povo judeu."

Estimulados pelo governo britânico, centenas de milhares de imigrantes judeus, a maioria do Leste Europeu, chegaram aos territórios palestinos. Os conflitos entre árabes e judeus eram inevitáveis.

Israel se tornou um Estado em 1948. Os territórios palestinos, porém, continuaram a ser apenas territórios não soberanos. Sem uma Constituição para manter uma aparência de ordem, a lei religiosa se tornou a autoridade suprema. Quando todos estão livres para interpretar e fazer cumprir a lei da maneira que acham justa, o caos se instala. Para o mundo exterior, o conflito no Oriente Médio é simplesmente um cabo de guerra por causa de uma pequena faixa de terra. No entanto, o verdadeiro problema é que até agora ninguém entendeu o verdadeiro problema. Por isso, desde Camp David até Oslo, os principais envolvidos nas negociações insistem em enfaixar pernas e braços de um paciente que sofre do coração.

Por favor, entenda que não escrevi este livro porque me considero mais esperto ou inteligente do que os grandes pensadores da nossa época. Não sou nada disso. Eu acredito, porém, que Deus me ofereceu uma perspectiva singular ao me colocar em vários lados de um conflito aparentemente insolúvel. Minha vida tem sido fragmentada como aquele pequeno pedaço de terra no Mediterrâneo que alguns chamam de Israel e outros, de Palestina, ou de territórios ocupados.

Meu propósito nas páginas a seguir é esclarecer acontecimentos fundamentais, revelar alguns segredos e, se tudo der certo, plantar em você a semente da esperança de que o impossível pode ser realizado.

Capítulo 1
CAPTURADO
1996

Ao volante de meu pequeno Subaru branco, dobrei a esquina de uma das ruas estreitas que desembocam na estrada principal que sai da cidade de Ramallah, na Cisjordânia. Pisando de leve no freio, me aproximei lentamente de um dos inúmeros postos de controle espalhados pelas estradas que levam a Jerusalém e saem de lá.

— Desligue o motor! Pare o carro! — alguém gritou em um árabe precário.

Sem avisar, seis soldados israelenses pularam dos arbustos e bloquearam meu carro, cada um deles empunhando uma metralhadora, todas apontadas para a minha cabeça.

Senti o pânico subir por minha garganta. Parei o carro e joguei as chaves pela janela aberta.

— Sai daí! Sai!

Sem perder tempo, um dos homens abriu a porta com um tranco e me jogou no chão poeirento. Mal tive tempo de cobrir a cabeça antes que a surra começasse. Embora eu tentasse proteger o rosto, os pesados coturnos dos soldados logo encontraram outros alvos: costelas, rins, costas, pescoço, cabeça.

Dois dos homens me puseram de pé e me arrastaram até o posto de controle, onde fui forçado a me ajoelhar atrás de uma barricada de cimento. Minhas mãos foram amarradas às costas com um lacre plástico apertado demais. Alguém me vendou e me jogou no chão da parte de trás de um jipe. Senti o medo se misturar à raiva enquanto eu me perguntava aonde eles estavam me levando e quanto tempo eu ficaria lá. Eu tinha pouco mais de 18 anos e faria minhas provas finais do ensino médio dali a poucas semanas. O que iria acontecer comigo?

Depois de um trajeto razoavelmente curto, o jipe parou. Um soldado me puxou para fora do veículo e removeu a venda. Apertando os olhos por causa do sol forte, percebi que estávamos na Base Militar de Ofer, centro de defesa do Exército israelense e uma das maiores e mais seguras instalações militares da Cisjordânia.

No caminho para o edifício principal, passamos por vários tanques cobertos por lonas. Aqueles monstruosos veículos pareciam rochas imensas, desproporcionais, e sempre me intrigavam todas as vezes que eu os via do outro lado dos portões.

Já dentro do edifício, um médico se aproximou de nós e me deu uma olhada rápida, aparentemente para se certificar de que eu estava apto a suportar o interrogatório. Devo ter passado no exame, pois, minutos mais tarde, as algemas e a venda foram recolocadas e fui novamente empurrado para dentro do jipe.

Enquanto eu me contorcia na pequena área geralmente reservada aos pés, um soldado parrudo pôs seu coturno bem em cima do meu quadril e pressionou a boca do seu fuzil M16 contra o meu peito. O cheiro forte de combustível queimado tomava conta do chão do veículo, fechando a minha garganta. A cada vez que eu tentava me acomodar no espaço apertado, o soldado afundava ainda mais o cano da arma no meu peito.

De repente, uma dor lancinante atravessou meu corpo e fez com que os dedos dos meus pés se encolhessem. Era como se um foguete estivesse explodindo dentro do meu crânio. A força do golpe viera do banco dianteiro, e percebi que um dos soldados devia ter usado a coronha do fuzil para acertar minha cabeça. Porém, antes que eu tivesse tempo de me proteger, ele me golpeou outra vez, com ainda mais força, no olho. Tentei sair do seu alcance, mas o soldado que havia me usado como apoio para os pés me arrastou e me colocou reto.

– Não se mexa ou atiro! – gritou.

Mas eu não conseguia evitar me mover. A cada vez que seu companheiro me acertava, eu involuntariamente recuava.

Sob a venda áspera, meu olho estava começando a inchar até se fechar, e senti que meu rosto ficava dormente. O sangue não circulava em minhas pernas. Minha respiração se resumia a arquejos superficiais. Eu nunca havia sentido tanta dor. No entanto, pior do que a dor física era o terror de estar à mercê de algo tão cruel, brutal e desumano. Minha mente vagava enquanto eu me esforçava para entender os motivos que levavam meus algozes a fazer aquilo comigo. Eu compreendia que era possível lutar e matar motivado pelo ódio, pela raiva, pela vingança ou até mesmo pela necessidade. Mas eu não tinha feito nada àqueles soldados. Não mostrara resistência e fizera tudo o que mandaram. Eu não era uma ameaça para eles: estava amarrado, vendado e desarmado. O que havia, dentro daquelas pessoas, que fazia com que tivessem prazer em me machucar? Até mesmo o animal mais vil mata por um motivo, não apenas por diversão.

Pensei em como minha mãe se sentiria quando soubesse que eu havia sido detido. Depois que meu pai foi mandado para uma prisão israelense, eu me tornara o homem da família. Será que eu ficaria preso por meses, ou até anos, como havia acontecido com ele? Nesse caso, como minha mãe iria se virar sem mim? Comecei a entender como meu pai se sentia, preocupado com a família e triste ao saber que estávamos preocupados com ele. Meus olhos se encheram d'água quando imaginei o rosto tenso da minha mãe.

Também me perguntava se todos os anos de escola estavam prestes a ser desperdiçados. Se eu realmente estivesse sendo levado para uma prisão israelense, faltaria às provas finais no mês seguinte. Uma torrente de perguntas e gritos atravessou minha mente enquanto eu continuava a ser golpeado: *Por que vocês estão fazendo isso comigo? O que eu fiz? Não sou um terrorista! Sou apenas um garoto. Por que estão me espancando?*

Tenho quase certeza de que desmaiei várias vezes, mas, sempre que voltava a mim, os soldados ainda estavam lá, me batendo. Eu não podia me esquivar dos golpes. A única coisa que podia fazer era gritar. Senti a bile subindo pela minha garganta, me causando uma ânsia insuportável, então vomitei sobre mim mesmo.

Uma tristeza profunda tomou conta de mim antes que eu perdesse mais uma vez a consciência. Seria o fim? Eu iria morrer antes de minha vida ter realmente começado?

Capítulo 2
A ESCADA DA FÉ
1955-1977

Meu nome é Mosab Hassan Yousef. Sou o filho mais velho do xeique Hassan Yousef, um dos sete fundadores do Hamas. Nasci na cidade de Ramallah, na Cisjordânia, e faço parte de uma das famílias islâmicas mais religiosas do Oriente Médio.

Minha história começa com meu avô, o xeique Yousef Dawood, o líder religioso, ou imã, da aldeia de Al-Janiya, localizada na região de Israel que a Bíblia chama de Judeia ou Samaria. Eu adorava meu avô. Sua barba macia e branca fazia cócegas na minha bochecha quando ele me abraçava, e eu podia ficar horas escutando o som de sua voz doce entoando o *adhan*, a convocação muçulmana para as orações. Não me faltavam oportunidades para escutá-lo, já que os muçulmanos são chamados para as orações cinco vezes por dia. Não é fácil entoar bem o *adhan* e o Alcorão, mas, quando meu avô o fazia, o som era mágico.

Quando garoto, alguns muezins me perturbavam tanto que minha vontade era colocar trapos nos ouvidos. Meu avô, porém, era um homem apaixonado. Ao cantar, sua voz transmitia aos ouvintes o mais profundo significado do *adhan*, e ele acreditava em cada uma daquelas palavras.

Cerca de 400 pessoas viviam em Al-Janiya na época em que a Jordânia governava a região e os israelenses ocupavam o território, mas, para os moradores daquela pequena aldeia rural, a política não tinha muita utilidade. Aninhada nas colinas ondulantes alguns quilômetros a noroeste de Ramallah, Al-Janiya era um lugar muito pacífico e bonito. O pôr do sol tingia toda a paisagem de tons de rosa e violeta. O ar era limpo, transparente, e, de muitos dos seus picos, era possível enxergar até o Mediterrâneo.

Todo dia, às quatro da manhã, meu avô ia para a mesquita. Quando terminava as preces matutinas, levava seu jumento até o campo, lavrava a terra, cuidava das oliveiras e bebia água fresca da nascente que descia da montanha. Em Al-Janiya, não havia poluição atmosférica, porque lá apenas uma pessoa possuía carro.

Quando estava em casa, meu avô recebia um fluxo constante de visitantes. Ele era mais do que o imã, era tudo para os habitantes daquela aldeia. Fazia as orações para todos os recém-nascidos e lhes sussurrava o *adhan* ao ouvido. Quando alguém morria, vovô lavava e ungia o corpo, vestindo-o com sua mortalha. Ele celebrava casamentos e realizava funerais.

Meu pai, Hassan, era seu filho predileto. Mesmo quando criança, antes que isso se tornasse uma obrigação, meu pai acompanhava meu avô à mesquita regularmente. Nenhum dos irmãos se importava tanto com o Islá quanto ele.

Com o pai, Hassan aprendeu a entoar o *adhan* e, como ele, tinha uma voz e uma paixão que tocavam o coração das pessoas. Meu avô se orgulhava muito dele.

Quando meu pai tinha 12 anos, meu avô disse:

– Hassan, você demonstrou que se interessa muito por Deus e pelo Islá. Então, vou mandá-lo a Jerusalém para aprender a charia.

Charia é a lei religiosa islâmica que estabelece as regras da vida cotidiana, desde as relacionadas às questões de família e de higiene até as que definem a política e a economia.

Hassan não sabia nada de política nem de economia e não se importava com esses assuntos. Tudo o que ele queria era ser como o pai. Sua vontade era ler e entoar o Alcorão e servir às pessoas. Ele estava prestes a descobrir, porém, que seu pai era muito mais do que um líder religioso de confiança e um funcionário público estimado.

Como os valores e as tradições sempre foram mais importantes para o povo árabe do que as constituições governamentais e os tribunais, homens como meu avô muitas vezes se tornavam a autoridade suprema. Sobretudo em áreas em que os líderes seculares eram fracos e corruptos, a palavra de um líder religioso era considerada lei.

Meu pai não foi mandado a Jerusalém simplesmente para estudar religião; meu avô, na verdade, o estava preparando para governar. Então, nos anos seguintes, meu pai viveu e estudou na Cidade Velha de Jerusalém, ao lado da Mesquita de Al-Aqsa, próxima ao Domo da Rocha, a icônica estrutura com uma cúpula dourada que define a paisagem de Jerusalém para a maioria das pessoas ao redor do mundo. Aos 18 anos, ele completou os estudos e se mudou para Ramallah, onde foi imediatamente admitido como imã da mesquita da Cidade Antiga. Cheio de paixão para servir tanto a Alá quanto a seu povo, meu pai estava ávido para começar a trabalhar naquela comunidade, assim como seu pai havia feito em Al-Janiya.

Ramallah, entretanto, não era Al-Janiya. Era uma cidade movimentada, não uma pequena aldeia sonolenta. A primeira vez que entrou na mesquita, meu pai ficou chocado ao encontrar apenas cinco velhos à sua espera. Parecia que todos os outros estavam nos cinemas que exibiam filmes pornôs e nos cafés, se embebedando e jogando. Até o homem que entoava o *adhan* para a mesquita ao lado havia puxado um fio do alto-falante que ficava no minarete para poder dar continuidade à tradição islâmica sem precisar interromper seu carteado.

Meu pai ficou desolado com aquelas pessoas, embora não soubesse como estabelecer contato com elas. Mesmo aqueles cinco velhos só tinham ido até lá por temer a proximidade da morte e por querer garantir seu lugar no céu, mas ao menos estavam dispostos a ouvir o que ele tinha a dizer. Então, meu pai começou a se dedicar aos ouvintes que tinha à disposição. Orientou as preces daqueles irmãos e lhes ensinou o Alcorão. Em pouquíssimo tempo, aqueles fiéis passaram a adorá-lo como se fosse um anjo enviado do céu.

Fora da mesquita, a situação era bem diferente. Para muitos, o amor que meu pai sentia pelo Deus do Alcorão só enfatizava ainda mais o modo casual como eles mesmos se relacionavam com a fé, e isso os ofendia.

– Quem é esse garoto entoando o *adhan*? – as pessoas zombavam, apontando para o meu jovem pai. – O que ele está fazendo aqui? Este não é o lugar dele. Ele só nos traz problemas.

– Por que esse sujeitinho está nos envergonhando? Só os velhos vão à mesquita.

– Eu preferiria ser um cão a ser como você – um deles gritou bem na sua cara.

Meu pai suportava a perseguição calado, sem nunca responder aos gritos nem se defender. No entanto, seu amor e sua compaixão pelas pessoas não o deixavam desistir. Ele continuava a fazer o trabalho para o qual havia sido convocado: exortar as pessoas a trilhar o caminho de volta ao Islã e a Alá.

Ele dividia suas preocupações com meu avô, que logo percebeu que meu pai tinha ainda mais zelo e potencial do que imaginara. Meu avô então o mandou para a Jordânia para aprofundar os estudos islâmicos. Como você irá constatar, as pessoas que ele conheceu lá acabariam mudando o curso da história da minha família e até afetando os rumos do conflito no Oriente Médio.

Antes que eu continue, porém, preciso abrir um breve parêntese para explicar alguns pontos interessantes da história islâmica que o ajudarão a entender por que as inúmeras soluções diplomáticas apresentadas fracassaram e por que não oferecem uma esperança de que a paz um dia venha a existir.

• • •

    Entre 1517 e 1923, o Islã, personificado pelo califado otomano, se disseminou por três continentes a partir de sua base na Turquia. Entretanto, após alguns séculos de hegemonia econômica e política, o Império Otomano se tornou centralizado e corrupto, o que levou a seu próprio declínio.

    Sob o comando dos turcos, aldeias muçulmanas em todo o Oriente Médio ficaram sujeitas a perseguições e tributação opressiva. Istambul era simplesmente longe demais daquela região para que o califa protegesse os fiéis dos abusos dos soldados e das autoridades locais.

    No século XX, muitos muçulmanos estavam cada vez mais desiludidos com os preceitos da religião e passaram a adotar um estilo de vida diferente. Alguns se entregaram ao ateísmo dos recém-chegados comunistas. Outros mergulharam seus problemas na bebida, no jogo e na pornografia, introduzidos em grande parte pelos ocidentais, que haviam sido atraídos para a região por causa das riquezas minerais e da crescente industrialização.

    No Cairo, capital egípcia, um jovem e devoto professor primário chamado Hassan al-Banna chorava por seus compatriotas, pobres, desempregados e ímpios. Ele, porém, culpava o Ocidente, não os turcos, e acreditava que a única esperança para seu povo, em especial para os jovens, era o retorno à pureza e à simplicidade do Islã.

    Ele ia aos cafés, subia nas mesas e cadeiras e pregava a todos sobre Alá. Os bêbados zombavam dele. Os líderes religiosos o desafiavam. Mas a maioria das pessoas passou a amá-lo, porque ele lhes dava esperança.

    Em março de 1928, Hassan al-Banna fundou a Sociedade dos Irmãos Muçulmanos, mais conhecida como Irmandade Muçulmana, cujo objetivo era reconstruir a sociedade de acordo com os princípios islâmicos. Num período de 10 anos, todas as províncias egípcias tinham uma filial da organização. Em 1935, o irmão de al-Banna fundou uma divisão da sociedade nos territórios palestinos. Vinte anos depois, a Irmandade contava com cerca de meio milhão de adeptos apenas no Egito.

Os integrantes da Irmandade Muçulmana provinham em grande parte das classes mais pobres e menos influentes, mas eram ardorosamente leais à causa. Faziam doações do próprio bolso para ajudar outros muçulmanos, como prega o Alcorão.

No Ocidente, muitas pessoas que têm uma percepção estereotipada dos muçulmanos como terroristas desconhecem a face do Islá que reflete amor e piedade, a que cuida dos pobres, das viúvas e dos órfãos. A que promove a educação e o bem-estar. A que une e fortalece. Esse é o lado do Islá que motivou os primeiros líderes da Irmandade Muçulmana a se reunirem em torno de uma causa comum. É claro que também existe o outro lado, que convoca todos os muçulmanos para a jihad a fim de lutar e enfrentar o mundo inteiro até que se estabeleça um califado global, liderado por um homem santo que governe e fale em nome de Alá. É importante que você entenda e se lembre desses fatos à medida que este relato avançar.

Em 1948, a Irmandade Muçulmana tentou dar um golpe de Estado contra o governo egípcio, ao qual atribuía a culpa pela crescente secularização da nação. No entanto, o levante foi sufocado antes que pudesse ganhar força, quando o mandato britânico terminou e Israel declarou sua independência como Estado judeu.

Os muçulmanos em todo o Oriente Médio ficaram indignados. De acordo com o Alcorão, quando um inimigo invade qualquer território muçulmano, todos os seguidores do islamismo são convocados a lutar e defender sua terra. Do ponto de vista do mundo árabe, os estrangeiros haviam invadido e, naquele momento, ocupavam a Palestina, onde está localizada a Mesquita de Al-Aqsa, o terceiro lugar mais sagrado na Terra para o Islã, depois de Meca e de Medina. A mesquita foi construída no lugar do qual se acredita que Maomé tenha partido, na companhia do anjo Gabriel, para o céu, onde se encontrou com Abraão, Moisés e Jesus.

Egito, Líbano, Síria, Jordânia e Iraque imediatamente invadiram o novo Estado judeu. Entre os 10 mil soldados egípcios, havia milhares de voluntários da Irmandade Muçulmana. No entanto, a coalizão árabe estava em desvantagem tanto em efetivo quanto em armamento, e menos de um ano depois as tropas árabes foram rechaçadas.

Como consequência da guerra, cerca de 750 mil árabes palestinos fugiram ou foram expulsos de suas casas nos territórios que se tornaram o Estado de Israel.

Embora a Assembleia Geral das Nações Unidas tenha aprovado a Resolução 194, que declarava em parte que "os refugiados que desejassem voltar a suas casas e viver em paz com seus vizinhos deveriam receber permissão para fazê-lo" e que "uma indenização pela propriedade deveria ser paga àqueles que optassem por não retornar", tal recomendação nunca foi implementada. Dezenas de milhares de palestinos que fugiram de Israel durante a Guerra Árabe-Israelense nunca recuperaram suas casas e suas terras. Muitas dessas pessoas e seus descendentes vivem até hoje em miseráveis campos de refugiados controlados pela ONU.

Quando os integrantes da Irmandade Muçulmana, então armados, voltaram do campo de batalha para o Egito, o golpe antes sufocado foi retomado. Entretanto, informações do plano para depor o governo vazaram e as autoridades egípcias baniram a Irmandade, confiscaram seus bens e prenderam muitos de seus integrantes. Aqueles que escaparam de ir para a prisão acabaram assassinando o primeiro-ministro do Egito semanas mais tarde.

Hassan al-Banna, por sua vez, foi assassinado em 12 de fevereiro de 1949, aparentemente pelo serviço secreto egípcio. A Irmandade, porém, não foi esmagada. Em apenas 20 anos, Hassan al-Banna tirou o Islã de sua letargia e deu início a uma revolução com combatentes armados. Nos anos seguintes, a organização continuou a se expandir e a aumentar sua influência entre o povo, não apenas no Egito, mas também na Jordânia e na Síria.

Quando meu pai chegou à Jordânia, em meados da década de 1970, para dar prosseguimento a seus estudos, a Irmandade Muçulmana já estava bem estabelecida por lá e era amada pelo povo. Seus integrantes estavam fazendo tudo o que meu pai sempre sonhara em fazer: incentivavam a renovação da fé entre aqueles que haviam se afastado do modo de vida islâmico, cuidavam dos feridos e tentavam salvar as pessoas das influências corruptas da sociedade. Ele acreditava que aqueles homens eram os reformadores religiosos do Islã, como Martinho Lutero e William Tyndale haviam sido para o cristianismo. Eles só queriam salvar as pessoas e melhorar a vida delas, não matar e destruir. Ao conhecer alguns dos primeiros líderes da Irmandade, meu pai disse:

– É exatamente isso que eu estava procurando.

O que meu pai viu nos primeiros líderes da Irmandade Muçulmana foi a face do Islã que reflete o amor e a piedade. O que ele não viu – o que talvez nunca tenha se permitido ver – foi o lado negro do Islã.

A vida islâmica é como uma escada, com preces e louvores a Alá no primeiro degrau. Os degraus mais acima representam a ajuda aos pobres e necessitados, a criação de escolas e o apoio a instituições de caridade. O degrau mais alto é a jihad.

A escada é comprida, e poucos olham para cima para ver o que há no topo. O progresso, em geral, é gradual, quase imperceptível, como o de um gato que persegue uma andorinha. Ela nunca tira os olhos do gato. Simplesmente fica lá, olhando o gato caminhar para a frente e para trás, para a frente e para trás. Mas a andorinha não tem noção de profundidade. Não percebe que o gato está um pouquinho mais perto a cada passo, até que, em um piscar de olhos, as garras do felino estão manchadas com o sangue do pássaro.

Os muçulmanos tradicionais ficam ao pé da escada, vivendo com culpa por não praticar de verdade o que prega o Islã. No topo estão os fundamentalistas, aqueles que aparecem nos noticiários por terem matado mulheres e crianças em nome da glória do Deus do Alcorão. Os moderados estão em algum lugar intermediário.

Entretanto, um muçulmano moderado é, na verdade, mais perigoso do que um fundamentalista, porque parece ser inofensivo, porém nunca sabemos quando dará o próximo passo em direção ao topo. É assim, como moderados, que a maioria dos terroristas suicidas começa.

No dia em que pôs os pés no degrau mais baixo da escada pela primeira vez, meu pai nunca poderia imaginar a que altura chegaria, se afastando de seus ideais mais genuínos. Trinta e cinco anos depois, eu gostaria de perguntar a ele: você se lembra de onde começou? Você sentiu o coração esmagado ao ver todas aquelas pessoas perdidas e quis que elas se voltassem para Alá em busca de segurança e proteção. E agora, terroristas suicidas e sangue inocente? Foi isso que você se propôs a fazer?

Em nossa cultura, porém, não falamos com o próprio pai a respeito de questões como essas. E assim ele continuou a trilhar aquele perigoso caminho.

Capítulo 3
A IRMANDADE MUÇULMANA
1977-1987

AO VOLTAR AOS TERRITÓRIOS OCUPADOS após seus estudos na Jordânia, meu pai estava cheio de otimismo e esperança para os muçulmanos de todos os lugares. Em sua mente, via um futuro brilhante criado por uma manifestação moderada da Irmandade Muçulmana.

Ele estava acompanhado de Ibrahim Abu Salem, um dos fundadores da sociedade na Jordânia, que tinha ido ajudar a insuflar vida na estagnada irmandade da Palestina. Ele e meu pai trabalhavam bem juntos, recrutando jovens que compartilhavam sua paixão e os reunindo em pequenos grupos de ativistas.

Em 1977, com apenas 50 dinares no bolso, Hassan se casou com Sabha Abu Salem, irmã de Ibrahim Abu Salem. Eu nasci no ano seguinte.

Quando eu tinha 7 anos, nossa família se mudou para Al--Bireh, cidade próxima de Ramallah, e meu pai se tornou imã do campo de refugiados Al-Amari, criado dentro dos limites da cidade. Dezenove campos se espalhavam pela Cisjordânia, e Al-Amari fora estabelecido em 1949 em uma área de aproximadamente 89 mil metros quadrados. Em 1957, suas velhas tendas haviam sido substituídas por casas de concreto geminadas. As ruas tinham a largura de um carro; nas sarjetas, o esgoto corria como rios de lama. No centro da área, se erguia uma árvore solitária. O campo estava superlotado, a água não era potável e os refugiados dependiam das Nações Unidas para tudo: habitação, comida, roupas, assistência médica e educação.

Quando foi à mesquita pela primeira vez, meu pai ficou decepcionado ao encontrar apenas duas filas de pessoas, cada uma com 20 homens, que faziam suas orações. Porém, vários meses após ele ter começado a pregar, as pessoas enchiam a mesquita e ocupavam até as ruas. Além de sua devoção a Alá, meu pai nutria grande amor e compaixão pelo povo muçulmano, e eles retribuíram esses sentimentos amando-o muito.

Hassan Yousef era muito querido por ser como todas as outras pessoas. Vivia como elas viviam, comia o que comiam, orava como elas. Ele não se achava melhor do que aqueles a quem servia, não usava roupas sofisticadas e recebia um baixo salário do governo jordaniano, que mal dava para cobrir as despesas e pagar a manutenção dos locais religiosos. Sua folga oficial era às segundas-feiras, mas ele nunca descansava. Ele não trabalhava pelo salário, mas para agradar a Alá. Para ele, aquele era seu dever sagrado, seu propósito de vida.

Em setembro de 1987, meu pai aceitou um segundo emprego como professor de religião dos estudantes muçulmanos que frequentavam uma escola cristã particular na Cisjordânia. Obviamente, isso significava que ele quase não parava mais em casa e nós o víamos menos do que antes, não porque ele não amasse a família, mas porque amava Alá ainda mais. No entanto, o que não percebemos era que estava chegando o momento em que quase não o teríamos por perto.

Enquanto meu pai trabalhava, minha mãe carregava o fardo de criar os filhos sozinha, nos ensinando a ser bons muçulmanos, nos acordando para a prece da alvorada quando já tínhamos idade suficiente e nos incentivando a jejuar durante o Ramadá, o mês sagrado do islamismo. Àquela altura, éramos seis: meus irmãos Sohayb, Seif e Oways, minhas irmãs Sabeela e Tasneem, e eu. Mesmo com a renda dos dois empregos do meu pai, mal tínhamos dinheiro suficiente para pagar as contas. Minha mãe dava duro para fazer cada dinar render ao máximo.

Sabeela e Tasneem começaram ainda muito jovens a ajudar minha mãe nas tarefas domésticas. Meigas, puras e lindas, minhas irmãs nunca se queixaram, embora seus brinquedos ficassem cobertos de poeira porque elas não tinham tempo para usá-los. Os utensílios de cozinha eram seus novos companheiros de diversão diária.

– Você faz coisas demais, Sabeela – minha mãe dizia a minha irmã mais velha. – Precisa parar e descansar.

Mas Sabeela apenas sorria e continuava a trabalhar.

Meu irmão Sohayb e eu aprendemos muito cedo a fazer uma fogueira e acender o forno. Cozinhávamos e lavávamos os pratos, e todos cuidavam de Oways, o bebê.

Nossa brincadeira favorita se chamava Estrelas. Todas as noites, antes de irmos dormir, minha mãe escrevia nossos nomes em uma folha de papel e nos sentávamos em círculo para que ela pudesse nos premiar com "estrelas" de acordo com o que tínhamos feito durante o dia. No fim do mês, aquele que tivesse o maior número de estrelas era o vencedor; em geral era Sabeela. Não tínhamos dinheiro para prêmios de verdade, mas isso não importava. O objetivo do jogo era mais conquistar o apreço da minha mãe do que qualquer outra coisa, e sempre esperávamos ansiosos por nossos pequenos momentos de glória.

A Mesquita de Ali ficava a apenas 800 metros da nossa casa, e eu me orgulhava muito de poder ir até lá a pé, sozinho. Eu queria desesperadamente ser igual ao meu pai, assim como ele havia desejado ser igual ao pai dele.

Em frente à Mesquita de Ali, havia um dos maiores cemitérios que eu já tinha visto. Servindo a Ramallah, Al-Bireh e aos campos de refugiados, era cinco vezes maior do que todo o nosso bairro e ficava cercado por um muro de pouco mais de meio metro de altura. Cinco vezes por dia, quando o *adhan* nos conclamava para as preces, eu fazia o trajeto de ida e volta até a mesquita passando ao lado de milhares de túmulos. Para um garoto da minha idade, o lugar era incrivelmente assustador, sobretudo à noite, quando ficava às escuras. Eu não podia deixar de imaginar as raízes das grandes árvores se alimentando dos corpos enterrados.

Certa vez, quando o imã nos chamou para a prece do meio-dia, eu me purifiquei, pus um pouco de colônia, vesti roupas boas como as que meu pai usava e fui para a mesquita. O dia estava lindo. Ao me aproximar, percebi que havia mais carros estacionados do lado de fora do que de costume, e um grupo de pessoas estava em pé perto da entrada. Tirei os sapatos, como sempre fazia antes de entrar, e vi, bem perto da porta, um corpo envolto em tecido de algodão branco dentro de um caixão aberto. Eu nunca vira um cadáver e, embora soubesse que não deveria ficar olhando, não conseguia desviar o olhar. O corpo estava enrolado em um lençol, com apenas o rosto à mostra. Cheguei perto e observei seu peito, quase esperando que voltasse a respirar.

O imã nos chamou para a prece, então adentrei a mesquita como todo mundo, embora continuasse a me virar e olhar para o corpo no caixão. Quando terminamos nossas recitações, o imã pediu que o corpo fosse levado lá para a frente a fim de receber as preces. Oito homens levantaram o ataúde em seus ombros e um deles exclamou:

– *La ilaha illallah!* (Não há Deus, mas Alá!)

Como se estivessem respondendo a um sinal, todos os outros também começaram a gritar:

– *La ilaha illallah! La ilaha illallah!*

Calcei os sapatos o mais rápido possível e acompanhei a multidão, que se dirigia ao cemitério. Por ser muito baixo, tive de correr por entre os homens mais velhos para não ficar para trás. Eu nunca tinha entrado no cemitério, mas concluí que estaria seguro por estar na companhia de todos os demais.

– Não pise nos túmulos! – alguém gritou. – É proibido!

Abri caminho cuidadosamente entre a multidão até chegarmos à beira de uma cova profunda. Olhei rápido para o fundo do buraco de 2,5 metros, no qual um velho estava de pé. Eu havia escutado algumas crianças do bairro falar daquele homem, Juma'a. Diziam que ele nunca ia à mesquita e não acreditava no Deus do Alcorão, mas enterrava todo mundo, às vezes dois ou três corpos por dia.

Será que ele não tem nenhum medo da morte?, pensei.

Os homens baixaram o cadáver até os braços fortes de Juma'a. Depois lhe entregaram um frasco de colônia e uma coisa verde que tinha um cheiro fresco e gostoso. Ele abriu a mortalha e despejou o líquido sobre o corpo.

Juma'a virou o defunto para o lado direito, na direção de Meca, e construiu uma pequena caixa à sua volta com placas de concreto. Enquanto quatro homens com pás jogavam terra na cova, o imã deu início às orações. Começou a prece como meu pai costumava fazer.

– Esse homem se foi – disse, a terra caindo sobre o rosto, o pescoço e os braços do morto. – Deixou para trás tudo: dinheiro, casa, filhos e mulher. Esse é o destino de cada um de nós.

Exortou-nos a nos arrepender e a parar de pecar. Depois disse algo que eu nunca havia ouvido meu pai dizer:

– A alma desse homem logo voltará, e dois anjos terríveis, chamados Munkar e Nakir, descerão do céu para examiná-lo. Eles pegarão seu corpo e o sacudirão, perguntando: "Quem é seu Deus?" Se ele der a resposta errada, irão golpeá-lo com um grande martelo e o mandarão para debaixo da terra por 70 anos. Alá, suplicamos que você nos dê as respostas certas quando for chegada nossa hora!

Olhei horrorizado para a cova aberta. Àquela altura, o corpo já estava quase todo coberto de terra, e eu me perguntava quanto tempo demoraria até o início do interrogatório.

— E, se suas respostas não forem satisfatórias, o peso da terra esmagará suas costelas, os vermes devorarão lentamente sua carne. Ele será atormentado por uma cobra com 99 cabeças e um escorpião do tamanho do pescoço de um camelo, até o dia da ressurreição dos mortos, quando seu sofrimento poderá conquistar o perdão de Alá.

Eu não podia acreditar que tudo aquilo acontecia bem ao lado da minha casa toda vez que alguém era enterrado. Nunca havia me sentido à vontade em relação ao cemitério, mas naquele momento me sentia ainda pior. Aterrorizado, decidi que precisava decorar as perguntas para poder responder corretamente ao interrogatório dos anjos após minha morte.

O imã disse que o exame começaria assim que a última pessoa deixasse o cemitério. Fui para casa, mas não conseguia parar de pensar no que ele havia dito. Então, resolvi voltar e ouvir a tortura. Percorri o bairro tentando convencer meus amigos a me acompanhar, mas todos eles acharam que eu estava louco.

Portanto, eu teria de ir sozinho. Durante todo o trajeto de volta até o cemitério, eu tremia de medo, não conseguia me controlar. Logo me vi diante de um oceano de túmulos. Eu queria correr, mas minha curiosidade era mais forte do que meu pavor. Queria ouvir perguntas, gritos, qualquer coisa. Mas não ouvi nada. Então, me aproximei até tocar a lápide, porém tudo o que ouvi foi o silêncio. Uma hora depois, eu estava entediado e voltei para casa.

Minha mãe estava ocupada na cozinha quando cheguei e contei a ela que havia ido ao cemitério, onde o imã disse que a tortura aconteceria.

— E...?

— Voltei lá depois que as pessoas enterraram o morto, mas nada aconteceu.

— Mosab, a tortura só pode ser ouvida pelos animais — ela explicou —, não por seres humanos.

Para um garoto de 8 anos, aquela explicação fazia todo o sentido.

Após aquele sepultamento, eu observava diariamente os outros corpos que eram levados ao cemitério. Depois de um tempo, comecei a me acostumar e a ficar por lá só para ver quem havia morrido. Ontem, uma mulher. Hoje, um homem. Um dia, levaram duas pessoas; algumas horas mais tarde, carregaram mais outra. Quando nenhum novo cadáver chegava, eu caminhava por entre os túmulos e lia a respeito daqueles que haviam sido enterrados. Morreu aos 100 anos. Morto aos 25. Qual era o nome dele? De onde ela era? O cemitério se tornou minha área de lazer.

Assim como eu, no início meus amigos tinham medo de lá. No entanto, desafiávamos uns aos outros a entrar naquela área à noite e, como ninguém queria ser considerado covarde, todos nós acabamos superando nossos temores. Até jogávamos futebol nos espaços vazios.

...

À medida que nossa família crescia, a Irmandade Muçulmana também se expandia. Em pouco tempo, aquela deixou de ser uma organização para pobres e refugiados e passou a incluir moças e rapazes instruídos, homens de negócios e profissionais liberais, que faziam doações para a construção de escolas e a manutenção de obras de caridade e clínicas.

Vendo aquele crescimento, muitos jovens no movimento islâmico, principalmente em Gaza, decidiram que a Irmandade precisava se posicionar contra a ocupação israelense. Eles diziam: "Tomamos conta da sociedade e continuaremos a honrar esse compromisso, mas aceitaremos a ocupação para sempre? O Alcorão não nos ordena a expulsar os invasores israelenses?" Aqueles jovens não portavam armas, mas eram durões e estavam loucos para lutar.

Meu pai e outros líderes da Cisjordânia discordavam. Eles não queriam repetir os erros cometidos no Egito e na Síria, onde a Irmandade tentara aplicar golpes de Estado e fracassara. Argumentavam que, na Jordânia, os irmãos não lutavam, participando das eleições e exercendo uma forte influência sobre a sociedade. Meu pai não se opunha à violência, mas não achava que seu povo tinha condições de enfrentar as forças armadas israelenses.

Durante muitos anos, o debate dentro da Irmandade continuou e os grupos de base aumentaram a pressão por ação. Frustrado com a inércia da Irmandade Muçulmana, Fathi Shaqaqi fundou a Jihad Islâmica da Palestina no fim da década de 1970, mas, mesmo assim, a Irmandade conseguiu manter sua postura de não violência por mais uma década.

Em 1986, um encontro secreto e histórico foi realizado em Hebron, ao sul de Belém. Meu pai estava presente, embora só tenha me falado a respeito muitos anos depois. Ao contrário do que informam muitos relatos históricos inexatos, estes sete homens participaram daquela reunião: o xeique Ahmed Yassin, que se tornaria o líder espiritual da nova organização; Muhammad Jamal al-Natsheh, de Hebron; Jamal Mansour, de Nabulus; o xeique Hassan Yousef (meu pai); Mahmud Muslih, de Ramallah; Jamil Hamami, de Jerusalém; e Ayman Abu Taha, de Gaza.

Os homens que participaram daquele encontro estavam finalmente preparados para lutar. Concordaram em começar com a simples desobediência civil, atirando pedras e ateando fogo a pneus. O objetivo era despertar, unificar e mobilizar o povo palestino e fazê-lo entender a necessidade de independência sob a bandeira de Alá e do islamismo.[1]

Assim nascia o Hamas. E meu pai subia mais alguns degraus rumo ao topo da escada do Islã.

Capítulo 4
ATIRANDO PEDRAS
1987-1989

O Hamas precisava de um motivo, qualquer que fosse, que pudesse servir de justificativa para um levante. Essa ocasião surgiu em dezembro de 1987, embora tudo não tenha passado de um trágico mal-entendido.

Em Gaza, Shlomo Sakal, um israelense que vendia plásticos, foi esfaqueado e morreu. Alguns dias depois, quatro moradores do campo de refugiados de Jabalia, também em Gaza, morreram em um acidente de trânsito rotineiro. No entanto, correram boatos de que eles haviam sido assassinados por israelenses em vingança pela morte de Sakal.

Tumultos irromperam em Jabalia. Um rapaz de 17 anos atirou um coquetel molotov e foi morto a tiros por um soldado israelense. Em Gaza e na Cisjordânia, todos foram para as ruas. O Hamas assumiu a liderança, instigando os tumultos, que se tornaram um novo estilo de luta em Israel. Crianças atiravam pedras em tanques israelenses e suas fotos eram publicadas nas capas de revistas em toda a comunidade internacional na mesma semana.

A Primeira Intifada havia começado e a causa palestina se tornou notícia no mundo inteiro. Quando ela teve início, tudo mudou em nosso cemitério-playground. A cada dia, mais corpos chegavam. Ira e raiva andavam de mãos dadas com o pesar. As multidões palestinas começaram a atirar pedras nos judeus que tinham de passar de carro pelo cemitério para chegar ao assentamento israelense, a um quilômetro e meio de distância. Colonos israelenses fortemente armados matavam à vontade. Quando as Forças de Defesa de Israel chegavam ao local, faziam mais disparos, causando mais mortes e deixando mais pessoas feridas.

Nossa casa ficava bem no meio do caos. Várias vezes, as caixas-d'água em nosso telhado foram despedaçadas por balas israelenses. Os corpos que os *fedayeen* mascarados, que lutavam pela liberdade, levavam ao nosso cemitério não eram mais somente de idosos. Às vezes, eram cadáveres que ainda sangravam sobre macas, sem terem sido lavados ou sequer envoltos em mortalhas. Cada mártir era enterrado imediatamente para que ninguém profanasse seus corpos, roubasse os órgãos e os devolvesse às famílias forrados de trapos.

Na verdade, a violência era tanta que eu me entediava durante as raras temporadas em que a situação se acalmava. Meus amigos e eu também começamos a atirar pedras a fim de causar agitação e sermos respeitados como combatentes da resistência. Do cemitério, podíamos ver o assentamento israelense, no alto da montanha, cercado por um muro alto e torres de sentinela. Ficava pensando sobre as 500 pessoas que moravam lá, dirigiam carros novos, muitos deles blindados, portavam armas automáticas e pareciam ter liberdade para atirar em quem quisessem. Para um garoto de 10 anos como eu, elas pareciam alienígenas de outro planeta.

Certa tarde, pouco antes da prece do crepúsculo, eu e alguns amigos nos escondemos próximo da estrada e ficamos esperando para atirar pedras. Decidimos mirar em um ônibus de colonos que passava todo dia no mesmo horário, porque era um alvo grande e fácil de acertar. Enquanto esperávamos, os cânticos habituais do imã eram transmitidos pelos alto-falantes: "*Hayya 'alās-salāh*", ele entoava, nos apressando para as orações.

Quando finalmente ouvimos o ronco surdo de um motor a diesel, cada um de nós pegou duas pedras. Embora estivéssemos escondidos e não pudéssemos ver a rua, pelo som sabíamos exatamente onde o ônibus estava. No momento exato, pulamos e lançamos nossas armas. O som inconfundível de pedra contra metal nos garantiu que pelo menos algumas haviam atingido o alvo.

Mas não era o ônibus, e sim um grande veículo militar repleto de soldados israelenses nervosos e zangados. Voltamos a nos agachar enquanto o veículo parava. Não conseguíamos enxergar os soldados nem eles podiam nos ver. Então, simplesmente começaram a atirar para o alto, disparando a esmo por alguns minutos. Abaixados, nós fugimos rapidamente para a mesquita ali perto.

A prece já havia começado, mas acho que ninguém estava realmente concentrado no que dizia. Todos estavam ouvindo os sons entrecortados das armas automáticas do lado de fora e se perguntando o que estava acontecendo. Meus amigos e eu entramos na última fila, torcendo para que ninguém nos notasse. Porém, quando o imã terminou as orações, todos voltaram seus olhares furiosos para nós.

Em segundos, os veículos das Forças de Defesa de Israel chegaram à mesquita em meio a uma grande gritaria. Os soldados entraram correndo, nos forçando a sair e a deitar com o rosto virado para o chão enquanto verificavam nossas identidades. Fui o último a sair, morrendo de medo de que os militares soubessem que eu era o responsável por toda aquela confusão, porque eles certamente me espancariam até a morte. Mas ninguém prestou atenção em mim. Talvez tenham imaginado que um moleque como eu não teria a audácia de atirar pedras em um veículo das forças de segurança israelenses. Qualquer que fosse o motivo, fiquei aliviado por não estar na mira deles.

O interrogatório durou horas, e eu sabia que muitos dos fiéis estavam furiosos comigo. Talvez não soubessem exatamente o que eu fizera, mas não havia dúvida alguma de que eu tinha sido o pivô daquela incursão. Eu não me importava. Na verdade, estava exultante, porque meus amigos e eu havíamos desafiado o poderio israelense e escapáramos ilesos.

Aquela sensação era um vício que nos tornava ainda mais ousados. Um amigo e eu voltamos a nos esconder outro dia, daquela vez mais perto da estrada. Então o carro de um colono se aproximou e, quando me levantei, atirei uma pedra com toda a força. Acertei o para-brisa, e o choque produziu o som de uma bomba explodindo. A pedra não quebrou o vidro, mas consegui ver o rosto apavorado do motorista. O homem dirigiu por aproximadamente mais 40 metros, pisou no freio e engatou a ré.

Corri para o cemitério. Ele me seguiu, mas ficou do lado de fora, apoiando seu fuzil M16 no muro e examinando os túmulos à minha procura. Meu amigo havia corrido na direção oposta, me deixando sozinho contra um colono israelense furioso e armado.

Fiquei no chão em silêncio, deitado entre os túmulos, sabendo que o colono só estava esperando que eu levantasse a cabeça acima da lápide baixa para atirar em mim. Mas toda aquela tensão não me deixou mais ficar parado, então me levantei e corri o mais rápido que pude. Por sorte, estava escurecendo e ele parecia ter medo de entrar no cemitério.

Eu não havia ido muito longe quando senti o chão desaparecer sob meus pés. De repente, me vi no fundo de uma cova aberta para o próximo cadáver. *Por acaso seria eu?*, fiquei me perguntando. O israelense soltou uma rajada de balas e fragmentos de pedra choveram na sepultura em que eu caíra.

Eu me encolhi lá dentro, incapaz de me mover. Depois de mais ou menos meia hora, ouvi pessoas conversando, então soube que ele havia ido embora e que era seguro sair daquela cova.

Alguns dias depois, enquanto eu caminhava pela rua, o mesmo carro passou por mim. Daquela vez, havia dois passageiros, mas o motorista era o mesmo. Ele me reconheceu e saiu do carro. Tentei correr novamente, mas não tive tanta sorte. O homem me pegou, me deu um tapa no rosto com força e me arrastou até o carro. Ninguém disse nada enquanto seguíamos para o assentamento. Os dois homens pareciam nervosos e agarravam suas armas, virando-se de vez em quando para me olhar no banco traseiro. Eu não era um terrorista, era apenas um garotinho assustado. Mas eles agiam como caçadores que haviam capturado um espécime raro e valioso.

No portão, um soldado verificou a identidade do motorista e, com um aceno, o deixou prosseguir. Será que ele não se perguntou por que aqueles sujeitos estavam levando um garotinho palestino? Eu estava com medo, mas não conseguia parar de olhar os arredores. Nunca havia entrado em um assentamento israelense. Era lindo, tinha ruas limpas, piscinas e uma vista maravilhosa do vale a partir do topo da montanha.

O motorista me levou para a base das Forças de Defesa de Israel dentro do assentamento, onde os soldados tiraram meus sapatos e me mandaram sentar no chão. Achei que fossem atirar em mim e abandonar meu corpo em um lugar qualquer. Porém, quando começou a escurecer, eles ordenaram que eu fosse para casa.

— Mas não sei como ir para casa — protestei.

— Comece a andar, senão atiro em você — avisou um dos homens.

— Por favor, pode me devolver meus sapatos?

— Não. Vá andando. Da próxima vez que você atirar uma pedra, eu te mato.

Minha casa ficava a mais de um quilômetro e meio de distância, e percorri o caminho todo de volta usando só meias, trincando os dentes toda vez que as pedras e o cascalho machucavam a sola dos meus pés. Ao me ver chegando, minha mãe saiu correndo pela calçada e me abraçou com força, quase me deixando sem fôlego. Contaram que eu havia sido sequestrado por colonos israelenses e ela temia que me matassem. Ela me repreendeu várias vezes pela besteira que eu tinha feito enquanto me beijava e me apertava contra o peito.

Você pode pensar que aprendi a lição, mas eu era um garotinho bobo. Mal podia esperar para contar aos meus amigos covardes minha heroica aventura.

Em 1989, era comum os soldados israelenses baterem à porta e forçarem a entrada em nossa casa. Muitas vezes pareciam estar procurando alguém que havia atirado pedras e fugido pelo quintal. Eles estavam sempre muito bem armados e eu não entendia por que davam tanta importância a alguns pedregulhos.

Como Israel controlava as fronteiras, era quase impossível para os palestinos receber armas durante a Primeira Intifada. Não me lembro de ter visto um único palestino armado naquela época, eles dispunham apenas de pedras e coquetéis molotov. Entretanto, todos nós tínhamos ouvido histórias das forças de segurança israelenses abrindo fogo contra multidões desarmadas e espancando as pessoas com cassetetes. Alguns relatos informavam que 30 mil crianças palestinas haviam sofrido ferimentos graves a ponto de precisarem de tratamento médico. Aquilo não fazia sentido para mim.

Certa noite, meu pai demorou muito para chegar em casa. Fiquei sentado perto da janela, esperando que seu carrinho dobrasse a esquina, meu estômago roncando de fome. Embora minha mãe tivesse insistido para que eu jantasse com meus irmãos mais novos, me recusei, decidido a esperar meu pai. Finalmente, ouvi o motor do seu carro velho e gritei avisando que ele havia chegado. Minha mãe, então, começou a pôr na mesa pratos e tigelas fumegantes.

– Sinto muito pelo atraso – ele se desculpou. – Tive de sair da cidade para resolver uma briga entre duas famílias. Por que não jantaram?

Ele trocou de roupa rapidamente, lavou as mãos e foi para a mesa.

— Estou faminto — disse com um sorriso, o delicioso aroma das abobrinhas recheadas da minha mãe tomando conta da casa. — Não comi nada o dia todo.

Não era raro meu pai passar o dia todo sem comer nada, já que nunca sobrava dinheiro para fazer refeições fora de casa.

Enquanto nos acomodávamos e começávamos a comer, senti um impulso de admiração por meu pai. Eu via que ele estava exausto, porém sabia quanto amava o que fazia. A gentileza que demonstrava às pessoas de sua comunidade só se comparava à sua devoção a Alá. Ao observá-lo falar com minha mãe e meus irmãos, pensei em como ele era diferente da maioria dos muçulmanos. Nunca hesitou em ajudar a mulher com as tarefas domésticas ou a cuidar dos filhos. Na verdade, toda noite ele mesmo lavava suas próprias meias para não sobrecarregá-la. Gentilezas como essas não eram comuns em uma cultura em que as mulheres consideravam um privilégio lavar as pernas do marido após um dia cansativo.

Durante o jantar, os filhos se revezavam para contar ao pai tudo o que estavam aprendendo na escola. Como eu era o mais velho, deixei os menores falarem primeiro, mas, bem na minha vez, fui interrompido por alguém batendo à porta dos fundos. Quem podia ser àquela hora? Talvez fosse alguém com um problema sério que tivesse vindo pedir ajuda.

Corri até a porta e abri a janelinha para ver quem era, mas não reconheci o homem de pé do lado de fora.

— *Abuk mawjood?* — "Seu pai está?", ele perguntou num árabe fluente. Estava vestido como árabe, mas havia algo de estranho nele.

— Está, sim. Vou chamá-lo — respondi, sem abrir a porta.

De pé atrás de mim, meu pai ouviu tudo. Quando abriu a porta, vários soldados israelenses entraram em nossa casa. Minha mãe logo pôs um lenço na cabeça. Ficar descoberta na frente da família era aceitável, mas nunca na presença de outras pessoas.

— Você é o xeique Hassan? — perguntou o estranho.

– Sim, sou o xeique Hassan.

O homem se apresentou como capitão Shai e cumprimentou meu pai com um aperto de mão.

– Como vai? – perguntou o soldado educadamente. – Como estão as coisas? Somos das Forças de Defesa de Israel e gostaríamos que você nos acompanhasse. Só vai levar cinco minutos.

O que eles queriam com meu pai? Examinei seu rosto, tentando decifrar sua expressão. Ele sorriu para o homem com gentileza, sem nenhum traço de suspeita ou raiva em seus olhos.

– Tudo bem, posso ir com vocês – disse, acenando com a cabeça para minha mãe ao cruzar a porta.

– Espere aqui; seu pai volta logo – me disse o soldado.

Eu os acompanhei até lá fora, procurando mais militares pela vizinhança, porém não encontrei nenhum. Sentei nos degraus da entrada para esperar que meu pai voltasse. Dez minutos se passaram. Uma hora. Duas horas. Ele não voltou.

Nunca havíamos passado uma noite sem ele. Embora estivesse ocupado o tempo todo, meu pai sempre voltava para casa à noite. Todas as manhãs ele nos acordava para a prece da alvorada e nos levava para a escola. O que faríamos se ele não voltasse para casa naquela noite?

Quando entrei em casa novamente, minha irmã Tasneem dormia no sofá, seu rosto ainda molhado de lágrimas. Minha mãe tentava se manter ocupada na cozinha, mas, à medida que as horas se arrastavam, ela ia ficando cada vez mais agitada e preocupada.

No dia seguinte, fomos à Cruz Vermelha tentar obter alguma informação a respeito do desaparecimento de meu pai. O homem que nos atendeu na recepção disse que ele certamente havia sido preso, mas que as Forças de Defesa de Israel só dariam alguma informação à Cruz Vermelha depois de 18 dias.

Assim, voltamos para casa e esperamos que as duas semanas e meia passassem, mas durante todo esse tempo não ouvimos nada. Ao fim desse período, voltei à Cruz Vermelha para perguntar o que eles sabiam. Disseram-me que não haviam sido informados de nada.

– Mas você disse para esperar 18 dias! – exclamei, tentando conter as lágrimas. – Só me diga onde está meu pai.

– Garoto, vá para casa – retrucou o homem. – Volte na semana que vem.

Eu voltei, várias vezes, durante 40 dias. A cada vez, recebia a mesma resposta:

– Não temos nenhuma informação nova. Volte semana que vem.

Aquilo era muito estranho. Na maioria das vezes, após duas semanas de detenção as famílias dos prisioneiros palestinos tomavam conhecimento de onde seus entes queridos estavam detidos.

Quando algum prisioneiro era libertado, insistíamos em perguntar se havia visto meu pai. Todos sabiam que ele fora preso, mas nenhum dispunha de outras informações. Nem mesmo o advogado dele sabia de nada, já que não tinha permissão para visitá-lo.

Só depois soubemos que ele havia sido levado para Maskobiyeh, um centro de detenção israelense, onde foi torturado e interrogado. O Shin Bet, o serviço de segurança interna de Israel, sabia que meu pai integrava o mais alto escalão do Hamas e deduziu que ele sabia tudo o que acontecia ou que era planejado. E estavam determinados a fazê-lo falar.

No entanto, ele só me contou o que realmente havia acontecido muitos anos depois. Durante vários dias, ficou algemado e pendurado do teto. Aplicaram eletrochoques até ele desmaiar. Ficou preso junto a colaboradores, chamados de "pássaros", na esperança de que contasse algo para eles. Quando essa tática falhou, eles o espancaram ainda mais. Mas meu pai era forte. Permaneceu em silêncio e nunca revelou aos israelenses informação alguma que pudesse prejudicar o Hamas ou seus irmãos palestinos.

Capítulo 5
SOBREVIVÊNCIA
1989-1990

Os israelenses acreditavam que se capturassem um dos líderes do Hamas a situação melhoraria. No entanto, durante o período que meu pai passou na prisão, a intifada só se tornou mais violenta.

No fim de 1989, Amer Abu Sarhan, de Ramallah, vira todas as mortes palestinas que podia suportar. Como ninguém tinha armas, ele pegou uma faca de cozinha e esfaqueou três israelenses até a morte, dando início, na verdade, a uma revolução. Esse episódio marcou o início de uma considerável escalada da violência.

Sarhan se tornou um herói dos palestinos que perderam amigos ou parentes, cujas terras haviam sido confiscadas ou que tinham algum outro motivo para querer vingança. Eles não eram terroristas natos, eram apenas pessoas que não tinham mais esperança nem opções. Estavam acuados. Não possuíam mais nada e nada tinham a perder. Não se importavam com a opinião do mundo nem com a própria vida.

Para nós, crianças naquela época, ir à escola se tornou um verdadeiro problema. Era comum eu sair do colégio e ver jipes israelenses circulando pelas ruas, anunciando um toque de recolher imediato pelos alto-falantes. Os militares levavam essa medida muito a sério. Não era uma simples restrição à circulação, como acontece em algumas cidades americanas, em que as autoridades pegam um adolescente dando uma volta de carro depois das 11 da noite e ligam para os pais. Na Palestina, se declarassem toque de recolher e você estivesse na rua por qualquer motivo, levaria um tiro. Assim, sem mais nem menos, sem aviso, sem detenção. Simplesmente atiravam.

Fiquei sem saber o que fazer da primeira vez que declararam toque de recolher quando eu estava na escola. Eu tinha de andar 6,5 quilômetros e sabia que não conseguiria chegar em casa a tempo. As ruas já estavam vazias e senti medo. Não podia ficar onde estava e, apesar de ser apenas uma criança tentando voltar para casa, se os soldados me vissem, sabia que atirariam em mim. Muitas crianças palestinas levaram tiros em ocasiões como essa.

Comecei a me esquivar de casa em casa, me esgueirando por quintais e me escondendo em moitas pelo caminho. Eu tentava ficar o mais longe possível de cães latindo e homens com metralhadoras. Quando finalmente virei a esquina da minha rua, fiquei muito grato por ver que meus irmãos e irmãs já haviam chegado em casa sãos e salvos.

No entanto, os toques de recolher eram apenas uma das mudanças que tivemos de enfrentar por causa da intifada. Em muitas ocasiões, um homem mascarado aparecia na escola e informava que uma greve havia sido organizada, ordenando que todos fossem para casa. As facções palestinas convocavam greves no intuito de prejudicar Israel financeiramente, reduzindo o montante do imposto sobre vendas recolhido pelo governo junto aos lojistas. Se as lojas não abrissem, os donos pagavam menos imposto. Mas os israelenses não eram burros. Começaram a prender os lojistas por sonegação fiscal. Então, quem era prejudicado pelas greves?

Além disso, as várias organizações de resistência lutavam incessantemente entre si por poder e prestígio. Mas o poder do Hamas crescia de forma constante, começando a desafiar a hegemonia da Organização para a Libertação da Palestina (OLP).

• • •

A OLP foi fundada em 1964 com o objetivo de representar o povo palestino. As três maiores organizações que a integram são o Fatah, um grupo nacionalista de esquerda; a Frente Popular para a Libertação da Palestina (FPLP), um grupo comunista; e a Frente Democrática para a Libertação da Palestina (FDLP), também de ideologia comunista.

A OLP exigia que Israel devolvesse todas as terras pertencentes aos palestinos antes de 1948 e concedesse a eles o direito à autodeterminação. Para isso, travava uma campanha global de relações públicas, guerrilha e terrorismo a partir de suas bases, primeiro na vizinha Jordânia, depois no Líbano e na Tunísia.

Ao contrário do Hamas e da Jihad Islâmica, a OLP nunca foi uma organização inerentemente islâmica. Seus grupos eram formados por nacionalistas, nem todos muçulmanos praticantes. Na verdade, muitos deles nem acreditavam em Deus.

Mesmo na infância, eu considerava a OLP corrupta e interesseira. Seus líderes ordenavam que as pessoas, entre as quais muitos adolescentes, realizassem um ou dois ataques terroristas de grande repercussão por ano a fim de justificar a captação de recursos para a luta contra Israel. Os jovens *fedayeen* não passavam de combustível para atiçar o fogo da raiva e do ódio e manter o fluxo constante de doações para as contas bancárias pessoais dos líderes da OLP.[2]

Nos anos iniciais da Primeira Intifada, diferenças ideológicas mantiveram os caminhos do Hamas e da OLP bem separados. O Hamas era em grande parte estimulado pelo fervor religioso e pela teologia da jihad – a guerra santa muçulmana para defender o Islã de seus inimigos infiéis –, ao passo que a OLP era guiada pelo nacionalismo e pela ideologia do poder. Se o Hamas convocava uma greve e ameaçava queimar as lojas que permanecessem abertas, do outro lado da rua os líderes da OLP ameaçavam queimar os estabelecimentos que fechassem.

Entretanto, os dois grupos tinham em comum um ódio profundo pelo que chamavam de "a entidade sionista". Por fim, as duas organizações concordaram que o Hamas faria sua greve no nono dia de cada mês, e o Fatah, a maior facção da OLP, no primeiro dia.

Toda vez que uma greve era convocada, tudo parava: aulas, comércio, o trânsito, nada funcionava. Ninguém trabalhava, ganhava dinheiro ou estudava. Toda a Cisjordânia ficava fechada, com homens mascarados protestando, queimando pneus, pichando muros e fechando estabelecimentos. Porém qualquer um podia pôr uma máscara de esqui e afirmar ser da OLP. Ninguém sabia ao certo quem estava debaixo das máscaras, pois todos eram guiados simplesmente por interesses individuais e vinganças pessoais. O caos reinava.

Israel tirou partido da confusão. Como qualquer um podia ser guerrilheiro da intifada, tropas de segurança israelenses punham máscaras e se infiltravam nas manifestações. Os soldados podiam entrar em qualquer cidade palestina em pleno dia e realizar operações impressionantes disfarçados de *fedayeen* mascarados. Como ninguém tinha certeza de quem eram os mascarados, todos obedeciam às ordens para não correr o risco de levar uma surra, ver seu estabelecimento queimado ou ser chamado de colaborador de Israel, o que muitas vezes resultava em enforcamento.

Depois de um tempo, o caos e a confusão chegaram a dar margem a tolices. Uma ou duas vezes, quando havia uma prova programada, meus colegas e eu convencemos os garotos mais velhos a ir à escola usando máscaras para convocar uma greve. Achávamos aquilo divertido.

Em suma, estávamos nos tornando nossos piores inimigos.

Aqueles anos foram particularmente difíceis para nossa família. Meu pai ainda estava preso e a sucessão infinita de greves nos manteve fora da escola por quase um ano inteiro. Ao que tudo indica, meus tios – que eram líderes religiosos – e todas as outras pessoas decidiram que tinham a tarefa de me disciplinar. Por ser o primogênito do xeique Hassan Yousef, exigiam que eu me comportasse de maneira exemplar. Quando eu não satisfazia as expectativas, levava uma surra. A despeito do que eu fizesse, mesmo se fosse à mesquita cinco vezes por dia, nada era bom o bastante.

Uma vez, eu estava correndo na mesquita, brincando com um amigo, e o imã veio atrás de mim. Quando me pegou, me suspendeu e me jogou de costas no chão. Fiquei sem fôlego e achei que fosse morrer. Em seguida, ele continuou a me agredir com socos e pontapés. Por quê? Eu não estava fazendo nada diferente das outras crianças. No entanto, por ser o filho de Hassan Yousef, eu devia me comportar melhor do que todos os outros.

Eu era amigo de um menino cujo pai era líder religioso e figura de destaque no Hamas. Esse homem costumava encorajar as pessoas a atirar pedras. Embora não considerasse um problema os filhos dos outros levarem tiros por apedrejar colonos, o mesmo não se aplicava a seu filho único. Quando descobriu que tínhamos atirado pedras, nos pediu que fôssemos à sua casa. Achamos que ele queria conversar, mas o homem arrancou o fio de um aquecedor e começou a nos chicotear com toda a força até tirar sangue. Para salvar o filho, ele nos fez romper a amizade, mas seu filho acabaria por sair de casa sentindo mais ódio do pai do que do diabo.

Fora os esforços para me manter na linha, ninguém ajudou minha família enquanto meu pai estava na prisão. Com seu encarceramento, perdemos a renda extra que ele ganhava como professor na escola cristã. Prometeram segurar a vaga até que ele fosse libertado, mas, nesse meio-tempo, não tínhamos dinheiro suficiente para comprar o que precisávamos.

Meu pai era a única pessoa da família que tinha carteira de motorista, portanto, não podíamos usar o carro. Minha mãe precisava percorrer grandes distâncias para ir ao mercado, e eu costumava acompanhá-la para ajudar a carregar os pacotes. No mercado, eu me enfiava debaixo das barracas para pegar frutas e verduras caídas no chão e que estavam apodrecendo. Minha mãe negociava um preço mais baixo para as hortaliças que ninguém queria, dizendo que as estávamos comprando para alimentar os animais. Acho que a vergonha que ela sentia era pior do que a necessidade. Até hoje ela precisa pechinchar, porque meu pai foi preso 13 vezes, mais do que qualquer outro líder do Hamas. (Ele está na prisão enquanto escrevo estas linhas.)

Talvez ninguém nos ajudasse porque todos acreditassem que nossa família tinha muito dinheiro, afinal de contas meu pai era um proeminente líder religioso e político. As pessoas sem dúvida achavam que nossos familiares nos ajudariam. E, claro, Alá proveria. Porém nossos tios nos ignoravam. Alá nada fazia. Então, minha mãe cuidou sozinha dos sete filhos (meu irmãozinho Mohammad nasceu em 1987).

Por fim, quando a situação se tornou realmente desesperadora, minha mãe pediu um empréstimo a um amigo do meu pai, não para ir às lojas e comprar roupas e cosméticos para si mesma, mas para dar pelo menos uma refeição por dia aos filhos. Ele negou e, em vez de nos ajudar, disse a seus amigos muçulmanos que ela o havia procurado para pedir esmola.

– Ela recebe um salário do governo jordaniano – disseram, criticando-a. – Por que está pedindo mais? Essa mulher está se aproveitando da prisão do marido para ficar rica?

Ela nunca mais pediu ajuda.

– Mosab – ela me disse um dia –, e se eu preparar baclavá e outros doces caseiros e você for vendê-los aos operários na área industrial?

Respondi que ficaria feliz em fazer qualquer coisa para ajudar nossa família. Então todo dia, depois da escola, eu trocava de roupa, enchia uma bandeja com os doces da minha mãe e saía para vender tudo o que podia. De início, fiquei tímido, mas acabei me acostumando e passei a falar com cada um dos operários, pedindo que comprassem os doces.

Em um dia de inverno, saí para vender os doces, como vinha fazendo. No entanto, ao chegar ao local habitual, descobri que a área estava vazia. Por causa do frio, naquele dia ninguém tinha ido trabalhar. Minhas mãos estavam congelando e começara a chover, então coloquei a bandeja coberta por um plástico em cima da minha cabeça e a segurei como se fosse um guarda-chuva. Nesse momento, vi um carro com vários passageiros estacionado na rua. O motorista me viu, abriu a janela e se debruçou para fora.

– Ei, garoto, o que você tem aí?

– Baclavá – respondi, andando na direção do carro.

Quando olhei para dentro do veículo, fiquei chocado ao ver meu tio Ibrahim. Seus amigos ficaram escandalizados ao ver seu sobrinho quase mendigando em um dia frio e chuvoso, e fiquei constrangido por ser motivo de vergonha para ele. Eu não sabia o que dizer, nem eles.

Meu tio comprou todos os doces, me mandou ir para casa e avisou que iria me visitar mais tarde. Quando chegou, estava furioso com minha mãe. Não consegui ouvir o que disse, mas, quando ele foi embora, ela estava chorando. No dia seguinte, depois da escola, troquei de roupa e disse a minha mãe que estava pronto para ir vender os doces.

– Não quero mais que você faça isso – disse ela.

– Mas eu estou melhorando a cada dia! Sou um bom vendedor. Pode acreditar em mim.

Seus olhos ficaram marejados. Eu, porém, nunca mais saí para vender doces.

Fiquei com raiva. Eu não entendia por que nossos vizinhos e parentes não nos ajudavam. Além de nos negar auxílio, eles tinham a petulância de nos criticar por tentarmos socorrer a nós mesmos. Eu me perguntava se o verdadeiro motivo para eles não ajudarem nossa família era o medo de terem problemas caso os israelenses achassem que estavam ajudando terroristas. Mas nós não éramos terroristas. Nem meu pai.

Infelizmente, isso também mudaria.

Capítulo 6
A VOLTA DE UM HERÓI
1990

Quando meu pai finalmente foi libertado, de uma hora para outra minha família passou a ser tratada como se fosse da realeza, depois de ser evitada por um ano e meio. O herói havia voltado. Não mais a ovelha negra, me tornei o herdeiro legítimo. Meus irmãos eram príncipes; minhas irmãs, princesas; e minha mãe, a rainha. Ninguém mais ousava nos criticar.

Meu pai retomou o emprego na escola cristã, além de seu cargo na mesquita. Agora que estava de volta, ele tentava ajudar minha mãe em casa o máximo possível. Isso aliviou o volume de trabalho que nós, as crianças, executávamos. Com certeza não éramos ricos, mas tínhamos dinheiro suficiente para comprar comida decente e, de vez em quando, até um prêmio para o vencedor da nossa brincadeira favorita, Estrelas. E éramos ricos de honra e respeito. O melhor de tudo era que nosso pai estava conosco, então não precisávamos de mais nada.

Tudo voltou ao normal rapidamente. *Normal*, é claro, é um termo relativo. Ainda vivíamos sob ocupação israelense e pessoas morriam nas ruas todos os dias. Nossa casa ficava perto de um cemitério repleto de cadáveres ensanguentados. Nosso pai tinha lembranças aterradoras da prisão israelense em que ficara encarcerado 18 meses por suspeita de terrorismo. E os territórios ocupados estavam se degenerando, se transformando em uma selva sem lei.

A única lei que os muçulmanos respeitam é a islâmica, definida por *fatwas*, decretos religiosos sobre determinado tópico. O objetivo das *fatwas* é orientar os muçulmanos na aplicação do Alcorão à vida cotidiana. No entanto, por não haver um legislador que unifique essas normas, diversos xeiques muitas vezes emitem diferentes decretos a respeito da mesma questão. Consequentemente, todos vivem de acordo com um conjunto distinto de leis, algumas muito mais rígidas do que outras.

Certa tarde, eu e meus amigos estávamos brincando dentro de casa quando ouvimos gritos do lado de fora. Brigas e gritaria não eram novidade para nós, mas, quando corremos lá para fora, vimos nosso vizinho, Abu Saleem, brandindo um facão no ar. Ele estava tentando matar o primo, que fazia de tudo para evitar a lâmina reluzente que cortava o ar. Toda a vizinhança tentava deter Abu Saleem, mas ele era um homem enorme. Trabalhava como açougueiro e, uma vez, eu o vi matar um touro no quintal de casa, ficando coberto dos pés à cabeça de sangue quente e pegajoso. Ao observá-lo correr atrás do primo, eu não conseguia parar de pensar no que ele havia feito com aquele animal.

É verdade, pensei comigo mesmo, *estamos mesmo vivendo numa selva*.

Não havia polícia ou qualquer outra autoridade que pudéssemos chamar. O que podíamos fazer além de assistir àquele espetáculo? Por sorte, o primo dele saiu correndo e não voltou.

Quando meu pai retornou do trabalho naquela noite, contamos o que havia acontecido. Com pouco mais de 1,70m de altura, ele não tinha um porte que poderíamos chamar de atlético, mas foi até o vizinho e disse:

— Abu Saleem, o que está acontecendo? Soube que você se envolveu numa briga hoje.

Saleem ficou falando sem parar que queria matar o primo.

– Você sabe que estamos sob ocupação e que não temos tempo para essas bobagens. Precisa pedir desculpas ao seu primo, e ele, a você. Não quero mais problemas como esse aqui no bairro – advertiu meu pai.

Como todas as outras pessoas, Abu Saleem respeitava meu pai e confiava na sua sabedoria, mesmo em questões como aquela. Ele concordou em resolver a situação com o primo e, depois, se juntou a meu pai em uma reunião com os outros homens da vizinhança.

– A situação é a seguinte – meu pai disse em voz baixa. – Não temos um governo, e a situação está ficando totalmente fora de controle. Não podemos continuar a brigar uns com os outros, derramando o sangue do nosso próprio povo. Brigamos nas ruas, em casa, nas mesquitas. Já chega! Precisamos nos reunir pelo menos uma vez por semana e tentar resolver nossos problemas como homens. Não temos polícia e não há espaço para que ninguém mate ninguém. Temos problemas mais sérios a resolver! Quero que vocês se unam, que se ajudem mutuamente. Precisamos agir mais como uma família.

Os homens concordaram que a proposta do meu pai fazia sentido. Decidiram se reunir toda quinta-feira à noite para discutir questões locais e resolver qualquer conflito que pudesse haver entre eles.

Como imã, era tarefa do meu pai dar esperança às pessoas e ajudá-las a resolver seus problemas. Ele também era o que mais se aproximava de um governante e havia se tornado quase como um pai para elas, mas, naquele momento, falava com a autoridade do Hamas, com a superioridade de um xeique. E um xeique tem mais poder do que um imã e se assemelha mais a um general do que a um pastor.

Desde que meu pai voltara para casa três meses antes, eu tentava passar o máximo de tempo com ele. Na época, eu era presidente do movimento estudantil islâmico na nossa escola e queria aprender tudo o que pudesse sobre o Islã e o estudo do Alcorão. Em uma quinta-feira à tarde, perguntei a ele se poderia participar da reunião semanal do bairro. Eu era quase um homem, expliquei, e queria ser tratado como tal.

– Não – meu pai respondeu –, você fica aqui. A reunião é coisa para homens. Depois conto como foi.

Fiquei decepcionado, mas compreendi. Meus amigos também não tinham permissão para participar. Pelo menos eu saberia o que havia acontecido quando meu pai voltasse para casa.

Ele então partiu por algumas horas. Enquanto minha mãe preparava um delicioso jantar, alguém bateu à porta dos fundos. Abri a porta apenas o suficiente para espiar através da fenda e vi o capitão Shai, o mesmo homem que prendera meu pai quase dois anos antes.

– *Abuk mawjood?*
– Não, ele não está.
– Então, abra a porta.

Eu não sabia o que fazer, por isso obedeci. O capitão Shai se mostrou educado, exatamente como da primeira vez que havia aparecido para levar meu pai, mas dava para ver que ele não acreditava em mim. Ele perguntou se podia dar uma olhada na casa, e eu sabia que não tinha outra opção a não ser permitir. À medida que começou a revistar nossa casa, indo de um cômodo a outro, procurando dentro de armários e atrás de portas, desejei poder de alguma maneira alertar meu pai de que não voltasse para casa. Não tínhamos celular naquela época e não havia o que fazer. Porém, quanto mais eu pensava a respeito, percebia que avisá-lo não faria diferença, porque ele voltaria para casa de qualquer maneira.

– Muito bem, fiquem todos em silêncio – ordenou o capitão Shai a um grupo de soldados do lado de fora. Todos se esconderam atrás de moitas e edifícios à espera do meu pai. Sentindo-me impotente, me sentei à mesa e fiquei ouvindo. Passado algum tempo, uma voz gritou:

— Pare aí mesmo!

Depois, ouvi homens se movimentando e conversando. Sabíamos que não podia ser nada de bom. Será que meu pai teria de voltar à prisão?

Dali a alguns minutos, ele entrou em casa, balançando a cabeça e sorrindo como se quisesse se desculpar com cada um de nós.

— Vão me levar de volta para a prisão — disse, beijando minha mãe e, depois, cada um de nós. — Não sei quanto tempo ficarei lá. Comportem-se e tomem conta uns dos outros.

Depois, vestiu seu paletó e saiu enquanto a comida esfriava no prato sobre a mesa.

Mais uma vez, fomos tratados como refugiados, até mesmo pelos homens da vizinhança que meu pai tentara proteger de si mesmos e dos outros. Algumas pessoas perguntavam sobre ele com falsa preocupação, mas, para mim, era evidente que não davam a mínima.

Embora soubéssemos que meu pai estava em uma prisão israelense, ninguém nos informava qual era. Passamos três meses procurando, até finalmente saber que ele estava num centro de detenção especial onde as pessoas mais perigosas eram interrogadas. *Por quê?*, eu me perguntava. O Hamas não havia feito nenhum atentado terrorista e sequer tinha armas.

Depois que descobrimos onde ele estava, as autoridades israelenses nos permitiram visitá-lo uma vez por mês durante 30 minutos. Só duas pessoas podiam entrar a cada visita, então nos revezávamos acompanhando minha mãe. Da primeira vez que o vi, fiquei surpreso por ele ter deixado a barba crescer tanto. Meu pai parecia exausto, mas, mesmo assim, foi bom vê-lo. Ele nunca reclamava, só queria saber como nós estávamos e pedia que contássemos os mínimos detalhes da nossa vida.

Finalmente, o dia tão esperado chegou. Não sabíamos que ele seria libertado. Quando meu pai cruzou a porta, nos agarramos a ele com medo de que fosse um sonho. A notícia da sua chegada se espalhou rapidamente e, nas seis horas seguintes, muita gente foi até nossa casa. Tantas pessoas foram lhe dar as boas-vindas que esvaziamos a caixa-d'água tentando dar de beber a todos. Eu me sentia orgulhoso e observava a evidente admiração e o respeito que as pessoas tinham por meu pai, mas, ao mesmo tempo, fiquei com raiva. Onde estavam todas aquelas pessoas no período em que ele ficara preso?

Depois que todos haviam ido embora, meu pai me disse:

– Não estou trabalhando para essas pessoas, para ser elogiado por elas nem para que cuidem de mim e da minha família. Eu trabalho para Alá. E sei que todos vocês, assim como eu, estão pagando um preço muito alto, mas vocês também são servos de Alá e devem ser pacientes.

Compreendi o que ele disse, mas fiquei me perguntando se meu pai sabia como a vida era ruim quando ele não estava em casa.

Enquanto conversávamos, bateram mais uma vez à porta dos fundos. Eram os israelenses. Estavam lá para prendê-lo novamente.

Capítulo 7
RADICAL
1990-1992

Em agosto de 1990, enquanto meu pai estava na prisão pela terceira vez, Saddam Hussein invadiu o Kuwait.

Os palestinos ficaram loucos e correram para as ruas, festejando e procurando os mísseis que sem dúvida choveriam sobre Israel. Nossos irmãos finalmente estavam vindo em nosso socorro! E atingiriam o coração de Israel. Em pouco tempo, a ocupação chegaria ao fim.

Esperando outro ataque com armas químicas como o que matara 5 mil curdos em 1988, os israelenses distribuíram máscaras antigás a todos os cidadãos, mas os palestinos receberam apenas uma máscara por família. Minha mãe tinha uma, porém seus sete filhos não tinham proteção. Então, tentamos usar a criatividade e fazer nossas próprias máscaras. Também compramos lençóis de náilon e os prendemos com fita adesiva às janelas e portas, mas na manhã seguinte, ao acordar, descobrimos que a umidade havia descolado todas as fitas.

Não tirávamos os olhos do canal de televisão israelense, festejando cada alerta de aproximação de mísseis. Subimos para o telhado para assistir aos mísseis Scud iraquianos incendiar Tel Aviv, mas não vimos nada.

Talvez Al-Bireh não seja o melhor ponto de observação, pensei. Por isso, decidi ir à casa do meu tio Dawood, em Al-Janiya, de onde conseguiríamos enxergar até o Mediterrâneo. Meu irmão mais novo, Sohayb, foi comigo. Do telhado do meu tio, avistamos o primeiro míssil. Na verdade, eram só chamas, mas, mesmo assim, foi uma visão incrível.

Quando ouvimos no noticiário que cerca de 40 Scuds haviam atingido Israel e que apenas dois israelenses haviam morrido, tivemos certeza de que o governo estava mentindo. Porém era verdade. Ao modificar os mísseis para que pudessem ir mais longe, os iraquianos sacrificaram sua força e precisão.

Permanecemos na casa do meu tio Dawood até as forças da ONU levarem Saddam Hussein de volta para Bagdá.

Com raiva e muito decepcionado, eu perguntava:

– Por que a guerra terminou? Israel não foi liquidado. Meu pai ainda está em uma prisão israelense. Os iraquianos precisam continuar lançando os mísseis!

Todos os palestinos estavam desapontados. Depois de décadas de ocupação, uma guerra de verdade havia sido conclamada, com mísseis devastadores sendo atirados sobre Israel. No entanto, nada mudara.

⁂

Depois da libertação do meu pai ao fim da Guerra do Golfo, minha mãe disse a ele que queria vender as joias de ouro do seu dote a fim de comprar um terreno e obter um empréstimo para construir nossa própria casa. Até aquele momento, vivíamos de aluguel e, toda vez que meu pai estava longe, o proprietário nos enganava e se tornava grosseiro e agressivo com ela.

Meu pai ficou comovido por ela estar disposta a se desfazer de algo tão precioso, mas também tinha medo de não conseguir pagar as prestações do empréstimo, já que podia ser preso novamente a qualquer momento. No entanto, eles decidiram arriscar e, em 1992, construímos a casa em que minha família vive até hoje em Betunia, perto de Ramallah. Na época, eu tinha 14 anos.

Betunia parecia menos violenta do que Al-Bireh ou Ramallah. Eu frequentava a mesquita perto da nossa nova casa e me envolvi em um *jalsa*, um grupo que nos estimulava a decorar o Alcorão e ensinava preceitos que conduziriam a um Estado islâmico global, conforme afirmavam os líderes religiosos.

Alguns meses depois de termos nos mudado, meu pai foi preso outra vez. Em várias dessas detenções, ele nem era acusado de algo específico. Como estávamos sob ocupação, leis extraordinárias permitiam que o governo israelense realizasse prisões apenas porque as pessoas eram *suspeitas* de envolvimento com o terrorismo. Como líder religioso e, consequentemente, também líder político, meu pai era um alvo fácil.

Aquilo estava se tornando um padrão, e, embora não percebêssemos na época, o esquema de prisão, libertação e nova prisão se repetiria por muitos anos, causando cada vez mais dificuldades para nossa família. Enquanto isso, o Hamas se tornava mais violento e agressivo à medida que os militantes mais jovens pressionavam os líderes a agir com mais firmeza.

– Os israelenses estão matando nossos filhos! – eles gritavam. – Nós jogamos pedras e eles atiram em nós com metralhadoras. Estamos sob ocupação. As Nações Unidas, toda a comunidade internacional, todos os homens livres do mundo reconhecem nosso direito à luta. O próprio Alá, que seu nome seja louvado, exige que nosso povo combata o inimigo. Então, por que estamos esperando?

Naquela época, a maioria dos ataques era fruto de iniciativas pessoais, não era promovida por organizações. Os líderes do Hamas não tinham controle sobre os integrantes, que agiam movidos por seus próprios interesses. O objetivo do meu pai era a liberdade islâmica e ele acreditava que, se combatessem Israel, iriam alcançá-la.

Para aqueles jovens, porém, a luta se tornou o objetivo em si; não era mais um meio para se chegar a um fim, e sim um fim em si mesmo.

Por mais perigosa que a Cisjordânia fosse, Gaza era uma região ainda mais conturbada. Em virtude de sua proximidade da fronteira egípcia, a influência dominante lá era a organização fundamentalista Irmandade Muçulmana, do Egito. E a superpopulação só tornava a situação ainda pior. Aquele era um dos territórios com maior densidade demográfica do planeta – não passava, na verdade, de um campo de refugiados com pouco mais de 360 quilômetros quadrados abarrotado com mais de 1 milhão de pessoas.

As famílias penduravam escrituras de imóveis e chaves nas paredes como uma prova silenciosa e uma lembrança constante de que já haviam possuído casas e belas fazendas, propriedades que haviam sido tomadas por Israel como espólio de guerras passadas. Aquele era um ambiente ideal para o recrutamento, porque os refugiados estavam motivados e disponíveis. Eram perseguidos não apenas pelos israelenses, mas também pelos palestinos, seu próprio povo, por serem considerados cidadãos de segunda classe. Na verdade, eles eram vistos como invasores, pois os campos haviam sido construídos nas terras de seus vizinhos.

A maioria dos jovens e impacientes ativistas do Hamas vinha dos campos de refugiados, e entre eles estava Imad Akel. O mais novo de três irmãos, Akel estudava para ser farmacêutico quando se sentiu farto de tanta injustiça e frustração. Pegou uma arma, matou vários soldados israelenses e tomou seus fuzis. À medida que ganhava seguidores, sua influência aumentava. Atuando de forma independente, fundou uma pequena célula militar e se mudou para a Cisjordânia, que oferecia mais alvos e mais espaço para movimentação.

Pelas conversas dos homens na nossa cidade, eu sabia que o Hamas se orgulhava muito de Akel, embora ele não prestasse contas à organização. Entretanto, os líderes não queriam misturar o que ele estava fazendo com as outras atividades do grupo. Então, criaram um braço militar, as Brigadas Ezzedeen Al-Qassam, e Akel passou a liderá-las, logo se tornando o palestino mais procurado por Israel.

O Hamas estava armado. Quando pedras, pichações e coquetéis molotov foram substituídos por armas de fogo, Israel se viu diante de um problema que nunca havia enfrentado. Uma coisa era lidar com os ataques da Organização para a Libertação da Palestina que partiam da Jordânia, do Líbano e da Síria, mas em 1992 os ataques passaram a ser realizados de dentro de suas próprias fronteiras.

Capítulo 8
ATIÇANDO AS CHAMAS
1992-1994

EM 13 DE DEZEMBRO DE 1992, cinco membros das Brigadas Ezzedeen Al-Qassam sequestraram o policial de fronteira israelense Nissim Toledano perto de Tel Aviv e exigiram que Israel libertasse o xeique Ahmed Ismail Yassin. O governo israelense, porém, se recusou. Dois dias depois, o corpo de Toledano foi encontrado, e Israel lançou uma forte campanha de repressão ao Hamas. Imediatamente, mais de 1.600 palestinos foram presos. O governo israelense decidiu, então, deportar secretamente 415 líderes do Hamas, da Jihad Islâmica e da Irmandade Muçulmana. Entre eles estavam meu pai, que continuava na prisão, e três tios.

Eu tinha apenas 14 anos na época e nenhum de nós sabia o que estava acontecendo. No entanto, à medida que as notícias vazavam, conseguimos reunir detalhes suficientes para deduzir que meu pai provavelmente estava no grande grupo de professores, líderes religiosos, engenheiros e assistentes sociais que haviam sido algemados, vendados e colocados em ônibus.

Horas após a divulgação da notícia, advogados e organizações de defesa dos direitos humanos começaram a entrar com petições. Os ônibus foram impedidos de prosseguir enquanto o Supremo Tribunal de Israel se reunia às cinco da manhã para avaliar os aspectos jurídicos daquela medida. Nas 14 horas de debates que se seguiram, meu pai e os outros deportados foram mantidos dentro dos ônibus, algemados e vendados, sem comida, sem água, sem poder ir ao banheiro.

No fim, o tribunal apoiou o governo e os ônibus seguiram em direção ao norte. Mais tarde ficamos sabendo que os homens foram levados para uma terra de ninguém, coberta de neve, no sul do Líbano. Embora estivéssemos no meio de um inverno rigoroso, eles foram jogados lá sem abrigo nem provisões. Nem Israel nem o Líbano permitiam que organizações de ajuda humanitária entregassem alimentos ou remédios. Beirute se recusava a transportar os doentes e feridos para seus hospitais.

Em 18 de dezembro, o Conselho de Segurança da ONU adotou a Resolução 799, determinando a "devolução segura e imediata" dos deportados. Israel a rechaçou.

Sempre pudemos visitar meu pai quando ele estava na prisão, mas, como a fronteira com o Líbano estava fechada, não tínhamos como vê-lo no exílio. Algumas semanas depois, finalmente o vimos na televisão pela primeira vez desde a sua deportação. Ao que tudo indicava, no campo de prisioneiros os integrantes do Hamas o haviam nomeado secretário-geral, abaixo apenas de Abdel Aziz al-Rantissi, outro líder da organização.

Depois disso, assistíamos ao noticiário todos os dias na esperança de vislumbrar o rosto do meu pai. De tempos em tempos, nós o víamos segurando um megafone, dando instruções aos deportados. Quando a primavera chegou, ele até conseguiu nos enviar cartas e fotografias tiradas por repórteres e integrantes das organizações de ajuda humanitária. Os deportados conseguiram ter acesso a celulares, então a cada semana podíamos conversar com ele por alguns minutos.

Esperando gerar compaixão internacional pelos deportados, os meios de comunicação entrevistavam seus familiares. Minha irmã Tasneem fez o mundo chorar ao gritar *"Baba! Baba!"* (Papai! Papai!)

diante das câmeras. De alguma maneira, nossa família se tornou a representante não oficial de todas as outras, e fomos convidados a participar dos protestos, entre os quais a manifestação na frente do gabinete do primeiro-ministro israelense em Jerusalém. Meu pai nos disse que estava muito orgulhoso de nós, e nos sentimos um pouco reconfortados pelo apoio que recebíamos de pessoas de todo o mundo, até mesmo de pacifistas israelenses.

Depois de seis meses, ouvimos notícias de que 101 presos que estavam no exílio poderiam voltar para casa. Como todas as famílias de deportados, esperávamos fervorosamente que meu pai estivesse entre eles.

Mas ele não estava.

No dia seguinte, para tentar descobrir alguma notícia sobre meu pai, visitamos os heróis que haviam voltado do Líbano. No entanto, tudo o que podiam nos dizer era que ele estava bem e logo voltaria para casa.

Outros três meses se passaram antes que Israel aceitasse a exigência da ONU. Ficamos exultantes com aquela perspectiva. Na data marcada, esperamos impacientemente na frente da prisão de Ramallah, onde os deportados remanescentes deveriam ser libertados. Dez saíram. Vinte. Mas meu pai não estava no grupo. O último homem passou por nós e os soldados informaram que não haveria mais libertações. Não havia sinal dele nem pistas sobre seu paradeiro. As outras famílias levaram alegremente seus entes queridos para casa e nós ficamos em pé na rua, no meio da noite, sem a menor ideia de onde meu pai estava. Fomos para casa desanimados e preocupados. Por que ele não havia sido libertado com o restante dos prisioneiros? Onde estava?

No dia seguinte, o advogado dele ligou para nos informar que meu pai e vários outros deportados haviam voltado para a prisão. Aparentemente, segundo o advogado, a deportação havia se revelado contraproducente para Israel. Durante o exílio, meu pai e outros líderes palestinos apareceram em todos os noticiários e conquistaram a compaixão internacional porque a punição imposta pelos israelenses havia sido considerada excessiva, um desrespeito aos direitos humanos. Em todo o mundo árabe, aqueles homens foram considerados heróis da causa palestina e, com esse status, se tornaram muito mais importantes e influentes.

A deportação também surtiu outro efeito inesperado e desastroso para Israel: os prisioneiros usaram o tempo no exílio para estabelecer um relacionamento sem precedentes entre o Hamas e o Hezbollah, a principal organização política e paramilitar islâmica do Líbano. A relação gerou importantes desdobramentos históricos e geopolíticos. Para evitar serem flagrados pelos veículos de comunicação, meu pai e outros líderes do Hamas muitas vezes saíam às escondidas do campo a fim de se encontrar com líderes do Hezbollah e da Irmandade Muçulmana, algo que nunca puderam fazer nos territórios palestinos.

No período em que meu pai e os outros deportados estiveram presos no território libanês, os integrantes mais radicais do Hamas continuaram livres e se tornaram mais furiosos do que nunca. Enquanto aqueles jovens radicais preenchiam temporariamente cargos de liderança no grupo, foi aumentando a distância entre o Hamas e a Organização para a Libertação da Palestina.

Nessa época, Israel e Yasser Arafat iniciaram negociações secretas, que resultaram no Acordo de Oslo, de 1993. Em 9 de setembro daquele ano, Arafat enviou uma carta para o primeiro-ministro de Israel, Yitzhak Rabin, na qual reconhecia oficialmente "o direito do Estado de Israel de existir em paz e segurança" e renunciava "ao uso do terrorismo e de outros atos de violência".

Rabin então reconheceu formalmente a OLP como "a representante do povo palestino" e o presidente Bill Clinton revogou a proibição do contato entre os americanos e a organização. Em 13 de setembro, o mundo viu perplexo uma foto de Arafat e Rabin apertando as mãos na Casa Branca. Uma pesquisa realizada naquela época revelou que a grande maioria dos palestinos na Cisjordânia e em Gaza apoiava os termos do Acordo, também conhecido como Declaração de Princípios (DDP). Além de fundar a Autoridade Nacional Palestina (ANP), esse documento previa a retirada das tropas israelenses de Gaza e de Jericó, concedia autonomia a essas áreas e abria as portas para o retorno de Arafat e da OLP do exílio na Tunísia.

Meu pai, porém, era contrário à DDP. Ele não confiava em Israel nem na OLP e, portanto, também não confiava no processo de paz. Outros líderes do Hamas, ele me explicou, tinham seus próprios motivos para se opor, entre os quais o risco de que um acordo de paz pudesse realmente dar certo. A coexistência pacífica significaria o fim do Hamas. Na perspectiva deles, a organização não podia prosperar em uma atmosfera de paz. Outros grupos de resistência também tinham interesse na continuação do conflito. É difícil alcançar a paz em um lugar em que tantas pessoas têm objetivos e interesses diferentes.

Por essa razão, os ataques continuaram.

Em 24 de setembro, um israelense foi morto a facadas por um *fedayeen* do Hamas em um pomar perto de Basra.

Duas semanas depois, a Frente Popular para a Libertação da Palestina e a Jihad Islâmica reivindicaram a responsabilidade pela morte de dois israelenses no deserto da Judeia.

Passadas mais duas semanas, o Hamas matou a tiros dois soldados das Forças de Defesa de Israel diante de um assentamento judeu em Gaza.

Nenhuma dessas mortes, no entanto, ganhou tantas manchetes mundo afora como o massacre do Túmulo dos Patriarcas, em Hebron, em 25 de fevereiro de 1994.

Durante o festival judaico do Purim e o mês sagrado muçulmano do Ramadá, um médico nascido nos Estados Unidos, chamado Baruch Goldstein, entrou na Mesquita de Al-Haram Al-Ibrahimi, em

Hebron, onde estão enterrados, segundo a tradição local, Adão e Eva, Abraão e Sara, Isaque e Rebeca, e Jacó e Lia. Sem avisar, Goldstein abriu fogo, matando 29 palestinos que se encontravam na mesquita para suas orações diárias e ferindo mais de 100 pessoas, antes de ser espancado até a morte por uma turba perplexa e furiosa.

Ficamos sentados, assistindo à televisão enquanto um cadáver ensanguentado após outro era retirado daquele local sagrado. Eu estava em choque, e tudo à minha volta parecia se mover em câmera lenta. Num instante, meu coração batia com uma raiva que eu nunca havia experimentado, um sentimento que me assustou e, depois, me acalmou. No minuto seguinte, estava atônito de tristeza. Depois, ficava com raiva novamente; em seguida, entorpecido outra vez. E eu não era o único. Parecia que as emoções de todos nos territórios ocupados oscilavam entre o ódio e a tristeza, nos deixando esgotados.

Como Goldstein estava usando seu uniforme militar israelense e não havia tantos soldados das Forças de Defesa de Israel naquela área como de costume, os palestinos acharam que ele tinha sido mandado pelo governo de Jerusalém, ou pelo menos recebera alguma cobertura. Para nós, não havia diferença entre soldados que disparavam sem motivo e colonos loucos. O Hamas se pronunciou então com uma voz terrivelmente resoluta. Eles só conseguiam pensar em vingar aquela traição, aquela atrocidade.

Em 6 de abril, um carro-bomba destruiu um ônibus em Afula, matando oito israelenses e ferindo outros 44. O Hamas declarou que o ataque foi uma represália pelo episódio de Hebron. No mesmo dia, dois israelenses foram mortos a tiros e quatro outros ficaram feridos quando integrantes da organização atacaram um ponto de ônibus perto de Ashdod.

Uma semana depois, um limiar histórico e terrível foi cruzado quando Israel sentiu o impacto do primeiro atentado suicida oficial. Na manhã de 13 de abril de 1994, uma quarta-feira, no mesmo dia em que meu pai finalmente foi libertado da prisão após sua deportação para o Líbano, Amar Salah Diab Amarna, de 21 anos, entrou na estação rodoviária de Hadera, entre Haifa e Tel Aviv, no centro de Israel. Ele carregava uma bolsa que continha artefatos metálicos e dois quilos do explosivo caseiro peróxido de acetona. Às 9h30, o rapaz embarcou no ônibus para Tel Aviv e, após 10 minutos, quando o veículo estava saindo da rodoviária, colocou a bolsa no chão e a detonou.

Os estilhaços atravessaram os passageiros, matando seis pessoas e ferindo 30. Uma segunda bomba caseira explodiu no local bem no momento em que as equipes de resgate estavam chegando. Mais tarde, um panfleto do Hamas anunciaria que aquele havia sido o "segundo de uma série de cinco ataques" para vingar Hebron.

Fiquei orgulhoso do Hamas e considerei os ataques uma grande vitória contra a ocupação israelense. Aos 15 anos, tudo parecia preto ou branco para mim. Havia os mocinhos e os vilões. E os vilões mereciam tudo o que lhes acontecia. Vi o que uma bomba de dois quilos repleta de pregos e objetos de metal podia fazer à carne humana e esperava que aquela fosse uma mensagem clara para a comunidade israelense.

E de fato foi.

Depois de cada ataque suicida, judeus ortodoxos voluntários conhecidos como Zaka (sigla em hebraico para Identificação de Vítimas de Catástrofes) chegavam ao local com coletes amarelos fluorescentes. A tarefa deles era coletar sangue e partes dos cadáveres, até dos não judeus e do próprio terrorista, que, em seguida, eram enviados a um centro de perícia criminal em Jaffa. Lá, os patologistas deviam juntar o que havia sobrado dos corpos para reconhecê-los. Muitas vezes, porém, o teste de DNA era a única maneira de identificar os pedaços que antes pertenciam à mesma pessoa.

Familiares que não haviam conseguido encontrar seus entes queridos entre os feridos nos hospitais locais eram mandados para Jaffa, onde muitas vezes chegavam aturdidos pela dor.

Os patologistas advertiam as famílias de que não vissem os restos mortais, explicando que era melhor se lembrarem dos parentes como eram quando estavam vivos. No entanto, mesmo assim a maioria queria tocar os corpos pela última vez, ainda que só tivesse restado um pé.

Como a lei judaica exige que o corpo inteiro seja enterrado no mesmo dia em que a pessoa morreu, as partes maiores dos corpos costumavam ser sepultadas primeiro. As menores eram enterradas posteriormente, após a confirmação da identidade por DNA, reabrindo as feridas das famílias, já tão sofridas.

Embora tenha sido o primeiro atentado a bomba, o ataque em Hadera foi, na verdade, o terceiro teste, parte de uma fase de tentativa e erro durante a qual o fabricante de bombas Yahya Ayyash aperfeiçoou seu ofício. Ele era um estudante de engenharia na Universidade Birzeit. Não era um radical muçulmano nem um fanático nacionalista, estava simplesmente amargurado porque havia pedido permissão para continuar os estudos em outro país e o governo israelense indeferira sua solicitação. Então, ele passou a fabricar bombas, se tornando um herói para os palestinos e um dos homens mais procurados por Israel.

Além das duas tentativas fracassadas e das duas bombas em 6 e 13 de abril, Ayyash acabaria sendo responsável pela morte de pelo menos 39 pessoas em outros cinco ataques. Também ensinaria as técnicas de fabricação de bombas a outras pessoas, como seu amigo Hassan Salameh.

• • •

Durante a Guerra do Golfo, Yasser Arafat apoiou a invasão do Kuwait por parte de Saddam Hussein, o que o afastou dos Estados Unidos e também dos Estados árabes que apoiavam a coalizão liderada pelos americanos. Por causa disso, aqueles governos começaram a destinar ao Hamas o apoio financeiro antes oferecido à Organização para a Libertação da Palestina.

Entretanto, após o êxito do Acordo de Oslo, Arafat ficou por cima mais uma vez. No ano seguinte, ele dividiu o Prêmio Nobel da Paz com o primeiro-ministro israelense Yitzhak Rabin e o ministro das Relações Exteriores de Israel Shimon Peres.

O Acordo de Oslo exigia que Arafat fundasse a ANP na Cisjordânia e na Faixa de Gaza. Então, em 1º de julho de 1994, ele se aproximou da fronteira em Rafah, no Egito, e cruzou-a rumo a Gaza, onde se estabeleceu.

– A unidade nacional – disse ele à multidão que comemorava sua volta do exílio – é nosso escudo, o escudo do nosso povo. Unidade! Unidade! Unidade![3]

Os territórios palestinos, porém, estavam longe da unificação.

O Hamas e seus partidários ficaram furiosos porque Arafat havia se encontrado secretamente com representantes do governo israelense e prometido que os palestinos não lutariam mais pela autodeterminação. Nossos homens ainda estavam nas prisões israelenses. Não existia um Estado palestino. A única autonomia que tínhamos era na cidade de Jericó, na Cisjordânia, uma aldeia sem nada, e em Gaza, um campo de refugiados enorme e superpovoado no litoral.

E Arafat partilhava a mesa com os israelenses e apertava suas mãos. "E o sangue palestino?", nosso povo se perguntava. "Ele o considera tão sem valor?"

Por outro lado, alguns palestinos admitiam que, pelo menos, a Autoridade Nacional Palestina tinha obtido Gaza e Jericó. O que o Hamas havia conseguido para nós? Ele conseguira libertar ao menos um pequeno vilarejo palestino?

Talvez o argumento deles fosse válido. No entanto, o Hamas não confiava em Arafat, principalmente porque ele estava pronto para aceitar um Estado palestino dentro de Israel em vez de recuperar os territórios palestinos que existiam antes de Israel se tornar um país.

– O que vocês queriam que fizéssemos? – argumentavam Arafat e seus porta-vozes sempre que pressionados. – Durante décadas, lutamos contra Israel e descobrimos que não havia modo de vencer. Fomos expulsos da Jordânia e do Líbano, indo parar a mais de 1.500 quilômetros de distância, na Tunísia. A comunidade internacional estava contra nós. Não tínhamos poder. A União Soviética ruiu, deixando os Estados Unidos como única potência mundial. E o governo americano apoiou Israel. Tivemos uma oportunidade de recuperar tudo o que tínhamos antes da Guerra dos Seis Dias, em 1967, e de nos autogovernar. E a aceitamos.

Vários meses após sua chegada a Gaza, Arafat visitou Ramallah pela primeira vez. Meu pai, junto de dezenas de líderes religiosos, políticos e empresariais, fez fila para recebê-lo. Diante do xeique Hassan Yousef, o chefe da OLP beijou sua mão, reconhecendo-o como líder religioso e político.

Ao longo do ano seguinte, em várias ocasiões meu pai e outros líderes do Hamas se encontraram com Arafat na Cidade de Gaza em uma tentativa de reconciliar e unificar a Autoridade Nacional Palestina e o Hamas. No entanto, as negociações fracassaram quando a organização de resistência se recusou definitivamente a participar do processo de paz. No fim das contas, nossas ideologias e nossos objetivos estavam muito longe da reconciliação.

• • •

A transição do Hamas para uma organização terrorista de fato estava completa. Muitos de seus integrantes haviam subido a escada do Islá e chegado ao topo. Líderes políticos moderados como meu pai não diziam aos militantes que suas ações eram erradas. Eles não podiam fazer isso. Com que direito podiam condenar as ações dos outros? Os *fedayeen* tinham toda a força do Alcorão como apoio.

Então, embora nunca tivesse matado ninguém, meu pai aceitou os ataques. Israel, incapaz de encontrar e prender os jovens militantes violentos, continuou a perseguir alvos fáceis como meu pai. Devem ter pensado que, como ele era um dos líderes do Hamas, seu encarceramento poria fim aos ataques. Mas os israelenses nunca fizeram um esforço para descobrir quem ou o que o Hamas realmente era. Muitos anos dolorosos se passariam antes que começassem a entender que aquela não era uma organização no sentido em que a maioria das pessoas entende esse termo, com regras e hierarquia. O Hamas era um fantasma. Uma ideia. Não é possível destruir uma ideia; só é possível estimulá-la. O Hamas era como um verme: cortavam sua cabeça e logo outra nascia.

O problema era que tanto a premissa central como o objetivo da organização eram uma ilusão. Síria, Líbano, Iraque, Jordânia e Egito várias vezes haviam fracassado em suas tentativas de empurrar os israelenses em direção ao litoral e transformar aquelas terras em um Estado palestino. Até mesmo Saddam Hussein e seus mísseis Scud fracassaram. Para que milhões de refugiados palestinos recuperassem suas casas, fazendas e propriedades perdidas mais de meio século atrás, Israel praticamente teria de trocar de lugar com eles na geografia da região. Como aquilo obviamente jamais aconteceria, o Hamas era como o Sísifo da mitologia grega, condenado a empurrar eternamente uma rocha até o topo de uma colina íngreme para vê-la rolar de volta até lá embaixo mais uma vez, sem nunca atingir seu objetivo.

No entanto, mesmo aqueles que reconheciam a impossibilidade da missão do Hamas se agarravam à crença de que Alá um dia derrotaria Israel, ainda que tivesse de fazê-lo de maneira sobrenatural.

Para Israel, os nacionalistas da OLP tinham sido simplesmente um problema político que demandava uma solução política. O Hamas, por outro lado, conferia um caráter islâmico à questão palestina, tornando-a um problema religioso. E aquela dificuldade só podia ser resolvida com uma solução religiosa, o que significava que não havia saída, pois acreditávamos que a terra pertencia a Alá e ponto final. Fim da discussão. Portanto, para o Hamas, o problema supremo não era a política de Israel. Era Israel em si, a existência daquele Estado-nação.

E quanto a meu pai? Ele também se tornara um terrorista? Certa tarde, li a manchete de um jornal a respeito de um atentado suicida (ou "operação de martírio", como alguns integrantes do Hamas o chamavam) no qual haviam morrido muitos civis, entre os quais mulheres e crianças. Para mim, era impossível conciliar mentalmente a bondade e o caráter de meu pai com sua posição de liderança em uma organização que fazia coisas daquele tipo. Apontei para o artigo e perguntei o que ele achava daqueles atos.

– Uma vez saí de casa e havia um inseto do lado de fora. Pensei duas vezes se deveria matá-lo ou não. E não consegui.

Aquela resposta indireta era sua maneira de dizer que não podia participar pessoalmente daquele tipo de matança injustificada. Os civis israelenses, porém, não eram insetos.

Não, meu pai não fabricou as bombas, não as prendeu aos corpos dos terroristas nem escolheu os alvos. No entanto, anos mais tarde, fiquei pensando na resposta dele quando deparei com uma história bíblica que descrevia o apedrejamento de um jovem inocente chamado Estêvão. O texto dizia: "E Saulo estava ali, consentindo na morte de Estêvão" (Atos 8:1).

Eu amava meu pai profundamente e admirava muitas características de sua personalidade e o que ele representava. Embora fosse um homem que não conseguia fazer mal a um inseto, sem dúvida ele havia encontrado uma maneira de aceitar o fato de que os outros podiam explodir pessoas a torto e a direito, contanto que ele não manchasse as próprias mãos com o sangue das vítimas.

Naquele momento, a visão que eu tinha do meu pai se tornou muito mais complicada.

Capítulo 9

ARMAS
Inverno de 1995 – primavera de 1996

Após o Acordo de Oslo, a comunidade internacional esperava que a Autoridade Nacional Palestina mantivesse o Hamas sob controle. Em 4 de novembro de 1995, um sábado, eu estava assistindo à televisão quando um boletim jornalístico interrompeu a programação. Yitzhak Rabin fora alvejado durante um comício pela paz na Praça dos Reis de Israel – hoje chamada Praça Yitzhak Rabin –, em Tel Aviv. A situação parecia grave. Algumas horas depois, as autoridades anunciaram que ele havia morrido.

– Puxa! – eu disse em voz alta para ninguém em especial. – Alguma facção palestina ainda tem poder para assassinar o primeiro-ministro de Israel! Isso deveria ter acontecido há muito tempo.

Eu estava muito feliz pela sua morte e pelos danos que ela infligiria à Organização para a Libertação da Palestina e à sua capitulação frente a Israel.

Então, o telefone tocou e reconheci imediatamente a voz da pessoa do outro lado da linha. Era Yasser Arafat e ele queria falar com meu pai.

Fiquei ouvindo a conversa, porém meu pai não disse muita coisa. Foi gentil e respeitoso e, na maior parte do tempo, simplesmente concordou com o que quer que fosse que Arafat estava dizendo do outro lado da linha.

— Entendo — ele disse. — Até logo. — E se virou para mim. — Arafat pediu que tentássemos evitar que o Hamas comemore a morte do primeiro-ministro — explicou. — O assassinato foi uma grande perda para ele porque Rabin demonstrou muita coragem política ao participar das negociações de paz com a OLP.

Soubemos depois que Rabin não tinha sido assassinado por um palestino. Havia levado um tiro nas costas disparado por um estudante de direito israelense. Muitos integrantes do Hamas ficaram decepcionados com essa informação. Pessoalmente, eu achava divertido o fato de judeus fanáticos terem um objetivo em comum com o Hamas.

O assassinato deixou o mundo agitado, e a comunidade internacional fez mais pressão para que Arafat obtivesse o controle dos territórios palestinos. Ele então lançou uma ofensiva total contra o Hamas. A polícia da Autoridade Nacional Palestina foi até nossa casa, pediu que meu pai se preparasse e o prendeu no quartel-general de Arafat, sempre o tratando com o maior respeito e gentileza.

Mesmo assim, pela primeira vez, palestinos estavam prendendo palestinos. Era inaceitável, mas pelo menos tratavam meu pai com respeito. Ao contrário de muitos outros, ele recebeu um aposento confortável, e Arafat o visitava de tempos em tempos para discutir várias questões.

Logo todos os principais líderes do Hamas, além de centenas de seus integrantes, estavam presos em cárceres palestinos. Muitos foram torturados para que revelassem informações. Alguns morreram. Outros, porém, desapareceram para evitar a prisão, se tornaram fugitivos e continuaram os ataques a Israel.

Naquele momento, meu ódio tinha vários alvos. Eu odiava a Autoridade Nacional Palestina e Yasser Arafat; detestava Israel e os palestinos seculares. Por que meu pai, que amava Alá e seu povo, tinha de pagar um preço tão alto enquanto homens sem fé como Arafat e membros da OLP proporcionavam uma grande vitória aos israelenses, que eram comparados a porcos e macacos no Alcorão? E a comunidade internacional aplaudia o fato de Israel ter conseguido fazer com que os terroristas reconhecessem o direito de existência do Estado israelense.

Eu tinha 17 anos e me formaria no ensino médio dali a alguns meses. Toda vez que visitava meu pai na prisão ou levava comida e outras coisas para seu conforto, ele me apoiava e dizia:

— A única coisa que você deve fazer é passar nas provas. Concentre-se nos estudos. Não se preocupe comigo. Não quero que o fato de eu estar preso aqui interfira em nada.

A vida, porém, não significava mais nada para mim. Eu só conseguia pensar em me alistar na ala militar do Hamas e em me vingar de Israel e da Autoridade Nacional Palestina. Refletia sobre tudo o que tinha visto na vida. Todo o esforço e o sacrifício acabariam daquele jeito, em uma paz barata com Israel? Se eu morresse lutando, ao menos morreria como mártir e iria para o paraíso.

Meu pai nunca me ensinou a odiar, mas eu não sabia como *evitar* esse sentimento. Embora ele protestasse calorosamente contra a ocupação — e acredito que ele não hesitaria em ordenar um ataque nuclear à nação de Israel se dispusesse das bombas —, nunca disse nada contra o povo judeu, ao contrário de alguns líderes racistas do Hamas. Meu pai estava muito mais interessado no Deus do Alcorão do que na política. Alá havia nos dado a responsabilidade de erradicar os judeus, e meu pai não questionava isso, embora não tivesse nada pessoal contra eles.

— Como está seu relacionamento com Alá? — ele me perguntava toda vez que eu o visitava. — Fez suas preces hoje? Passou tempo na companhia dele? — Ele nunca dizia: "Quero que você se torne um bom *mujahid* (guerrilheiro)."

A advertência para mim, seu filho mais velho, sempre era:

— Seja bom para a sua mãe, muito bom para Alá e muito bom para o seu povo.

Eu não entendia como ele podia ser tão compassivo e clemente, mesmo em relação aos soldados que o prenderam várias vezes. Ele os tratava como crianças. Quando eu levava comida para ele no quartel-general da Autoridade Nacional Palestina, meu pai muitas vezes convidava os guardas para comer conosco a refeição especialmente preparada por minha mãe. Alguns meses depois, até eles passaram a adorá-lo. Embora fosse muito fácil para mim amá-lo, ele também era um homem muito difícil de entender.

Tomado pela raiva e pelo desejo de vingança, comecei a procurar armas. Naquela época, já era possível comprá-las nos territórios, só que eram muito caras, e eu não passava de um estudante sem dinheiro.

Ibrahim Kiswani, um colega de escola que morava numa aldeia próxima a Jerusalém, também queria se armar e me disse que podia conseguir o dinheiro de que precisávamos, não o suficiente para armas pesadas, mas o bastante para fuzis baratos e talvez uma pistola. Perguntei a meu primo Yousef Dawood se ele sabia onde eu podia conseguir algo assim.

Yousef e eu não éramos muito próximos, mas eu sabia que ele tinha contatos que eu não possuía.

— Tenho alguns amigos em Nabulus que talvez possam ajudar — ele me disse. — Para que você quer armas?

— Todas as famílias têm suas próprias armas — menti. — Quero uma para proteger a minha.

Bem, não era exatamente uma mentira. Ibrahim morava em uma aldeia onde cada família de fato precisava ter suas próprias armas para se defender, e ele era como um irmão para mim.

Além de querer vingança, eu achava que seria legal ser um adolescente armado e já não me importava muito com a escola. Para que estudar naquela terra insana?

Finalmente, numa tarde recebi um telefonema do meu primo Yousef:

– Vamos a Nabulus. Conheço um sujeito que trabalha para as forças de segurança da Autoridade Nacional Palestina. Acho que ele pode conseguir armas para nós – disse ele.

Quando chegamos em Nabulus, um homem nos recebeu à porta de uma pequena casa e pediu que entrássemos. Lá, nos ofereceu submetralhadoras suecas Carl Gustav M45 e uma Port Said, uma versão egípcia da mesma arma. Ele nos levou para um ponto remoto nas montanhas e mostrou como usá-las. Quando me perguntou se eu queria experimentar, meu coração disparou. Eu nunca havia usado uma metralhadora antes e, de repente, senti medo.

– Não, confio em você – eu disse.

Comprei um par de submetralhadoras e uma pistola. Escondi tudo na porta do meu carro e espalhei pimenta sobre as armas para despistar eventuais cães farejadores israelenses nos postos de controle.

Na volta para Ramallah, liguei para Ibrahim.

– Ei, consegui aquele negócio.

– Sério?

– Sério.

Sabíamos que não devíamos usar palavras como *pistolas* ou *armas* porque era bem provável que os israelenses estivessem ouvindo tudo o que dizíamos. Marcamos um horário para que ele pegasse suas "coisas" e nos despedimos rapidamente.

Era a primavera de 1996. Eu havia acabado de completar 18 anos e estava armado.

• • •

Certa noite, Ibrahim me ligou, e percebi pelo seu tom de voz que ele estava com muita raiva.

– As armas não funcionam! – ele gritou ao telefone.

– O que você está dizendo? – retruquei, esperando que ninguém estivesse ouvindo nossa conversa.
– As armas não funcionam! – ele repetiu. – Fomos enganados!
– Não posso falar agora – eu disse.
– Tudo bem, mas quero me encontrar com você hoje à noite.

Assim que ele chegou na minha casa, eu disparei:
– Está louco de falar daquela maneira ao telefone?
– Eu sei, mas as armas não estão funcionando. A pistola está boa, mas as submetralhadoras não atiram.
– Está certo, não estão funcionando, mas você tem certeza de que sabe usá-las?

Ele me garantiu que sabia o que estava fazendo, então eu disse que ia dar um jeito. Faltando apenas duas semanas para minhas provas finais, eu não tinha tempo para nada daquilo, mas fui em frente e tomei as providências para devolver as armas defeituosas a Yousef.
– Estou com um problema sério – eu disse, quando o encontrei.
– A pistola funciona, mas as submetralhadoras não. Ligue para seus amigos em Nabulus para conseguirmos pelo menos o dinheiro de volta.

Ele prometeu tentar.

No dia seguinte, meu irmão Sohayb me deu uma notícia que me deixou preocupado.
– As forças de segurança de Israel vieram aqui em casa à sua procura – ele me informou num tom de voz estranho.

Meu primeiro pensamento foi: *Ainda nem matamos ninguém!* Fiquei com medo, mas também me senti um pouco importante, como se estivesse me tornando perigoso para Israel.

Na visita seguinte ao meu pai, ele já tinha ouvido que os israelenses estavam atrás de mim.
– O que está acontecendo? – ele perguntou com ar severo.

Contei a verdade, e ele ficou com muita raiva, o que deixou claro para mim que estava decepcionado e preocupado.

— Isso é muito sério — ele me advertiu. — Por que se meteu nisso? Você precisa cuidar da sua mãe e dos seus irmãos em vez de ficar fugindo dos israelenses. Não consegue entender que eles vão atirar em você?

Fui para casa, juntei algumas roupas e meus livros da escola e pedi a alguns estudantes que faziam parte da Irmandade Muçulmana que me escondessem até eu fazer minhas provas finais e concluir os estudos.

Ibrahim obviamente não entendia a gravidade da minha situação. Continuava a ligar, muitas vezes para o telefone celular do meu pai, que eu estava usando.

— O que está havendo? O que está acontecendo com você? Eu lhe dei um montão de dinheiro. Preciso que me devolva agora!

Contei sobre as forças de segurança que estiveram na minha casa e ele começou a gritar e a dizer coisas perigosas ao telefone. Desliguei antes que ele pudesse comprometer ainda mais a si mesmo ou a mim. No entanto, no dia seguinte as Forças de Defesa de Israel apareceram na casa dele, fizeram uma revista e encontraram a pistola. Ele foi preso imediatamente.

Eu me sentia perdido. Confiara em quem não devia. Meu pai estava na prisão, eu o havia decepcionado e deixara minha mãe preocupada. Precisava estudar para as provas. E estava sendo procurado pelos israelenses.

Como aquela situação poderia piorar ainda mais?

Capítulo 10
O ABATEDOURO
1996

Embora eu tivesse tomado precauções, as forças de segurança de Israel me capturaram. Eles haviam escutado minhas conversas com Ibrahim e lá estava eu, algemado e vendado, jogado na traseira de um jipe militar, tentando me esquivar da melhor maneira possível das coronhadas.

O jipe parou. Parecia que havíamos vagado a esmo durante horas. As algemas faziam cortes profundos em meus pulsos enquanto os soldados me levantavam pelos braços e me empurravam para uma escadaria. Eu não sentia mais as mãos. À minha volta, ouvia sons de pessoas se mexendo e gritando em hebraico.

Fui levado para um pequeno aposento no qual minha venda e as algemas foram removidas. Apertando os olhos por causa da claridade, tentei me orientar. Exceto por uma pequena escrivaninha em um canto, o cômodo estava vazio. Fiquei imaginando o que os soldados estavam preparando para mim a seguir. Interrogatório? Mais surras? Tortura?

Não precisei ficar pensando muito tempo. Após alguns minutos, um jovem soldado abriu a porta. Ele tinha uma argola no nariz e reconheci seu sotaque russo. Era um dos soldados que havia me espancado na traseira do jipe. Pegando-me pelo braço, ele me levou por uma série de corredores longos e tortuosos até entrarmos em outro cômodo pequeno. Um aparelho para verificar a pressão arterial, um computador e um pequeno televisor estavam em cima de uma velha escrivaninha. Quando entrei, um fedor opressivo tomou conta de minhas narinas. Senti uma ânsia incontrolável e tive certeza de que vomitaria novamente.

Um homem de jaleco, com aparência cansada e infeliz, entrou atrás de nós. Pareceu surpreso ao ver meu rosto surrado e meu olho, que, àquela altura, já havia dobrado de tamanho por causa do inchaço. No entanto, se ele estava preocupado com meu bem-estar, não demonstrou. Eu vira veterinários mais gentis com os animais do que aquele médico ao me examinar.

Entrou um homem num uniforme da polícia. Ele me virou de costas, recolocou as algemas e pôs um capuz verde-escuro na minha cabeça. Descobri a origem do mau cheiro. O capuz parecia nunca ter sido lavado. Exalava o fedor de dentes não escovados e do mau hálito de uma centena de prisioneiros. Tive ânsia de vômito e tentei prender a respiração. Mas, toda vez que eu arquejava, sugava aquele tecido fétido para dentro da minha boca. Entrei em pânico e achei que fosse sufocar se não conseguisse me livrar daquele capuz.

O guarda me revistou e tirou tudo de mim, incluindo o cinto e os cadarços das botas, depois me pegou pelo capuz e me arrastou pelos corredores. Uma curva à direita. Uma à esquerda. Outra à esquerda. Direita. Direita outra vez. Eu não sabia onde estava nem para onde estava sendo levado.

Por fim paramos e eu o ouvi procurar desajeitadamente uma chave. Ele abriu uma porta que parecia grossa e pesada.

– Degraus – avisou ele.

Fui descendo. Pelo capuz, eu conseguia ver algum tipo de luz piscante, como a que vemos na capota de uma viatura policial.

Quando ele tirou meu capuz, percebi que estava na frente de uma cortina. À minha direita, vi uma cesta cheia de capuzes. Esperamos alguns minutos até que uma voz do outro lado da cortina nos deu permissão para entrar. O guarda algemou meus tornozelos e pôs outro saco na minha cabeça. Depois, segurou a ponta do capuz e me puxou, me fazendo atravessar a cortina.

Ar frio saía dos dutos de ventilação e alguém ouvia música em alto volume em algum lugar distante. Eu devia estar caminhando por um corredor muito estreito, porque me chocava contra as paredes de um lado e de outro à medida que andava. Sentia-me tonto e esgotado. Finalmente, paramos outra vez. O soldado abriu uma porta e me empurrou para dentro. Depois, removeu o capuz e saiu, trancando a pesada porta.

Olhei à minha volta, mais uma vez examinando o ambiente. A cela tinha cerca de 1,80m², espaço apenas para um pequeno colchão e dois cobertores. Quem a ocupara antes de mim enrolou um dos cobertores para formar um travesseiro. Então me sentei no colchão, que estava pegajoso. Os cobertores tinham o mesmo cheiro do capuz. Cobri o nariz com o colarinho da camisa, mas minhas roupas fediam a vômito. Uma lâmpada fraca estava pendurada no teto, mas eu não conseguia encontrar o interruptor para acendê-la ou apagá-la. Uma pequena abertura na porta era a única janela no cômodo. O ar estava úmido; o chão, molhado; o concreto, coberto de mofo. Havia insetos por toda parte. Tudo era sujo, pútrido e repugnante.

Fiquei lá sentado por muito tempo sem saber o que fazer. Eu precisava ir ao banheiro, então me levantei para usar o vaso sanitário enferrujado que ficava em um canto. Puxei a alavanca da descarga, mas imediatamente me arrependi de ter feito aquilo. Os dejetos não desceram, transbordando do vaso e molhando o colchão.

Eu me sentei no único canto seco da cela e tentei pensar. Que lugar para passar a noite! Meu olho latejava e ardia. Eu estava com dificuldade para respirar sem me engasgar com o cheiro da cela. O calor era insuportável, e minhas roupas, encharcadas de suor, grudavam no meu corpo.

Não tinha comido nem bebido nada a não ser um pouco de leite de cabra na casa da minha mãe. Agora, aquele leite, regurgitado sobre minhas calças e camisa, estava azedando. Ao ver um cano que saía de uma parede, abri a torneira, na esperança de conseguir um pouco d'água, mas o líquido que saiu era grosso e marrom.

Que horas eram? Será que me deixariam ali a noite toda?

Minha cabeça latejava. Eu sabia que não conseguiria dormir. A única coisa que podia fazer era orar para Alá. *Proteja-me*, pedi. *Mantenha-me a salvo e me leve logo de volta para minha família.*

Através da grossa porta de aço, eu ouvia música em alto volume tocando a distância, a mesma canção repetida várias e várias vezes. Usei as entorpecedoras repetições para me ajudar a calcular o tempo. Leonard Cohen cantava sem parar:

Condenaram-me a 20 anos de tédio
Por tentar mudar o sistema de dentro
Eu estou chegando agora, chegando para recompensá-los
Primeiro, conquistamos Manhattan, depois, Berlim*

A distância, portas abriam e fechavam, muitas portas. Devagar, os sons foram se aproximando. Então, alguém abriu minha cela, empurrou uma bandeja azul para dentro e trancou a porta. Sentado no esgoto que havia vazado após eu usar o vaso sanitário, olhei para a bandeja. Ela continha um ovo cozido, um pedaço de pão, cerca de uma colherada de iogurte com cheiro de azedo e três azeitonas. Em um canto, havia um recipiente plástico com água, mas, quando o aproximei dos meus lábios, o cheiro não era nada bom. Tomei um

---

* Tradução livre de um trecho da canção "First We Take Manhattan", de Leonard Cohen, copyright © 1988 Leonard Cohen Stranger Music, Inc.: *They sentenced me to twenty years of boredom / For trying to change the system from within / I'm coming now, I'm coming to reward them / First we take Manhattan, then we take Berlin.* (N. do T.)

gole e usei o restante para lavar as mãos. Comi tudo o que havia na bandeja, mas ainda estava com fome. Aquilo era o café da manhã? Que horas eram? Era de tarde, calculei.

Enquanto tentava determinar há quanto tempo estava lá dentro, a porta da minha cela se abriu. Alguém, ou alguma coisa, entrou. Seria um ser humano? Era um homem baixo que aparentava ter uns 75 anos e lembrava um macaco corcunda. Ele gritou comigo com um sotaque russo, me xingou, insultou Deus e cuspiu na minha cara. Eu não conseguia imaginar nada mais feio.

Aparentemente, aquela coisa era um guarda, pois ele jogou outro capuz fedorento em cima de mim e me mandou colocá-lo. Depois, pegou a parte dianteira do capuz e me puxou aos solavancos pelos corredores. Abriu a porta de um escritório, me jogou lá dentro e me forçou a sentar em uma cadeira de plástico baixa presa ao chão e que parecia apropriada para crianças pequenas de uma escola do ensino fundamental.

Ele me algemou, um braço entre as pernas da cadeira e outro do lado de fora. Depois, prendeu minhas pernas. A pequena cadeira ficou inclinada, me forçando a ficar curvado para a frente. Ao contrário da minha cela, aquele cômodo estava gelado. Imaginei que o ar-condicionado devia estar regulado para zero grau.

Fiquei sentado lá durante horas, tremendo de frio descontroladamente, contorcido de forma agonizante e incapaz de mudar de posição. Eu tentava respirar através daquele capuz imundo sem nunca inspirar profundamente. Estava com fome e esgotado, sentia o olho inchado e cheio de sangue latejar.

Então, passado algum tempo, a porta se abriu e alguém tirou meu capuz. Fiquei surpreso ao ver que era um civil, não um militar ou um guarda. O homem se sentou na beirada da escrivaninha. Minha cabeça estava mais ou menos à altura dos seus joelhos.

– Qual é o seu nome? – ele perguntou.

– Mosab Hassan Yousef.

— Você sabe onde está?

— Não.

Ele balançou a cabeça e disse:

— Alguns chamam isto aqui de Noite Escura. Outros, de Abatedouro. O fato é que você está em uma grande encrenca, Mosab.

Tentei não demonstrar emoção alguma, mantendo os olhos fixos em uma mancha na parede atrás da cabeça do sujeito.

— Como está seu pai na prisão da Autoridade Nacional Palestina? — ele perguntou. — Ele acha aquele lugar mais divertido do que uma prisão israelense?

Mudei ligeiramente de posição, ainda me recusando a responder.

— Sabia que você está no mesmo lugar em que ele esteve quando foi preso pela primeira vez?

Então, era lá que eu estava: o Centro de Detenção de Maskobiyeh, em Jerusalém Ocidental. Meu pai me falara sobre aquele lugar. Tinha sido uma igreja ortodoxa russa construída sobre seis milênios de história. Depois que Israel capturou a cidade, o governo a converteu em uma área de alta segurança que incluía o quartel-general da polícia, escritórios e um centro de interrogatórios do Shin Bet.

Nas profundezas do subsolo ficava o antigo labirinto que servia de prisão. Negra, manchada e escura como os calabouços medievais infestados de ratos que vemos no cinema, Maskobiyeh tinha uma péssima reputação.

Eu estava sofrendo a mesma punição que meu pai havia enfrentado. Aqueles eram os mesmos homens que o tinham espancado e torturado anos antes. Passaram muito tempo com ele e o conheciam bem. No entanto, nunca conseguiram destruí-lo. Ele permaneceu firme e só se fortaleceu cada vez mais.

— Diga-me por que está aqui.

— Não faço a menor ideia.

É claro que deduzi que estava lá por ter comprado aquelas malditas armas que nem funcionavam. Minhas costas pareciam estar em chamas. O interrogador levantou meu queixo.

— Quer ser tão difícil quanto seu pai? Você não tem ideia do que o espera fora desta sala. Me diga o que sabe sobre o Hamas! Que segredos você conhece? Conte sobre o movimento estudantil islâmico! Quero saber tudo!

Ele achava mesmo que eu era tão perigoso assim? Eu não podia acreditar. Então, quanto mais eu pensava a respeito, percebi que era provavelmente o que ele achava. Do ponto de vista dele, o fato de eu ser filho do xeique Hassan Yousef e estar comprando armas era um motivo mais do que suficiente para levantar suspeitas.

Aqueles homens tinham prendido e torturado meu pai e estavam prestes a fazer o mesmo comigo. Será que realmente achavam que aquilo me faria aceitar que eles tinham o direito de existir? Meu ponto de vista era muito diferente. Meu povo estava lutando pela liberdade, pela sua terra.

Quando não respondi às perguntas, o homem deu um soco na mesa. Mais uma vez, ele levantou meu queixo.

— Vou para casa, passar a noite com a minha família. Divirta-se aqui.

Fiquei sentado naquela cadeirinha por horas, sempre curvado para a frente em uma posição estranha. Então um guarda finalmente entrou, tirou as algemas, soltou minhas pernas, colocou outro capuz sobre minha cabeça e me puxou de volta pelos corredores. A voz de Leonard Cohen estava ficando cada vez mais alta.

Paramos e o guarda gritou, mandando que me sentasse. A música era ensurdecedora. Mais uma vez, meus pés e minhas mãos foram acorrentados a uma cadeira baixa que vibrava com a batida inclemente de "Primeiro, conquistamos Manhattan, depois, Berlim".

O frio e a posição desconfortável me causavam cãibras. Eu sentia o cheiro horrível do capuz. Daquela vez, porém, eu claramente não estava sozinho. Mesmo acima da voz de Leonard Cohen, eu conseguia ouvir outras pessoas gritando de dor.

– Tem alguém aí? – berrei através do tecido sebento.

– Quem é você? – uma voz próxima gritou.

– Sou Mosab.

– Há quanto tempo está aqui?

– Dois dias.

Ele ficou calado por alguns minutos.

– Estou sentado nesta cadeira há três semanas – disse finalmente. – Só me deixam dormir quatro horas por semana.

Fiquei atônito. Aquela era a última coisa que eu queria ouvir. Outro homem me disse que havia sido preso mais ou menos no mesmo dia que eu. Calculei que houvesse cerca de 20 de nós ali.

Nossa conversa foi repentinamente interrompida quando alguém bateu com força na parte posterior da minha cabeça. A dor irradiou pelo meu crânio, me forçando a piscar para conter as lágrimas dentro do capuz.

– Nada de conversa! – gritou um guarda.

Cada minuto parecia uma hora, mas, de qualquer forma, eu não conseguia mais lembrar o que era uma hora. Meu mundo havia parado. Lá fora, eu sabia que as pessoas estavam se levantando, indo trabalhar e voltando para casa e para suas famílias. Meus colegas de turma estudavam para as provas finais. Minha mãe cozinhava, limpava, abraçava e beijava meus irmãos e irmãs.

Naquele lugar, porém, todos estavam sentados. Ninguém se mexia.

Primeiro, conquistamos Manhattan, depois, Berlim! Primeiro, conquistamos Manhattan, depois, Berlim! Primeiro, conquistamos Manhattan, depois, Berlim!

Alguns dos homens à minha volta gemiam, mas eu estava determinado a não chorar. Tinha certeza de que meu pai nunca havia chorado. Ele era forte, não se entregava.

– *Shoter! Shoter!* (Guarda! Guarda!) – gritou um dos homens. Como a música estava muito alta, ninguém respondeu. Finalmente, depois de um tempo, um guarda chegou.

– O que você quer?
– Quero ir ao banheiro! Preciso ir ao banheiro!
– Nada de banheiro agora! Não está na hora. – E foi embora.
– *Shoter! Shoter!* – o homem berrou.

Meia hora depois, o guarda voltou. O homem estava perdendo o controle. Insultando-o, o guarda abriu suas algemas e o arrastou para fora dali. Passados alguns minutos, o levou de volta, o acorrentou novamente à pequena cadeira e foi embora.

– *Shoter! Shoter!* – gritou outro homem.

Eu estava exausto e enojado. Meu pescoço doía. Nunca havia percebido o peso da minha cabeça. Tentei me encostar na parede ao meu lado, mas, quando estava prestes a adormecer, um guarda chegou e bateu na minha cabeça para me acordar. Sua única tarefa, ao que parecia, era nos manter acordados e em silêncio. A sensação que eu tinha era a de estar enterrado vivo, sendo torturado pelos anjos Munkar e Nakir após ter dado as respostas erradas.

Devia ser de manhã quando ouvi um guarda circulando. Ele abria as algemas e levava para fora um prisioneiro de cada vez. Depois de alguns minutos, o trazia de volta, o acorrentava novamente à pequena cadeira e passava para o próximo. Por fim, chegou minha vez.

Depois de ter aberto minhas algemas, ele agarrou meu capuz e me puxou pelos corredores. Abriu a porta de uma cela e me disse para entrar. Quando removeu o capuz, vi que era o mesmo guarda com aparência de macaco corcunda com o meu café da manhã. Com o pé, ele empurrou a bandeja azul contendo ovo, pão, iogurte e azeitonas na minha direção. Cerca de dois centímetros de água fétida cobriam o chão e espirraram na bandeja. Eu preferia morrer de fome a comer aquilo.

— Você tem dois minutos para comer e usar o banheiro.

Tudo o que eu queria era me esticar, deitar e dormir por apenas dois minutos. Mas só fiquei lá em pé enquanto os segundos corriam.

— Vamos! Venha cá!

Antes que eu pudesse comer alguma coisa, o guarda colocou o capuz na minha cabeça outra vez, me guiou pelos corredores e me prendeu à pequena cadeira.

Primeiro, conquistamos Manhattan, depois, Berlim!

Capítulo 11
A OFERTA
1996

O DIA INTEIRO, AS PORTAS ABRIAM e fechavam à medida que os prisioneiros eram puxados pelos capuzes imundos e levados de um interrogador a outro. Desalgemado, algemado, interrogado, surrado. Às vezes, um interrogador sacudia o prisioneiro com força, mas em geral eram necessárias apenas 10 sacudidas antes que ele desmaiasse. Desalgemado, algemado, interrogado. Portas abrindo e depois fechando.

Todo dia, logo cedo, nos levavam para tomar o café da manhã, servido na bandeja azul, em não mais do que dois minutos. Depois, horas mais tarde, nos levavam para o jantar, servido na bandeja laranja, também em apenas dois minutos. Dia após dia era a mesma rotina. Bandeja azul para o café da manhã, laranja para o jantar. Eu ansiava pela hora das refeições, não porque quisesse comer, mas simplesmente para ter a oportunidade de ficar em pé, ereto.

À noite, após todos terem sido alimentados, o abrir e fechar das portas cessava e os interrogadores iam para casa. O dia de trabalho havia terminado e começava a noite infinita. Os prisioneiros choravam, gemiam e gritavam. Não pareciam mais seres humanos. Alguns nem sabiam o que estavam dizendo. Os muçulmanos recitavam versos do Alcorão, suplicando força a Alá. Eu também fazia minhas preces, mas não recebia força alguma. Pensava no idiota do

Ibrahim, nas malditas armas e nas estúpidas ligações para o celular do meu pai.

Pensava no meu pai e sentia uma dor no coração ao me dar conta de tudo o que ele tinha suportado quando esteve preso. Mas eu conhecia bem a personalidade dele; mesmo torturado e humilhado, ele aceitava seu destino em silêncio e com resignação. Provavelmente, devia até ter feito amizade com os guardas encarregados de surrá-lo, demonstrando um interesse genuíno por eles como pessoas, perguntando sobre suas famílias, suas origens e o que faziam no tempo livre.

Meu pai era um exemplo de humildade, amor e devoção, e eu queria muito ser como ele, mas sabia que ainda tinha um longo caminho pela frente.

Certa tarde, minha rotina foi interrompida inesperadamente. Um guarda entrou na cela e me desacorrentou da cadeira. Eu sabia que era cedo demais para o jantar, mas não fiz perguntas. Estava feliz simplesmente por ir a algum lugar, nem que fosse para o inferno, desde que me soltassem daquela maldita cadeira. Um oficial do Shin Bet entrou e me olhou de cima a baixo. Embora a dor que sentia não fosse tão aguda como antes, eu sabia que meu rosto ainda carregava as marcas das coronhas dos fuzis dos soldados.

— Como você está? — perguntou o oficial. — O que aconteceu com o seu olho?

— Eles me espancaram.

— Eles quem?

— Os soldados que me trouxeram para cá.

— Mas não é permitido agredir os prisioneiros. É contra a lei. Vou investigar e descobrir por que isso aconteceu.

Ele parecia muito confiante e falava comigo num tom gentil e respeitoso. Fiquei imaginando se isso não era um truque para me fazer falar.

— Em breve você terá provas na escola. Por que veio parar aqui?

– Não sei.

– É claro que sabe. Você não é burro e nós também não. Meu nome é Loai, sou capitão do Shin Bet e investigo a área em que você mora. Sei tudo sobre sua família, seu bairro e sei tudo sobre você.

Ele realmente sabia tudo. Ao que parece, era responsável por todas as pessoas que moravam no meu bairro. Sabia quem trabalhava onde, quem frequentava a escola, o que cada um estudava, que mulher tinha acabado de dar à luz e provavelmente até quanto o bebê pesava. Nada lhe escapava.

– Você tem uma opção, por isso vim até aqui hoje para me reunir com você e conversar. Sei que os outros interrogadores não foram tão gentis.

Examinei seu rosto, tentando ler nas entrelinhas. Ele era louro e de pele clara e falava com uma calma que eu não havia ouvido antes. Sua expressão era gentil e ele até aparentava estar um pouco preocupado comigo. Fiquei me perguntando se aquilo não fazia parte da estratégia israelense: desestabilizar o prisioneiro, espancando-o em um momento e, depois, tratando-o com gentileza.

– O que você quer saber? – perguntei.

– Escute, você deve imaginar por que foi trazido para cá. Então precisa contar tudo o que sabe.

– Não faço a menor ideia do que você está falando.

– Veja bem, quero facilitar as coisas para você.

Em um quadro branco atrás da escrivaninha, ele escreveu três palavras: *Hamas*, *armas* e *organização*.

– Vamos lá, fale sobre o Hamas. O que você sabe sobre ele? Qual é seu envolvimento com a organização?

– Não sei de nada.

– Sabe alguma coisa sobre as armas que eles têm, de onde vêm, como as conseguem?

– Não.

– Sabe alguma coisa do movimento islâmico jovem?

– Não.

– Olha, só depende de você. Não sei o que dizer, mas você está realmente escolhendo o caminho errado... Posso trazer algo para você comer?

– Não, não quero nada.

Loai saiu da sala e voltou minutos depois com um prato fumegante de frango e arroz, além de um pouco de sopa. O cheiro era maravilhoso e fez com que meu estômago roncasse involuntariamente. Sem dúvida, aquela comida havia sido preparada para os interrogadores, não para os prisioneiros.

– Por favor, Mosab, coma. Não tente bancar o durão. Coma e relaxe um pouco. Sabe, conheço seu pai há muito tempo. Ele é um bom sujeito, não um fanático, por isso não entendemos por que você se meteu em encrenca. Não queremos torturá-lo, mas você precisa compreender que assumiu uma posição contra Israel. Este é um país pequeno e precisamos nos proteger. Não podemos permitir que machuquem os cidadãos israelenses. Sofremos bastante durante toda a nossa vida e não vamos facilitar para quem quer ferir nosso povo.

– Nunca feri nenhum israelense, mas vocês nos machucam. E prenderam meu pai.

– Sim. Ele é um bom homem, mas também está contra Israel. Ele inspira as pessoas a lutar contra o nosso país, por isso temos de mandá-lo para a prisão.

Eu podia perceber que Loai realmente achava que eu era perigoso. Tendo conversado com outras pessoas que haviam estado em prisões israelenses, eu sabia que os palestinos nem sempre recebiam um tratamento tão duro quanto o que eu havia recebido, nem eram interrogados durante tanto tempo.

O que eu não sabia na época era que Hassan Salameh havia sido preso mais ou menos na mesma época que eu. Ele havia realizado vários ataques para vingar o assassinato do mestre fabricante de bombas Yahya Ayyash. Depois de grampear o celular do meu pai e ouvir minha conversa com Ibrahim sobre conseguir armas, o Shin Bet presumiu que eu não estava trabalhando sozinho. Na verdade, eles tinham certeza de que eu havia sido recrutado pelas Brigadas Al-Qassam.

Por fim, Loai disse:
— Vou fazer esta oferta só mais uma vez, depois vou embora. Tenho muito a fazer. Você e eu podemos resolver esta situação agora mesmo, podemos dar um jeito. Você não precisa mais ser submetido aos interrogatórios. É apenas um garoto e precisa de ajuda.

Sim, eu queria ser perigoso e tinha ideias arriscadas, mas, obviamente, não tinha muito talento para ser um radical. E estava cansado da cadeirinha de plástico e dos capuzes fedorentos. Como a inteligência israelense estava me dando mais crédito do que eu merecia, contei tudo a Loai, omitindo o fato de eu querer armas para matar israelenses, explicando que as comprara para ajudar meu amigo Ibrahim a proteger sua família.

— Então, agora vocês têm armas.
— Sim, temos armas.
— E onde elas estão?

Eu gostaria que estivessem na minha casa, porque ficaria feliz em entregá-las aos israelenses. No entanto, ao contar onde elas estavam, eu teria de envolver meu primo.

— Muito bem, o problema é o seguinte: uma pessoa que não tem nada a ver com esta história está guardando as armas.
— E quem é essa pessoa?
— Meu primo Yousef. Ele é casado com uma americana e eles acabaram de ter um bebê.

Eu esperava que eles levassem em consideração a família do meu primo e fossem lá apenas pegar as armas, mas as coisas nunca são tão simples assim.

Dois dias depois, estava na minha cela quando ouvi movimento do outro lado da parede. Eu me curvei em direção ao cano enferrujado que a ligava à cela ao lado e chorei.

– Olá. Tem alguém aí?

Silêncio.

Em seguida ouvi uma voz me chamar:

– Mosab?

Eu não podia acreditar no que estava ouvindo. Era meu primo!

– Yousef? É você?

Fiquei muito nervoso ao ouvir sua voz e meu coração disparou. Era mesmo Yousef! E ele começou a me xingar.

– Por que você fez isso? Tenho família...

Comecei a chorar. Eu queria tanto ter um outro ser humano com o qual conversar enquanto estava preso. Mas agora um membro da minha família estava do outro lado da parede e gritava comigo. Então, me dei conta de que os israelenses estavam ouvindo, de que haviam colocado Yousef bem ao meu lado a fim de escutar nossa conversa e descobrir se eu estava dizendo a verdade. Por mim, isso não seria um problema. Eu havia dito a ele que queria as armas para proteger minha família, portanto, não me preocupei se nossas versões iriam bater.

Quando o Shin Bet constatou que minha história era verdadeira, fui transferido para outra cela. Sozinho mais uma vez, pensei em como eu havia estragado a vida do meu primo, magoado minha família e jogado fora 12 anos de escola, tudo porque havia confiado em um idiota como Ibrahim!

Fiquei várias semanas naquela cela sem ter contato com ninguém. Os guardas passavam a comida por baixo da porta, mas nunca diziam uma palavra. Até comecei a sentir falta de Leonard Cohen. Eu não tinha nada para ler e só tinha noção do passar do tempo por causa da sucessão alternada das bandejas coloridas de comida, dia após dia. Não tinha nada a fazer a não ser pensar e orar.

Certo dia, finalmente, fui levado mais uma vez a um escritório, onde, de novo, Loai estava esperando para falar comigo.

— Se você cooperar conosco, Mosab, farei todo o possível para que não tenha que passar mais tempo na prisão.

Um momento de esperança. Talvez eu conseguisse fazê-lo pensar que ia cooperar e então ele me tiraria de lá.

Conversamos um pouco sobre assuntos gerais e então ele disse:

— E se eu lhe oferecer uma oportunidade de colaborar conosco? Você sabe que os líderes israelenses estão se reunindo com os líderes palestinos. Eles lutaram por muito tempo, mas no fim vão apertar as mãos e jantar juntos.

— O Islã me proíbe de trabalhar com você.

— Em algum momento, Mosab, até mesmo seu pai virá conversar conosco, e nós falaremos com ele. Vamos trabalhar juntos e levar a paz às pessoas.

— É assim que levaremos a paz? Ela só existirá quando não houver mais ocupação.

— Não, você está enganado. As pessoas corajosas que querem mudar essa situação é que farão a paz acontecer – disse Loai.

— Eu acho que não. Não vale a pena.

— Você tem medo de ser assassinado por colaborar conosco?

— Não é isso. Depois de todo o sofrimento pelo qual passamos, eu nunca poderia simplesmente me sentar e conversar com você como um amigo, muito menos trabalhar para vocês. Não posso fazer isso. Vai contra tudo aquilo em que acredito.

Eu ainda odiava tudo à minha volta: a ocupação, a Autoridade Nacional Palestina. Eu havia me tornado um radical simplesmente porque queria destruir alguma coisa. No entanto, tinha sido esse impulso que me colocara naquela encrenca toda. Se eu aceitasse colaborar, sabia que pagaria um preço terrível, tanto nesta vida quanto na próxima.

— Bom, preciso pensar a respeito – ouvi essas palavras saindo da minha boca.

Voltei para minha cela e pensei sobre a oferta de Loai. Eu tinha ouvido histórias de pessoas que concordavam em trabalhar para os israelenses, mas se tornavam agentes duplos. Matavam os agentes que os haviam cooptado, ficavam com as armas deles e usavam todas as oportunidades para prejudicar os israelenses em um nível ainda mais profundo. Imaginei que, se eu aceitasse, Loai muito provavelmente me libertaria. Era bem possível que ele até me desse a oportunidade de ter armas de verdade, e, com elas, eu o mataria.

As chamas do ódio ardiam dentro de mim. Eu queria me vingar do soldado que havia me surrado, queria me vingar de Israel, não importava o preço a pagar, mesmo que isso custasse minha vida.

Entretanto, trabalhar para o Shin Bet seria muito mais arriscado do que comprar armas. Provavelmente o melhor a fazer seria esquecer aquilo tudo, cumprir meu período na prisão, voltar para casa, estudar e tomar conta da minha mãe, dos meus irmãos e irmãs.

No dia seguinte, o guarda me levou ao escritório mais uma vez e, alguns minutos depois, Loai entrou.

— Como você está hoje? Parece estar se sentindo muito melhor. Gostaria de beber alguma coisa?

Ficamos lá sentados, tomando café como dois velhos amigos.

— E se eu for assassinado? — perguntei, embora na verdade não me importasse de ser morto. Eu só queria que ele pensasse que eu me preocupava com essa possibilidade, para que acreditasse em mim.

— Vou lhe contar uma coisa, Mosab — disse Loai. — Trabalho para o Shin Bet há 18 anos e, durante todo esse tempo, só soube de uma pessoa cuja identidade como colaborador foi descoberta. Todos aqueles que você viu morrer não têm ligação alguma conosco. As outras pessoas começaram a desconfiar porque eles não tinham família e faziam coisas duvidosas, então os mataram. Ninguém saberá de você. Nós lhe daremos cobertura e você não será desmascarado. Vamos cuidar de você e iremos protegê-lo.

Olhei fixamente para ele durante muito tempo.
– Tudo bem – eu disse. – Eu aceito. Vai me libertar agora?
– Ótimo – disse Loai com um grande sorriso. – Infelizmente, não podemos libertá-lo imediatamente. Como você e seu primo foram presos logo após Salameh ter sido pego em flagrante, a história foi parar na primeira página do principal jornal palestino, o *Al-Quds*. Todo mundo acha que você foi preso porque estava envolvido com um fabricante de bombas. Se nós o libertarmos logo, as pessoas vão suspeitar e poderão pensar que você é um colaborador. A melhor maneira de protegê-lo é deixá-lo na prisão, mas não por muito tempo, não se preocupe. Vamos verificar se vai haver uma troca de prisioneiros ou um acordo de libertação que possamos usar para tirá-lo daqui. Uma vez solto, tenho certeza de que o Hamas vai cuidar de você, ainda mais porque é filho de Hassan Yousef. Entraremos em contato depois da sua libertação.

Os guardas me levaram de volta para a cela, onde fiquei por mais algumas semanas. Eu não via a hora de sair de Maskobiyeh.

Certa manhã, o guarda finalmente me disse que estava na hora de ir embora. Ele me algemou, mas não precisei colocar as mãos para trás nem vestir o capuz fedorento. E, pela primeira vez em 45 dias, vi o sol e senti o ar do lado de fora da prisão. Respirei fundo, enchendo meus pulmões e apreciando a brisa que soprava em meu rosto. Subi na traseira de um furgão e me sentei no banco. Era um dia quente de verão e o banco de metal ao qual fui algemado estava pelando, mas nem liguei. Eu estava livre!

Duas horas depois, chegamos à prisão de Megiddo, mas tivemos de ficar sentados no furgão por mais uma hora aguardando permissão para entrar. Quando finalmente entramos, um médico do presídio me examinou e declarou que eu estava bem. Então fui liberado para tomar uma ducha com sabonete de verdade e recebi roupas limpas e outros artigos de higiene pessoal. Na hora do almoço, me serviram comida quente pela primeira vez em semanas.

Os guardas me perguntaram a qual organização eu estava afiliado e respondi que era integrante do Hamas.

Nas prisões israelenses, cada organização tinha permissão para supervisionar seu próprio pessoal. A expectativa era de que isso reduzisse parte dos problemas entre os detentos ou criasse mais conflito entre as facções. Se os prisioneiros dirigissem a própria raiva uns aos outros, teriam menos energia para lutar contra os israelenses.

Ao entrar na prisão, todos os detentos deviam declarar sua afiliação. Tínhamos de escolher entre Hamas, Fatah, Jihad Islâmica, Frente Popular para a Libertação da Palestina (FPLP), Frente Democrática para a Libertação da Palestina (FDLP), ou seja lá o que fosse. Não podíamos simplesmente dizer que não pertencíamos a nenhuma organização. Os prisioneiros que realmente *não eram* afiliados a nada tinham alguns dias para escolher uma organização. Em Megiddo, o Hamas detinha o controle. Era a maior e mais forte organização lá dentro. Ditava as regras e todas as outras seguiam suas determinações.

Quando entrei, os outros prisioneiros me deram as boas-vindas calorosamente, com tapinhas nas costas e me felicitando por ter me unido a eles. À noite, ficávamos sentados, contando nossas histórias. No entanto, depois de um tempo, comecei a me sentir pouco à vontade. Um dos homens parecia ser uma espécie de líder dos detentos e fazia muitas perguntas, até demais. Embora ele fosse o emir (o chefe do Hamas dentro da prisão), eu simplesmente não confiava nele. Eu tinha ouvido muitas histórias sobre "pássaros", outro termo para designar os espiões dentro dos presídios.

Se ele é um espião do Shin Bet, por que não confia em mim?, pensei. *Eu deveria ser um deles agora.* Decidi não me arriscar e não dizer nada além do que contara aos interrogadores no centro de detenção.

Fiquei naquela prisão por duas semanas, orando, jejuando e lendo o Alcorão. Quando novos prisioneiros chegavam, eu os advertia sobre o emir.

— Você precisa ter cuidado. Acho que aquele sujeito e seus amigos podem ser "pássaros".

Os recém-chegados falaram imediatamente ao emir da minha suspeita e, no dia seguinte, fui mandado de volta para Maskobiyeh. Na manhã subsequente, fui levado ao escritório.

— Como foi a sua viagem até Megiddo? — perguntou Loai.

— Legal — respondi com sarcasmo.

— Sabe, Mosab, nem todos são capazes de identificar um "pássaro" da primeira vez que o veem. Vá descansar. Logo mandaremos você passar mais um tempo lá. Um dia, faremos algo juntos.

Sim, e um dia eu vou dar um tiro na sua cabeça, pensei enquanto ele se afastava, sentindo orgulho de mim mesmo por ter pensamentos tão radicais.

Passei mais 25 dias no centro de detenção, mas, daquela vez, fiquei em uma cela com outros três prisioneiros, entre os quais meu primo Yousef. Passávamos o tempo conversando e contando histórias. Um sujeito nos contou como havia matado uma pessoa. Outro se vangloriou de ter preparado terroristas suicidas. Todos tinham algo interessante a contar. Ficávamos à toa, orando, cantando e tentando nos divertir. Fazíamos qualquer coisa para tirar nossa mente dali. Aquele não era um lugar para seres humanos.

Por fim, todos nós, exceto meu primo, fomos levados para Megiddo. Só que, daquela vez, não ficaríamos do lado dos "pássaros": nosso destino era uma prisão de verdade. E nada voltaria a ser como antes.

Capítulo 12
NÚMERO 823
1996

Os detentos podiam sentir nosso cheiro quando estávamos chegando. Nossos cabelos e barbas estavam compridos depois de três meses sem tesouras nem lâminas de barbear. Nossas roupas estavam imundas. Foram necessárias cerca de duas semanas para nos livrarmos do fedor do centro de detenção. Não adiantava esfregar, o mau cheiro precisava ir desaparecendo aos poucos.

A maioria dos prisioneiros começou a cumprir sua pena na *mi'var*, uma unidade de triagem por onde todos passavam antes de serem transferidos para um campo maior com o restante dos detentos. No entanto, alguns eram considerados perigosos demais para voltar a conviver com a população e permaneciam na *mi'var* por anos. Como era de esperar, esses homens eram afiliados ao Hamas. Alguns me reconheceram e foram nos dar as boas-vindas.

Por ser filho do xeique Hassan, eu estava acostumado a ser reconhecido em todos os lugares aonde ia. Se ele era o rei, eu era o príncipe, o herdeiro legítimo, e era tratado como tal.

— Soubemos que você esteve aqui um mês atrás. Seu tio está aqui e logo virá visitá-lo.

O almoço foi uma refeição quente e saciou minha fome, embora não tenha sido tão saboroso quanto o que foi servido quando eu fiquei com os "pássaros". Mesmo assim, eu estava contente.

Apesar do confinamento, eu me sentia livre. Quando me encontrava sozinho, pensava nos agentes do Shin Bet. Eu havia prometido trabalhar para eles, mas ninguém me dera nenhuma orientação. Nunca explicaram como nos comunicaríamos ou o que significaria ser colaborador do serviço secreto. Simplesmente me deixaram por minha conta, sem instruções sobre como deveria me comportar. Eu estava perdido. Não sabia mais quem eu era e ficava me perguntando se havia sido enganado.

A *mi'var* era dividida em dois grandes dormitórios, o Quarto Oito e o Quarto Nove, com beliches enfileirados. Os quartos formavam um L e cada um abrigava 20 prisioneiros. Na quina do L, havia um pátio para exercícios com chão de concreto pintado e uma mesa de pingue-pongue quebrada que havia sido doada pela Cruz Vermelha. Era lá que nos exercitávamos duas vezes por dia.

Minha cama ficava no fundo do Quarto Nove, do lado do banheiro. Os detentos dividiam dois vasos sanitários e dois chuveiros. Cada sanitário era, na verdade, apenas um buraco no chão sobre o qual ficávamos de pé ou agachados e, depois, ao terminar, nos lavávamos com a água de um balde. O lugar era quente, úmido e tinha um cheiro terrível.

O dormitório inteiro era assim. Havia homens doentes, com uma tosse que não melhorava nunca, e alguns nunca se preocupavam em tomar banho. Todos tinham mau hálito. O fraco ventilador não dava vazão à fumaça dos cigarros, e não havia janelas para arejar o ambiente.

Acordávamos todos os dias às quatro da manhã a fim de nos preparar para a prece da alvorada. Esperávamos em fila com nossas toalhas, com aquela cara de quem acabou de acordar e o cheiro típico de homens confinados em um espaço sem ventilação. Em seguida, era a hora do *wudu*. Para começar o ritual islâmico de purificação, lavávamos as mãos até a altura do pulso, enxaguávamos a boca e as narinas. Esfregávamos o rosto com as duas mãos, da testa ao queixo e de uma orelha a outra. Lavávamos os braços até o cotovelo e limpávamos a cabeça com a mão molhada, indo da testa à nuca, uma única vez. Por fim, molhávamos os dedos e limpávamos as orelhas por dentro e por fora, esfregávamos o pescoço e lavávamos os pés até o tornozelo. Depois, repetíamos todas essas ações mais duas vezes.

Às 4h30, quando todos haviam terminado, o imã, um sujeito grande e severo com uma barba enorme, entoava o *adhan*. Em seguida, ele lia o *Al-Fatihah* (a sura, ou passagem, inicial do Alcorão) e nós fazíamos quatro *rakats* (repetições de preces em posição ereta, ajoelhada e curvada).

A maioria dos prisioneiros era de muçulmanos afiliados ao Hamas ou à Jihad Islâmica, portanto essa rotina não era novidade para nós. No entanto, mesmo aqueles que integravam organizações seculares ou comunistas tinham de se levantar no mesmo horário, embora não orassem, e isso não os deixava nada satisfeitos.

Um sujeito havia cumprido cerca de metade da sua pena de 15 anos e estava farto de toda a rotina islâmica, por isso demorava para se levantar de manhã. Alguns prisioneiros o cutucavam, o socavam e gritavam para ele acordar. Chegaram até a jogar água em seu rosto. Eu tinha pena dele, porque todo aquele ritual de purificação, preces e leitura levava aproximadamente uma hora. Depois, todos voltavam para a cama, mas ninguém falava. Era hora do silêncio.

Eu sempre tinha dificuldade para voltar a dormir e só costumava pegar no sono perto das sete da manhã. Quando finalmente adormecia, alguém gritava "*Adad! Adad!*", que queria dizer número, um aviso de que estava na hora de nos prepararmos para a contagem dos presos.

Ficávamos sentados nas camas com as costas viradas para o soldado israelense desarmado que nos contava. Só eram necessários cinco minutos e depois podíamos voltar a dormir.

– *Jalsa! Jalsa!* – gritava o emir às 8h30.

Estava na hora de uma das duas reuniões diárias do Hamas e da Jihad Islâmica. Era realmente uma amolação. Será que eles não podiam deixar ninguém dormir duas horas seguidas? Mais uma vez, fazíamos fila para ir ao banheiro e nos preparar para a *jalsa* das nove horas. Durante a primeira *jalsa* diária do Hamas, estudávamos as regras para ler o Alcorão. Eu havia aprendido tudo aquilo com meu pai, mas a maioria dos prisioneiros desconhecia aquelas normas. A segunda *jalsa* diária abordava mais o Hamas, nossa própria disciplina dentro da prisão, anúncios de novas chegadas e notícias sobre o que estava acontecendo do lado de fora. Não contavam segredos nem planos, apenas notícias gerais.

Após cada reunião, costumávamos assistir à televisão no aparelho que ficava nos fundos do quarto, em frente aos banheiros. Certa manhã, eu estava assistindo a um desenho animado quando entrou um comercial.

Bang! Uma grande tábua caiu na frente da tela.

Pulei e olhei à minha volta.

— O que foi isso?

Percebi que a tábua estava presa a uma corda pesada que pendia do teto. No canto do quarto, um prisioneiro segurava com força a extremidade da corda. Parecia que sua tarefa era ficar atento a algo impuro e baixar a tábua na frente do televisor para nos proteger.

— Por que você baixou a tábua? — perguntei.

— Para sua proteção — o homem respondeu num tom grosseiro.

— Proteção? Do quê?

— Da garota no comercial — explicou o controlador da tábua.

— Ela não estava usando véu.

Eu me virei para o emir:

— Ele está falando sério?

— Claro que está.

— Mas todos nós temos TV em casa e não deixamos de assistir quando aparece algo desse tipo. Por que agir assim aqui?

— A prisão apresenta desafios incomuns — explicou ele. — Aqui não temos mulheres. Aquilo que mostram na televisão pode causar problemas para os prisioneiros e resultar em relacionamentos indesejados entre eles. Então, essa é a regra e é assim que encaramos a situação.

É claro que nem todos tinham a mesma opinião. O que podíamos ou não ver dependia muito de quem controlava a corda. Se o sujeito fosse de Hebron, baixava a tábua para cobrir até mesmo um personagem feminino de desenho animado que estivesse sem véu; se fosse da liberal Ramallah, acabávamos vendo muito mais. Devíamos nos revezar no controle do instrumento de censura, mas eu me recusava a tocar naquela coisa idiota.

Depois do almoço, era a hora da prece do meio-dia, seguida de outro momento de silêncio. A maioria dos prisioneiros tirava um cochilo nesse intervalo, mas eu geralmente lia um livro. No fim da tarde, podíamos ir para a área de exercícios caminhar ou conversar um pouco.

A vida na prisão era bastante enfadonha para o pessoal do Hamas. Não podíamos jogar cartas e devíamos limitar nossa leitura ao Alcorão e a livros islâmicos. As outras facções tinham muito mais liberdade do que nós.

Fiquei muito contente ao ver meu primo Yousef finalmente aparecer certa tarde. Os israelenses nos emprestaram um aparelho de barbear e nós raspamos sua cabeça para ajudá-lo a se livrar do cheiro do centro de detenção.

Yousef não era integrante do Hamas, era socialista. Não acreditava em Alá, mas acreditava em Deus. Isso o tornava suficientemente adequado para ser alocado na Frente Democrática para a Libertação da Palestina. Essa facção lutava por um Estado palestino, ao contrário do Hamas e da Jihad Islâmica, que lutavam por um Estado islâmico.

Alguns dias após a chegada de Yousef, meu tio Ibrahim Abu Salem foi nos visitar. Ele estava sob detenção administrativa havia dois anos, embora nunca tivesse sido oficialmente acusado de nada. Por representar perigo para a segurança de Israel, ele ficaria lá por muito tempo. Como membro importante do Hamas, meu tio Ibrahim podia circular livremente entre a *mi'var* e o campo de prisioneiros e entre as diferentes seções do campo. Então, ele foi à *mi'var* para ver o sobrinho, se certificar de que eu estava bem e levar roupas para mim, um gesto de preocupação que parecia incompatível com um homem que havia batido em mim e abandonado nossa família quando meu pai estava preso.

Com quase 1,85m de altura, Ibrahim Abu Salem era imenso. Sua pesada barriga, prova da sua paixão por comida, lhe dava a aparência de uma espécie de gourmet alegre. Mas eu o conhecia bem e sabia que ele era um homem malvado e egoísta, mentiroso e hipócrita, exatamente o contrário do meu pai.

No entanto, dentro dos muros de Megiddo, ele era tratado como rei. Todos os prisioneiros, a despeito da organização a que estavam afiliados, o respeitavam por sua idade, capacidade de ensinar, seu trabalho nas universidades e suas realizações políticas e acadêmicas. Os líderes costumavam aproveitar sua visita e pediam para ele fazer um sermão.

Todos gostavam de ouvir Ibrahim falar. Em vez de fazer apresentações tediosas, ele se comportava mais como um humorista. Gostava de arrancar gargalhadas e, em suas lições sobre o Islã, usava uma linguagem simples que todos podiam entender.

Naquele dia, porém, ninguém estava rindo. Pelo contrário, todos os prisioneiros ficaram sentados, com os olhos arregalados e em silêncio, enquanto Ibrahim falava de maneira arrebatadora sobre os colaboradores, como eles decepcionavam e envergonhavam suas famílias e eram inimigos do povo palestino. Da maneira como ele falava, tive a sensação de que estava se dirigindo a mim:

— Se há algo que você não me contou, Mosab, é melhor que me conte agora.

Obviamente, eu não falei nada. Mesmo que suspeitasse da minha ligação com o Shin Bet, Ibrahim não ousaria dizer isso para o filho do xeique Hassan Yousef.

— Se precisar de alguma coisa, é só me avisar. Vou tentar transferi-lo para perto de mim — disse ele antes de ir embora.

Era o verão de 1996. Apesar de eu ter apenas 18 anos, me sentia como se tivesse vivido várias vidas em apenas alguns meses. Algumas semanas após a visita do meu tio, um representante dos prisioneiros, ou *shaweesh*, entrou no Quarto Nove e me chamou:

— Oitocentos e vinte e três!

Levantei a cabeça, surpreso por ouvir meu número. Em seguida, ele chamou outros três ou quatro números e nos mandou juntar nossas coisas.

Ao sair da *mi'var* e adentrar o deserto, o calor me atingiu como o bafo de um dragão, me deixando tonto por um momento. À minha frente, até onde a vista alcançava, só enxergava os topos de grandes tendas marrons. Passamos marchando pela primeira, segunda e terceira seções, onde centenas de prisioneiros corriam até as altas grades de arame para ver os detentos recém-chegados. Então chegamos à Seção Cinco e os portões se abriram. Mais de 50 pessoas nos cercaram, nos abraçaram e apertaram nossas mãos.

Fomos levados para a tenda da administração e, mais uma vez, perguntaram a que organização estávamos afiliados. Em seguida, fui levado para a tenda do Hamas, onde o emir me recebeu e apertou minha mão.

— Bem-vindo — ele disse. — É bom vê-lo aqui. Temos muito orgulho de você. Vamos logo preparar uma cama e lhe entregar toalhas e outras coisas que pode precisar. Fique à vontade e aproveite a estadia — acrescentou, com o típico humor carcerário.

Cada seção da prisão tinha 12 tendas, cada uma abrigando 20 camas e baús. A capacidade máxima era de 240 prisioneiros. Imagine um porta-retratos retangular delimitado por arame farpado. A

Seção Cinco era dividida em quadrantes. Um muro, com arame farpado no alto, cruzava a seção de norte a sul, e uma grade baixa a atravessava de leste a oeste.

Os Quadrantes Um e Dois (no alto à direita e à esquerda) abrigavam três tendas do Hamas cada um. No Três (na parte inferior à direita) havia quatro tendas, cada uma delas reservada ao Hamas, ao Fatah, à FDLP/FPLP e à Jihad Islâmica. O Quatro (na parte inferior à esquerda) continha duas tendas, uma para o Fatah e outra para a FDLP/FPLP.

No Quadrante Quatro também estavam localizados a cozinha, os banheiros, os chuveiros, uma área para o representante dos prisioneiros e os cozinheiros, além das pias para o ritual de purificação. Formávamos filas para as preces, que eram realizadas em uma área aberta no Quadrante Dois. O portão principal da Seção Cinco ficava na grade entre os quadrantes Três e Quatro, e, é claro, havia guaritas em cada canto.

Mais um detalhe: a grade que ia de leste a oeste tinha portões entre os quadrantes Um e Três, e Dois e Quatro, que ficavam abertos durante a maior parte do dia, exceto durante as contagens. Depois, eram fechados para que os guardas pudessem isolar metade de uma seção de cada vez.

Fui mandado para a tenda do Hamas no canto superior do Quadrante Um, terceiro beliche à direita. Após a primeira contagem, estávamos todos conversando quando uma voz distante gritou:

– *Bareed ya mujahideen! Bareed!* – Isso queria dizer que a correspondência dos guerreiros da liberdade havia chegado.

Era o *sawa'ed* na seção ao lado, dando um grito de alerta. Os *sawa'ed* eram agentes da ala de segurança do Hamas dentro da prisão que distribuíam mensagens entre as seções. O termo vinha das palavras árabes que significam "braços que arremessam".

Ao ouvir o chamado, alguns homens saíram correndo de suas tendas, esticaram as mãos e olharam para cima. Como em um movimento cronometrado, uma bola pareceu cair do nada nas mãos de um dos homens. Era assim que os líderes do Hamas na nossa seção recebiam ordens em código ou informações passadas por líderes de outras seções. Na prisão, todas as organizações palestinas usavam aquele método de comunicação. Cada uma tinha seu próprio código, de modo que, quando o aviso era dado, os "receptores" apropriados sabiam que deviam correr para a área onde as bolas seriam jogadas.

Elas eram feitas de pão amolecido com água. A mensagem era colocada no meio, a massa era moldada para formar uma esfera pouco maior do que uma bola de beisebol, que depois secava e endurecia. Naturalmente, apenas os melhores arremessadores e receptores eram selecionados como "carteiros".

A agitação terminou tão rapidamente quanto começou. Depois, era hora do almoço.

Capítulo 13
NÃO CONFIE EM NINGUÉM
1996

DEPOIS DE TER FICADO CONFINADO no subsolo por tanto tempo, era maravilhoso ver o céu. Parecia que eu ficara anos sem ver as estrelas. Eram lindas, apesar dos enormes holofotes do campo de prisioneiros que atenuavam seu brilho. As estrelas, porém, significavam que estava na hora de voltar às tendas a fim de nos prepararmos para a contagem e dormir. Era nesse momento que as coisas se tornavam confusas para mim.

Os prisioneiros eram alojados nos quadrantes de acordo com a ordem numérica, e, como o meu número era 823, eu deveria ter sido colocado na tenda do Hamas no Quadrante Três. Mas ela estava cheia, então fui mandado para a tenda do canto no Quadrante Um.

No entanto, na hora da contagem, eu tinha de ficar no lugar apropriado no Quadrante Três. Assim, quando o guarda percorria a lista, não precisava se lembrar de todos os ajustes que haviam sido feitos para manter a ordem.

Todos os movimentos da contagem eram coreografados. Vinte e cinco soldados, com fuzis M16 em punho, entravam no Quadrante Um e, depois, iam de tenda em tenda. Ficávamos todos virados para a lona, de costas para os soldados e imóveis, porque ninguém ousava se mexer com medo de levar um tiro.

Ao terminar, os soldados passavam para o Quadrante Dois. Em seguida, fechavam os dois portões na grade para que ninguém dos quadrantes Um e Dois pudesse se introduzir no Três e no Quatro a fim de assumir o lugar de um prisioneiro que estivesse faltando.

Na minha primeira noite na Seção Cinco, notei que um jogo de substituição estava acontecendo. Quando fui para o meu lugar no Quadrante Três, um prisioneiro que parecia muito doente se postou ao meu lado. Sua aparência era horrível, como se ele estivesse à beira da morte. Sua cabeça estava raspada e, mesmo sem estabelecermos contato visual, não tive dúvidas de que ele estava exausto. *Quem é esse sujeito e o que aconteceu com ele?*, pensei.

Quando os soldados terminaram a contagem no Quadrante Um e foram para o Dois, alguém pegou o sujeito, o arrastou para fora da tenda e outro prisioneiro ocupou o lugar dele ao meu lado. Mais tarde, soube que uma pequena abertura havia sido feita na grade entre os quadrantes Um e Três para que aquele prisioneiro pudesse ser substituído por outro.

Obviamente, ninguém queria que os soldados vissem o sujeito careca. Mas por quê?

Naquela noite, deitado em minha cama, ouvi alguém sussurrando a distância, alguém que claramente estava sentindo muita dor. No entanto, aquilo não durou muito e logo caí no sono.

A manhã sempre chegava rápido demais e, antes que eu percebesse, estávamos sendo acordados para a prece da alvorada. Dos 240 prisioneiros da Seção Cinco, 140 se levantavam e faziam filas para usar os seis banheiros, ou melhor, seis buracos com separadores em cima de uma fossa comum, e oito pias para o *wudu*, em apenas 30 minutos.

Depois de nos purificar, nos enfileirávamos para a prece. A rotina diária era quase idêntica à da *mi'var*, a única diferença era que havia seis vezes mais prisioneiros. Ainda assim, fiquei surpreso com a tranquilidade com que tudo acontecia, mesmo com todas aquelas pessoas. Parecia que ninguém jamais cometia um erro. Era quase macabro.

Todos pareciam estar aterrorizados. Ninguém ousava infringir uma regra, demorar um pouco mais no banheiro nem estabelecer contato visual com um prisioneiro sob investigação ou com um soldado israelense. Ninguém nunca ficava perto demais da grade.

Não demorou muito até eu entender como as coisas funcionavam lá. Fora do radar das autoridades carcerárias, o Hamas estava no comando, fazendo seu próprio jogo e controlando o placar. O detento que infringisse uma regra ganharia um ponto vermelho. Se recebesse o número suficiente de pontos vermelhos, ele seria mandado aos *maj'd*, sujeitos durões que não sorriam nem faziam piadas, integrantes da ala de segurança do Hamas.

Na maior parte do tempo, nem víamos os *maj'd* porque eles estavam ocupados reunindo informações. As bolas com mensagens eram arremessadas de uma seção a outra por eles e para eles.

Um dia, eu estava sentado na minha cama quando um *maj'd* entrou e gritou:

– Saiam todos da tenda!

Ninguém disse uma única palavra e a tenda ficou vazia em questão de segundos. Levaram um homem lá para dentro, fecharam a entrada e colocaram dois guardas na porta. Alguém ligou o televisor e aumentou o volume. Outros homens começaram a cantar e a fazer barulho.

Eu não sabia o que estava acontecendo na tenda, mas nunca havia ouvido um homem gritar como o sujeito lá dentro. *O que ele havia feito para merecer aquilo?*, eu me perguntava. Depois de cerca de 30 minutos de tortura, os dois *maj'd* levaram o homem para fora e o arrastaram para outra tenda, onde o interrogatório recomeçou.

Quando a tenda foi evacuada, eu estava conversando com um amigo chamado Akel Sorour, de uma aldeia perto de Ramallah.

– O que está acontecendo lá dentro? – perguntei.

– Ele é um cara mau – foi tudo o que ele respondeu.

– Imaginei que fosse, mas o que estão fazendo com ele? O que ele aprontou?

– Na prisão, nada – explicou Akel –, mas dizem que, quando estava em Hebron, passou aos israelenses informações sobre um integrante do Hamas. Parece que andava falando muito. Então, os *maj'd* o torturam de vez em quando.

– Como?

– Eles costumam pôr agulhas sob suas unhas e derreter bandejas de plástico sobre sua pele. Ou queimam seus pelos. Às vezes, colocam um grande bastão atrás dos seus joelhos e o fazem ficar agachado por horas e não o deixam dormir.

Depois dessa conversa, entendi por que todos tomavam tanto cuidado para não sair da linha e o que havia acontecido com o homem careca que vi quando cheguei. Os *maj'd* odiavam colaboradores e, até provarmos o contrário, éramos todos suspeitos de espionar para os israelenses.

Como o governo de Israel havia sido muito bem-sucedido na identificação das células do Hamas e no encarceramento de seus integrantes, os *maj'd* deduziram que a organização devia estar repleta de espiões e estavam determinados a desmascará-los. Eles vigiavam nossos movimentos, observavam nosso comportamento e ouviam tudo o que dizíamos. E juntavam todas essas informações. Sabíamos quem eles eram, mas não quem eram seus espiões. Alguém que eu considerava um amigo podia trabalhar para o *maj'd* e assim eu poderia acabar sendo investigado.

Decidi que a melhor coisa a fazer era ficar na minha e ser prudente em relação às pessoas em quem confiar. Depois que percebi a atmosfera de suspeita e traição no campo, minha vida mudou consideravelmente. Eu me sentia como se estivesse em uma prisão totalmente diferente, na qual não podia me movimentar nem falar à vontade, tampouco confiar em alguém, me relacionar com outras pessoas ou fazer amizade. Eu tinha medo de cometer um erro, de me atrasar, de continuar a dormir depois da ordem de despertar ou de cochilar durante a *jalsa*.

Se alguém era "condenado" pelos *maj'd* por ser colaborador, sua vida acabava, a vida da sua família era destruída, e seus filhos, sua mulher, todos o abandonavam. Ser tachado de colaborador era a pior reputação que alguém podia ter. Entre 1993 e 1996, mais de 150 suspeitos de colaboração foram investigados pelo Hamas dentro das prisões israelenses. Desses, 16 foram assassinados.

Como eu escrevia muito rápido e tinha boa caligrafia, os *maj'd* me perguntaram se eu queria trabalhar como escrevente para eles. Eles disseram que as informações que passariam por mim eram altamente confidenciais e me alertaram a não revelá-las.

Eu passava meus dias copiando dossiês sobre os prisioneiros. Eles tomavam muito cuidado para manter essas informações fora do alcance dos oficiais da prisão, por isso nunca usávamos nomes, apenas códigos numéricos. Escritos no papel mais fino que tínhamos à disposição, os relatórios se assemelhavam ao pior tipo de pornografia. Homens que confessaram ter feito sexo com a própria mãe. Um detento que declarou ter feito sexo com uma vaca. Outro, com a filha. Um outro, com a vizinha, tendo filmado tudo com uma câmera escondida e dado as imagens para os israelenses. O relatório informava que os israelenses mostraram as imagens à vizinha e ameaçaram mandá-las para a sua família, caso ela se recusasse a trabalhar como espiã para eles. Então, os dois vizinhos continuaram a fazer sexo entre eles, a coletar informações, a fazer sexo com outras pessoas e a filmar tudo até que toda a aldeia, ao que parecia, passasse a colaborar com os israelenses. E esse foi apenas o primeiro arquivo que me pediram para copiar.

Para mim, aquilo parecia loucura. Enquanto continuava a copiar os arquivos, percebi que, sob tortura, os suspeitos eram questionados sobre assuntos que não tinham como conhecer, mas que, mesmo assim, davam as respostas que achavam que os torturadores queriam ouvir. Parecia óbvio que eles diriam qualquer coisa para acabar com aquele suplício. Eu também suspeitava de que alguns daqueles interrogatórios bizarros só serviam para alimentar as fantasias sexuais dos *maj'd* confinados na prisão.

Então, certo dia, meu amigo Akel Sorour se tornou uma das vítimas dos *maj'd*. Akel era membro de uma célula do Hamas e fora preso várias vezes, mas, por algum motivo, nunca havia sido aceito pelos prisioneiros urbanos da organização. Por ser um simples camponês, seu modo de falar e comer parecia engraçado para os outros, que se aproveitavam dele. Akel tentava de todas as maneiras ganhar a confiança e o respeito dos prisioneiros, cozinhando e limpando para eles, mas era tratado como lixo, pois os outros sabiam que ele os servia porque tinha medo.

E ele tinha motivos para ter medo. Era órfão e sua família se resumia a uma irmã. Isso o tornava extremamente vulnerável porque não havia ninguém para vingar sua tortura. Além disso, um de seus amigos de célula havia sido interrogado pelos *maj'd* e mencionou o nome de Akel enquanto estava sendo torturado. Eu tinha muita pena dele, mas como podia ajudá-lo? Eu era apenas um garoto confuso sem nenhuma autoridade. Sabia que só estava imune àquele tipo de tratamento por ser filho do xeique Hassan Yousef.

Uma vez por mês, as famílias recebiam permissão para nos visitar. A cozinha das prisões israelenses deixava muito a desejar, então os familiares geralmente levavam comida caseira e objetos pessoais para nós. Como Akel e eu éramos da mesma região, nossas famílias nos visitavam no mesmo dia.

Após um longo processo de inscrição, a Cruz Vermelha reunia pessoas de uma região específica e as colocava em alguns ônibus com destino ao presídio. A viagem até Megiddo durava apenas duas horas, mas, como os ônibus tinham de parar em cada posto de controle ao longo do caminho e todos os passageiros tinham de ser revistados a cada parada, as famílias precisavam sair de casa às quatro da manhã para chegar à prisão ao meio-dia.

Um dia, depois de uma agradável visita da irmã, Akel voltou à Seção Cinco com as sacolas de comida que ela levara para ele. O rapaz estava feliz e não fazia ideia do que o esperava. Meu tio Ibrahim havia aparecido para fazer um sermão, o que sempre era mau sinal. Aprendi que Ibrahim costumava reunir todos durante suas pregações para acobertar os interrogatórios dos *maj'd*. Daquela vez, a pessoa levada foi Akel. Eles pegaram seus presentes e o levaram para uma tenda, fazendo-o desaparecer atrás de uma cortina, onde seus piores pesadelos começaram.

Olhei para meu tio e me perguntei por que ele não os deteve. Estivera na prisão com Akel várias vezes, os dois haviam sofrido juntos. Akel cozinhara e tomara conta dele e meu tio conhecia bem aquele homem. Será que permitira a tortura por ele ser um camponês pobre e calado de um vilarejo e meu tio ser da cidade?

Quaisquer que fossem os motivos, Ibrahim Abu Salem ficou sentado com os *maj'd*, rindo e comendo os alimentos que a irmã de Akel levara. Enquanto isso, ali perto, outros integrantes do Hamas – que também eram árabes, palestinos, muçulmanos – enfiavam agulhas sob as unhas do rapaz.

Vi Akel apenas algumas vezes nas semanas seguintes. Sua barba havia sido raspada, seus olhos não se erguiam do chão. Ele estava magro e parecia um velho à beira da morte.

Mais tarde, me entregaram seu dossiê para copiar. Segundo o relatório, ele confessara ter feito sexo com todas as mulheres da aldeia e também com burros e outros animais. Eu sabia que tudo aquilo era mentira, mas copiei o arquivo e os *maj'd* o enviaram para seu vilarejo. Consequentemente, a irmã o deserdou e os vizinhos se afastaram.

Para mim, os *maj'd* eram muito piores do que qualquer colaborador. Mas eles também tinham poder e influência sobre o funcionamento das engrenagens internas do sistema penitenciário. Por isso achei que podia usá-los para atingir meus próprios objetivos.

Anas Rasras era um dos líderes dos *maj'd*. Seu pai era professor universitário na Cisjordânia e amigo íntimo do meu tio Ibrahim. Depois da minha chegada a Megiddo, meu tio pediu que ele me ajudasse a me adaptar e a aprender as regras do presídio. Rasras era de Hebron, tinha uns 40 anos, era muito reservado, bastante inteligente e bem perigoso. Quando ele estava fora da prisão, o Shin Bet o vigiava o tempo todo. O sujeito tinha poucos amigos, mas nunca participava de torturas. Por esse motivo, passei a respeitá-lo e até a confiar nele.

Contei que havia concordado em colaborar com os israelenses para me tornar um agente duplo, obter armas sofisticadas e matá-los e perguntei se ele podia me ajudar.

– Preciso verificar – ele disse. – Não contarei a ninguém, vou ver o que posso fazer.

– Como assim, você vai ver? Pode me ajudar ou não?

Eu não devia ter sido tolo a ponto de confiar naquele homem. Em vez de me ajudar, ele imediatamente contou meu plano ao meu tio Ibrahim e a alguns *maj'd*.

Na manhã seguinte, meu tio foi me visitar.

– O que você acha que está fazendo?

– Não se apavore, nada aconteceu. Tenho um plano, mas o senhor não precisa fazer parte dele.

– Mosab, isso é muito perigoso para a sua reputação e a do seu pai, bem como para toda a sua família. Outras pessoas podem fazer coisas desse tipo, mas você não.

Ele começou a me interrogar. O Shin Bet havia designado um contato dentro da prisão? Eu me encontrara com determinado israelense ou com certo sujeito da segurança? O que me disseram? O que eu disse? Quanto mais ele me interrogava, mais zangado eu ficava. No fim, explodi:

— Por que o senhor não se limita à sua religião em vez de se meter nas questões de segurança? Esses sujeitos estão torturando os prisioneiros sem motivo. Eles não fazem ideia do que estão fazendo. Não tenho mais nada a dizer. Vou fazer o que quiser, e o senhor também se sinta à vontade para fazer o que desejar.

Eu sabia que minhas perspectivas não eram boas. Por ser filho do xeique Hassan Yousef, tinha quase certeza de que não me torturariam nem me interrogariam, mas pude sentir que meu tio Ibrahim não sabia se eu estava ou não dizendo a verdade.

Àquela altura, nem eu sabia mais.

Reconhecia que fora tolice confiar nos *maj'd*. Será que eu tinha sido igualmente tolo ao confiar nos israelenses? Eles ainda não haviam me dito nada. Ninguém entrara em contato. Será que estavam brincando comigo?

Fui para a minha tenda e senti que estava me isolando mental e emocionalmente porque não acreditava em mais ninguém. Os outros prisioneiros perceberam que havia algo de errado comigo, mas não sabiam o que era. Embora os *maj'd* tivessem guardado segredo sobre o que eu lhes contara, eles nunca tiravam os olhos de mim. Todos me consideravam suspeito. Da mesma maneira, eu não confiava em ninguém. E nós vivíamos em uma jaula ao ar livre sem outro lugar para onde ir. Não havia como fugir nem se esconder.

O tempo se arrastava e a suspeita aumentava. Todo dia se ouviam gritos, toda noite havia tortura. O Hamas estava torturando sua própria gente! Por mais que eu quisesse, não conseguia encontrar uma justificativa para aquilo.

A situação não demorou a piorar. Em vez de uma só pessoa, três eram investigadas ao mesmo tempo. Numa ocasião, às quatro da manhã, um homem correu pela seção, escalou e pulou a grade que a cercava e, em 20 segundos, tinha conseguido sair do campo, suas roupas e sua carne dilaceradas pelo arame farpado. Um sentinela israelense pegou sua metralhadora e apontou para ele.

– Não atire! – o homem gritou. – Não atire! Não estou tentando escapar. Só estou tentando sair de perto deles! – E apontou para os *maj'd* ofegantes que olhavam para ele através da grade. Os soldados saíram correndo pelo portão, jogaram o detento no chão, revistaram-no e o levaram embora.

Aquilo era o Hamas? Aquilo era o Islã?

Capítulo 14
REBELIÃO
1996-1997

MEU PAI ERA O ISLÃ PARA MIM. Se eu tivesse de colocá-lo na balança de Alá, ele pesaria mais do que qualquer outro muçulmano que conheço. Nunca perdeu a hora de uma prece e, mesmo quando chegava em casa tarde e cansado, eu o ouvia orando e fazendo súplicas ao deus do Alcorão no meio da noite. Ele era humilde, amoroso e clemente com a esposa, os filhos e até mesmo com desconhecidos.

Mais do que um defensor apaixonado do islamismo, meu pai vivia como um exemplo do que deveria ser um muçulmano. Ele refletia o lado bonito do Islã, não o lado cruel que exigia que seus seguidores conquistassem e escravizassem o mundo.

No entanto, ao longo de 10 anos após a minha prisão, eu o vi travar um conflito interno irracional. Por um lado, ele não considerava errados aqueles muçulmanos que matavam colonos, soldados, mulheres e crianças inocentes. Acreditava que Alá lhes dera a autoridade para fazer aquilo. Por outro, ele mesmo não podia fazer o que os outros faziam. Algo em sua alma repudiava aquelas ações. Mas conseguia compreender e considerava certo para os outros o que não podia justificar como correto para si mesmo.

Quando criança, porém, eu só via suas virtudes e presumi que fossem fruto de suas crenças. Por querer ser igual a ele, eu acreditava nelas sem questioná-las. O que eu não sabia naquela época era que, a despeito do nosso peso na balança de Alá, a retidão e todas as nossas boas obras eram como trapos imundos para Deus.

Mesmo assim, os muçulmanos que eu via em Megiddo nada tinham em comum com meu pai. Eles julgavam as pessoas achando-se maiores do que o próprio Alá. Eram maus e mesquinhos, bloqueando a tela de um televisor para evitar que víssemos a cabeça descoberta de uma atriz. Eram fanáticos e hipócritas, torturavam aqueles que tinham cometido erros demais de acordo com sua escala de pontos, embora apenas os mais fracos e vulneráveis parecessem acumulá-los. Os prisioneiros bem relacionados circulavam imunes. Um deles até podia ser um colaborador confesso de Israel, contanto que fosse o filho do xeique Hassan Yousef.

Pela primeira vez, comecei a questionar preceitos em que sempre havia acreditado.

– Oitocentos e vinte e três!

Depois de passar seis meses na prisão, chegara a hora do meu julgamento. As Forças de Defesa de Israel me levaram a Jerusalém, onde os promotores solicitaram que o juiz me condenasse a 16 meses de detenção.

Dezesseis meses! O capitão do Shin Bet havia prometido que eu ficaria lá por pouco tempo! O que eu havia feito para merecer uma pena tão severa? Tive uma ideia maluca e comprei algumas armas, mas elas não valiam nada e nem haviam funcionado!

O tribunal descontou o tempo que eu já passara na prisão e me mandou de volta para Megiddo a fim de cumprir os 10 meses restantes.

Tudo bem, eu disse a Alá. *Posso cumprir mais 10 meses, mas, por favor, não em Megiddo! Não no inferno!* Porém não havia ninguém a quem reclamar e eu certamente não falaria com os agentes secretos israelenses que haviam me recrutado e abandonado.

Pelo menos eu podia ver minha família uma vez por mês. Minha mãe fazia a extenuante viagem até Megiddo a cada quatro semanas.

Ela tinha permissão para levar apenas três dos meus irmãos e irmãs, que se revezavam, e minha família nunca faltava a uma visita. Toda vez, ela levava deliciosos bolinhos de espinafre e baclavá.

Vê-los era um grande alívio para mim, embora eu não pudesse contar o que acontecia do lado de dentro das grades e nos bastidores. O fato de me ver também parecia atenuar um pouco o sofrimento deles. Eu tinha sido como um pai para meus irmãos e irmãs menores – cozinhava, limpava, dava banho, vestia-os, levava-os para a escola e depois buscava – e, na prisão, também me tornara um herói da resistência. Eles se orgulhavam muito de mim.

Durante uma visita, minha mãe me contou que a Autoridade Nacional Palestina havia libertado meu pai. Eu sabia que ele sempre quis fazer o *hajj*, a peregrinação até Meca, e minha mãe disse que ele havia partido para a Arábia Saudita logo depois de ter voltado para casa. Quinto pilar da religião islâmica, o *hajj* é realizado por 2 milhões de fiéis todos os anos, e todo muçulmano física e financeiramente apto deve fazer essa viagem pelo menos uma vez na vida.

Meu pai, porém, nunca conseguiu terminá-la. Ao cruzar a ponte Allenby, entre Israel e Jordânia, foi preso novamente, daquela vez pelos israelenses.

• • •

Uma tarde, a facção do Hamas em Megiddo apresentou às autoridades penitenciárias uma lista de pequenas exigências que deveriam ser cumpridas em até 24 horas, caso contrário, ameaçavam fazer uma rebelião.

As autoridades carcerárias obviamente não queriam um levante. Rebeliões eram situações em que todos saíam perdendo, nas quais os prisioneiros podiam acabar morrendo ou sendo feridos, e os burocratas em Jerusalém não queriam ter de enfrentar a grande confusão que seria criada pela Cruz Vermelha e pelas organizações de defesa dos direitos humanos. Então, os israelenses se reuniram com o principal representante dos detentos, que estava alojado em nossa seção.

— Não podemos trabalhar assim — as autoridades penitenciárias disseram. — Deem-nos mais tempo e vamos dar um jeito.

— Não — ele insistiu. — Vocês têm 24 horas.

É claro que os israelenses não podiam demonstrar fraqueza e ceder. Francamente, eu não entendia todo aquele alarde. Embora estivesse infeliz ali, Megiddo era uma prisão cinco estrelas, em comparação com o que ouvira falar de outros campos. Para mim, as exigências pareciam tolas e sem sentido: mais tempo ao telefone, visitas mais longas, esse tipo de coisa.

No decorrer do dia, esperamos enquanto o Sol se deslocava pelo céu. Quando o prazo se esgotou, o Hamas avisou que nos preparássemos para uma rebelião.

— O que devemos fazer? — perguntamos.

— Sejam destrutivos e violentos! Quebrem o calçamento e joguem os pedaços de asfalto nos soldados. Joguem sabão, água quente, qualquer coisa que conseguirem levantar!

Alguns homens encheram recipientes com água, assim, se os soldados atirassem bombas de gás lacrimogêneo, poderíamos pegá-las e jogá-las nos baldes. Começamos a quebrar a área de exercícios. As sirenes soaram imediatamente e a situação se tornou perigosa. Centenas de soldados com equipamento antimotim se espalharam pelo campo e apontaram as armas para nós através da grade externa.

A única coisa que continuava a passar pela minha cabeça era que tudo aquilo parecia insano. *Por que estamos fazendo isto?*, eu me perguntava. *Isto é loucura! Tudo por causa daquele* shaweesh *louco?* Eu não era um covarde, mas aquela rebelião não fazia sentido. Os israelenses tinham armas pesadas e estavam protegidos, ao passo que nós íamos atirar pedaços de piche.

O Hamas deu o sinal e os prisioneiros em todas as seções começaram a jogar madeira, asfalto e sabão. Em segundos, uma centena de bombas de gás lacrimogêneo voaram para dentro das seções e explodiram, enchendo o campo com uma névoa densa. Eu não enxergava nada. O cheiro era indescritível. Homens à minha volta caíam no chão ofegantes, desesperados por ar fresco.

Tudo isso aconteceu em apenas três minutos. E os israelenses mal tinham começado.

Os soldados apontaram enormes canos para nós e lançaram grandes ondas de gás amarelo. No entanto, aquilo não se espalhava pelo ar como gás lacrimogêneo. Por ser mais pesado do que o ar, ficava perto do solo e dissipava todo o oxigênio, fazendo os prisioneiros desmaiarem.

Eu tentava tomar fôlego quando vi o incêndio.

A tenda da Jihad Islâmica no Quadrante Três estava pegando fogo. Em segundos, as chamas alcançaram seis metros de altura. As tendas eram tratadas com algum tipo de impermeabilizante à base de betume, por isso queimavam como se estivessem encharcadas de petróleo. Além dos postes e das estruturas de madeira, os colchões e os baús também pegaram fogo. O vento espalhou o incêndio para as tendas da FDLP/FPLP e do Fatah, que após 10 segundos também foram engolidas pelas labaredas.

O violento incêndio vinha rapidamente em nossa direção. Um imenso pedaço de tenda em chamas saiu voando e passou por cima do arame farpado. Os soldados nos cercaram. Não havia como escapar, a não ser através das chamas.

Então, corremos. Cobri meu rosto com uma toalha e corri para a área da cozinha. Havia apenas três metros entre as tendas em chamas e o muro. Mais de 200 homens tentaram passar por ali ao mesmo tempo, enquanto os soldados continuavam a lançar o gás amarelo, enchendo toda a seção.

Em questão de minutos, metade da Seção Cinco havia sido destruída: o pouco que possuíamos tinha sido queimado. Só sobraram cinzas.

Muitos prisioneiros se feriram, mas, milagrosamente, ninguém morreu. Ambulâncias foram buscar os feridos e, depois da rebelião, os prisioneiros cujas tendas haviam queimado foram remanejados. Fui transferido para a tenda central do Hamas no Quadrante Dois.

O único resultado positivo da rebelião de Megiddo foi que cessou a tortura por parte dos líderes do Hamas. A vigilância continuava, porém nos sentíamos um pouco mais à vontade e nos permitíamos relaxar um pouco mais. Fiz alguns amigos em quem achava que podia confiar. Na maior parte do tempo, porém, eu caminhava sozinho por horas, sem fazer nada, um dia após o outro.

• • •

– Oitocentos e vinte e três!

Em 1º de setembro de 1997, um guarda penitenciário devolveu meus pertences e os trocados que eu tinha quando fui preso, me algemou e me pôs em um furgão. Os soldados dirigiram até o primeiro posto de controle que encontraram em território palestino, localizado em Jenin, na Cisjordânia. Lá, abriram a porta do furgão e removeram as algemas.

– Você está livre – informou um dos homens.

Depois, partiram na direção de onde viemos e me deixaram em pé, sozinho, no acostamento da estrada.

Eu não podia acreditar que estava livre. O simples fato de caminhar em liberdade era maravilhoso. Eu estava louco para ver minha mãe e meus irmãos. De carro, a distância até minha casa era de duas horas, mas eu não queria andar rápido, queria apreciar minha liberdade.

Caminhei uns três quilômetros, enchendo os pulmões com o ar da liberdade e os ouvidos com aquele doce silêncio. Começando a me sentir humano novamente, consegui um táxi que me levasse até o centro de uma cidadezinha próxima. Outro táxi me levou até Nabulus e, depois, para minha casa em Ramallah.

Ao passar pelas ruas da minha cidade e ver lojas e pessoas conhecidas, fiquei com vontade de sair do carro e me perder no meio daquilo tudo. Antes de descer diante da minha casa, vi minha mãe em pé na frente da porta. Lágrimas escorriam por seu rosto quando ela me chamou. Então veio correndo em direção ao carro e me abraçou. Quando se agarrou em mim e afagou minhas costas, meus ombros, meu rosto e minha cabeça, toda a dor que reprimiu por quase um ano e meio transbordou.

– Estávamos contando os dias para a sua volta – ela disse.
– Nosso medo era não ver você nunca mais. Temos muito orgulho de você, Mosab. Você é um verdadeiro herói.

Como meu pai, eu sabia que não podia contar a ela nem a meus irmãos tudo o que eu havia suportado. Seria doloroso demais para eles. Na visão da minha família, eu era um herói que havia estado em uma prisão israelense com todos os outros heróis e que, agora, voltara para casa. Eles até acreditavam que ter ficado detido em um presídio havia sido uma boa experiência para mim, quase um rito de passagem. Será que minha mãe havia descoberto algo sobre as armas? Será que achava aquilo idiotice? Provavelmente, mas tudo fazia parte da resistência, e ela compreendeu.

A comemoração pelo meu retorno durou o dia inteiro. Comemos maravilhosamente bem, brincamos e nos divertimos como sempre fazíamos quando estávamos juntos. Parecia que eu nunca tinha ido embora. Nos dias seguintes, muitos dos meus amigos e dos amigos do meu pai foram comemorar conosco.

Durante algumas semanas fiquei em casa, me deixando envolver por todo aquele amor e me entupindo da comida feita por minha mãe. Depois, saí e apreciei todas as paisagens, os sons e os cheiros dos quais tinha sentido tanta falta. À noite, ficava pelo centro da cidade com meus amigos, comendo *falafel* no Mays Al Reem e tomando café no Kit Kat, na companhia de Basam Huri, o dono do bar. Enquanto caminhava pelas ruas movimentadas de Ramallah e conversava com os amigos, eu inalava a paz e a simplicidade da liberdade.

Entre a libertação do meu pai do cárcere no quartel-general da Autoridade Nacional Palestina e sua nova prisão por parte dos israelenses, minha mãe engravidou mais uma vez. Foi uma grande surpresa, porque meus pais haviam planejado parar de ter filhos depois do nascimento da minha irmã Anhar, sete anos antes. Quando cheguei em casa, minha mãe estava grávida de seis meses e sua barriga aumentava a cada dia, com o bebê se desenvolvendo.

Depois, ela quebrou o tornozelo e demorou muito para sarar, porque nosso irmãozinho que ainda iria nascer estava consumindo todo o seu cálcio. Não tínhamos uma cadeira de rodas, então eu precisava carregá-la a todos os lugares. Ela sentia muita dor e eu sofria ao vê-la naquele estado. Tirei a carteira de motorista para poder sair e comprar mantimentos. Quando Naser nasceu, assumi a tarefa de alimentá-lo, dar banho nele e trocar suas fraldas. Ele começou a vida achando que eu fosse seu pai.

Nem preciso dizer que perdi minhas provas finais e não me formei no ensino médio. Aplicaram uma prova a todos os presidiários, mas fui o único que não passou. Nunca entendi por que isso aconteceu, já que representantes do Ministério da Educação tinham ido até a prisão e dado a todos uma folha com as respostas antes do teste. Minha reprovação foi inacreditável. Um sujeito analfabeto de 60 anos precisou que alguém escrevesse as respostas para ele. E até ele passou! Além de ter recebido as respostas, eu também havia frequentado a escola por 12 anos e conhecia as matérias. No entanto, quando os resultados chegaram, todos haviam sido aprovados, menos eu. A única explicação que podia imaginar era que Alá não queria que eu passasse trapaceando.

Então, quando fui para casa, comecei a frequentar aulas noturnas na Al-Ahlia, uma escola católica em Ramallah. A maioria dos alunos era de muçulmanos tradicionais, que estudavam ali porque aquele era o melhor colégio da cidade. O fato de estudar à noite me permitia trabalhar durante o dia na Checkers, uma lanchonete local, e cuidar da minha família.

Tirei apenas 6,4 na minha prova final, mas era o suficiente para passar. Não me esforcei muito porque não estava muito interessado nas matérias. Eu não me importava. Só me formei para concluir essa etapa da vida e deixar a escola para trás.

Capítulo 15
A ESTRADA PARA DAMASCO
1997-1999

Dois meses após a minha libertação, meu celular tocou.

– Parabéns! – disse uma voz em árabe.

Reconheci o sotaque. Era Loai, meu "leal" capitão do Shin Bet.

– Adoraríamos vê-lo – prosseguiu Loai –, mas não podemos demorar muito ao telefone. Podemos nos encontrar?

– Claro.

Ele me deu um número de telefone, uma senha e algumas instruções. Eu me sentia como um espião de verdade. Loai me disse para ir a um local específico, depois, a outro e, de lá, ligar para ele.

Segui suas orientações e, quando telefonei, recebi outras indicações. Caminhei cerca de 20 minutos até que um carro emparelhou comigo e parou. Um homem me mandou entrar e eu obedeci. Fui revistado, me mandaram deitar no chão e me cobriram com um cobertor.

O carro circulou cerca de uma hora e ninguém falou durante o trajeto. Quando finalmente paramos, estávamos dentro da garagem de uma casa. Fiquei aliviado por não ser outra base militar ou centro de detenção. Na verdade, soube mais tarde que a casa ficava localizada em um assentamento israelense e era de propriedade do governo. Assim que cheguei, fui revistado novamente, de forma muito mais minuciosa, e levado para uma sala bem decorada.

Fiquei sentado lá um tempo e, depois, Loai entrou. Ele apertou minha mão e me abraçou.

– Como você está? Como foi sua experiência na prisão?

Respondi que estava bem, mas que a experiência não havia sido muito boa, ainda mais depois de ele ter me dito que eu ficaria preso por pouco tempo.

– Sinto muito, tivemos de manter você lá para protegê-lo.

Pensei no que havia dito aos *maj'd* sobre ser agente duplo e fiquei imaginando se Loai estava a par daquilo. Imaginei que era melhor contar a ele e tentar me proteger.

– Escute – eu disse –, eles torturavam os detentos na prisão, e eu tive de dizer que havia concordado em trabalhar para vocês. Eu estava com medo e vocês não me avisaram sobre o que acontecia lá dentro. Nunca me disseram que eu teria de tomar cuidado com meu próprio povo. Não fui treinado e estava ficando apavorado. Então, contei que havia prometido colaborar para me tornar um agente duplo e matar vocês.

Loai parecia surpreso, mas não zangado. Embora não pudesse admitir que os detentos eram torturados na prisão, o Shin Bet certamente tinha conhecimento daquilo e entendia por que eu sentira medo.

Ele chamou seu supervisor e contou tudo o que eu dissera. Talvez por ser tão difícil para Israel recrutar integrantes do Hamas ou talvez por eu ser filho do xeique Hassan Yousef, um prêmio particularmente valioso, eles não deram tanta importância àquela história.

Aqueles israelenses eram muito diferentes do que eu imaginava.

Loai me deu algumas centenas de dólares e sugeriu que eu comprasse roupas, me cuidasse e aproveitasse a vida.

– Em breve entraremos em contato – avisou ele.

Então era isso? Nenhuma missão secreta? Nenhum manual de códigos? Nenhuma arma? Só um maço de notas e um abraço? Aquilo não fazia sentido algum.

Nós nos encontramos novamente algumas semanas depois, dessa vez em uma casa do Shin Bet no coração de Jerusalém. Todas as propriedades eram completamente mobiliadas, com alarmes e guardas por todo lado e tão secretas que nem mesmo os vizinhos imaginavam o que acontecia dentro delas. A maioria dos aposentos estava preparada para reuniões. Eu não tinha permissão para ir de um cômodo a outro sem ser acompanhado, não porque eles não confiassem em mim, mas porque não queriam que eu fosse visto por outros agentes do Shin Bet. Era apenas mais uma medida de segurança.

Durante a segunda reunião, os integrantes do serviço secreto israelense foram bastante amistosos. Falavam árabe fluentemente e ficou claro que, além de me entenderem, compreendiam também minha família e minha cultura. Eu não tinha informação alguma e eles não pediram nada. Só conversamos sobre a vida em geral.

Aquilo não era nada do que eu esperava. Desejava muito saber o que eles queriam que eu fizesse, mas, por causa dos dossiês que havia lido na prisão, tinha medo que me pedissem que gravasse cenas de sexo com minha irmã ou minha vizinha e, depois, mostrasse o vídeo a eles. No entanto, nunca me solicitaram nada desse gênero.

Depois da segunda reunião, Loai me deu o dobro do dinheiro da primeira vez. Em um mês, recebi cerca de 800 dólares, naquela época uma bolada para um rapaz de 20 anos. E eu, em troca, ainda não tinha passado nenhuma informação ao Shin Bet. Na verdade, durante meus primeiros meses como colaborador da organização, aprendi muito mais do que revelei.

Meu treinamento começou com algumas regras básicas. Eu não devia cometer adultério, porque isso poderia me desmascarar, ou levantar suspeitas sobre minha identidade. Na verdade, recomendaram que eu não tivesse nenhum relacionamento com mulheres, fossem elas palestinas ou israelenses, fora dos laços do matrimônio, enquanto trabalhasse para eles. Se descumprisse essa recomendação, eu estaria fora. Também não deveria mais contar a ninguém aquela história de agente duplo.

Toda vez que nos encontrávamos, eu aprendia mais sobre vida, justiça e segurança. O Shin Bet não estava tentando me enfraquecer para que eu fizesse coisas ruins. Na verdade, estavam me fornecendo as bases para que eu me tornasse mais forte e inteligente.

Com o passar do tempo, comecei a questionar meu plano de matar os israelenses. Aquelas pessoas estavam sendo muito gentis e era evidente que se importavam comigo. *Por que eu deveria querer matá-los?*, pensei, e fiquei surpreso ao perceber que não tinha mais aquele desejo.

A ocupação não havia acabado. O cemitério em Al-Bireh recebia cada vez mais corpos de homens, mulheres e crianças palestinos mortos por soldados israelenses. E eu não tinha esquecido a surra que levara a caminho da prisão nem os dias em que ficara acorrentado àquela cadeira baixa.

No entanto, também me lembrava dos gritos vindos de uma das tendas de tortura em Megiddo e do homem que quase se empalou na grade de arame farpado ao tentar escapar dos perseguidores do Hamas. Eu estava começando a compreender a situação. E quem eram meus mentores? Meus inimigos! Mas será que eles realmente eram meus inimigos? Ou será que eram gentis comigo apenas para me usar? Eu estava mais confuso do que antes.

Durante uma reunião, Loai disse:

– Como você está colaborando conosco, estamos pensando em libertar seu pai para que você fique perto dele e veja o que está acontecendo nos territórios ocupados.

Eu nem sonhava com aquela hipótese, mas fiquei feliz com a possibilidade de meu pai voltar para casa.

Nos anos seguintes, eu e meu pai comparamos anotações sobre nossas experiências na prisão. Ele não gostava de fornecer detalhes do próprio sofrimento, mas queria que eu soubesse que havia corrigido algumas coisas durante o tempo que passara em Megiddo. Ele me contou que, certa vez, quando assistia à televisão no *mi'var*, alguém baixou uma tábua na frente da tela.

– Não vou assistir à TV se você continuar a cobrir a tela com essa tábua – disse ele ao emir.

Então suspenderam a tábua e aquela medida deixou de ser adotada. Quando foi transferido para o campo de prisioneiros, ele até conseguiu pôr fim à tortura. Ordenou que os *maj'd* lhe entregassem todos os arquivos, analisou-os e descobriu que pelo menos 60% dos suspeitos de colaboração eram inocentes. Então, determinou que suas famílias e as comunidades em que eles viviam fossem avisadas das falsas acusações. Um dos inocentes era Akel Sorour. O certificado de inocência que meu pai enviou para a aldeia de Akel não podia apagar o que o rapaz havia sofrido, mas, pelo menos, ele pôde viver em paz e com honra.

Depois que meu pai foi libertado da prisão, meu tio Ibrahim foi nos visitar. Meu pai também queria que ele soubesse que não recorriam mais à tortura em Megiddo e que a maioria dos homens cujas vidas e famílias haviam sido arruinadas pelos *maj'd* era inocente. Ibrahim fingiu estar chocado. Quando meu pai mencionou Akel, meu tio disse que havia tentado defendê-lo e que dissera aos *maj'd* que não havia chance de Akel ser um colaborador.

– Alá seja louvado por você tê-lo ajudado! – exclamou.

Eu não pude suportar aquela hipocrisia e saí da sala.

Meu pai também me disse que, durante sua estadia em Megiddo, ouvira aquela história de agente duplo que eu havia contado aos *maj'd*. No entanto, ele não estava zangado comigo. Só disse que eu tinha sido tolo em falar sobre aquilo com eles.

– Eu sei, pai. Prometo que o senhor não precisa se preocupar comigo. Sei me cuidar.

– É bom ouvir isso – ele disse. – Por favor, seja mais prudente daqui em diante. Você é a pessoa em quem mais confio.

Quando nos encontramos meses mais tarde, Loai me disse:
— Está na hora de você começar a agir. Vamos conversar sobre o que queremos que você faça.

Finalmente, pensei.

— Sua missão é entrar para a faculdade e concluir a graduação — disse ele, me entregando um envelope cheio de dinheiro. — Isto deve cobrir as despesas com os estudos e seus gastos pessoais. Se precisar de mais, por favor, me avise.

Eu não podia acreditar no que ele falara. Para os israelenses, porém, aquilo fazia todo o sentido. Minha educação, dentro e fora da sala de aula, era um bom investimento para eles. Não seria muito prudente para o serviço de segurança nacional contar com colaboradores pouco instruídos e sem perspectiva. Também era perigoso para mim ser visto como um fracassado, já que, nas ruas dos territórios ocupados, o que se dizia era que apenas os fracassados trabalhavam para os israelenses. Obviamente, esse raciocínio não fazia muito sentido, pois os fracassados nada tinham a oferecer ao Shin Bet.

Então, me candidatei a uma vaga na Universidade Birzeit, mas não fui aceito porque minhas notas no ensino médio haviam sido baixas demais. Expliquei que havia passado por circunstâncias fora do comum e que tinha estado na prisão. Argumentei que eu era um jovem inteligente e que seria um bom aluno, mas não abriram exceção para mim. Minha única opção era me matricular na Universidade Aberta Al-Quds e estudar em casa.

Daquela vez, me saí bem nos estudos. Eu estava um pouco mais inteligente e muito mais motivado. E a quem eu devia agradecer? Ao meu inimigo.

Toda vez que me encontrava com os agentes do Shin Bet, eles me diziam:

— Se você precisar de alguma coisa, é só nos dizer. Você pode ir se purificar, pode ir fazer suas preces. Não precisa ter medo de seguir seus rituais religiosos.

A comida e a bebida que me ofereciam não violavam a lei islâmica. Os agentes com quem eu mantinha contato tomavam muito cuidado para evitar qualquer coisa que fosse ofensiva a mim. Não usavam shorts, nem sentavam com as pernas sobre a escrivaninha e os pés na direção do meu rosto. Eram sempre muito respeitosos e, por esse motivo, eu sentia vontade de aprender cada vez mais com eles. Não se comportavam como máquinas militares. Eram seres humanos e também me tratavam como tal. Em quase todos os nossos encontros, uma outra pedra no alicerce da minha visão de mundo desmoronava.

Minha cultura, e não meu pai, havia me ensinado que as Forças de Defesa de Israel e o povo israelense eram meus inimigos. Meu pai não via soldados, mas indivíduos fazendo o que achavam que era seu dever como militares. O problema dele não era com as pessoas, mas com as ideias que motivavam e guiavam os indivíduos.

Loai se parecia mais com meu pai do que qualquer palestino que eu conhecia. Ele não acreditava em Alá, mas, de qualquer forma, respeitava minhas crenças.

Então, àquela altura, quem era meu inimigo?

Conversei com os agentes do Shin Bet sobre a tortura em Megiddo. Eles me disseram que estavam a par do que acontecia lá. Todos os movimentos dos prisioneiros, tudo o que eles diziam era gravado. Eles sabiam das mensagens secretas transmitidas em bolas de massa de pão, assim como das tendas de tortura e do buraco aberto na grade.

— Por que vocês não acabaram com aquilo?

— Bom, em primeiro lugar, não podemos mudar esse tipo de mentalidade. Não cabe a nós ensinar os integrantes do Hamas a amar uns aos outros. Não podemos chegar e dizer a eles que não se torturem, que não se matem, nem fazer tudo ficar bem. Em segundo lugar, a destruição interna causada pelo próprio Hamas é maior do que qualquer medida externa que Israel possa tomar.

O mundo que eu conhecia estava sendo implacavelmente demolido, revelando outro universo que eu estava apenas começando a entender. Toda vez que me reunia com os agentes do Shin Bet, aprendia algo novo, algo sobre minha vida, sobre os outros. Não era lavagem cerebral por meio de repetição, fome e privação de sono. O que eles me ensinavam era mais lógico e real do que qualquer coisa que eu jamais ouvira do meu próprio povo.

Meu pai nunca me ensinou nada daquilo porque estava sempre na prisão. Para ser bem franco, eu suspeitava de que ele não poderia me ensinar aquelas coisas porque ele mesmo não sabia muito a respeito.

• • •

Entre as sete antigas portas abertas nos muros da Cidade Velha de Jerusalém, uma é mais adornada do que as outras. A Porta de Damasco, construída por Suleiman, o Magnífico, há quase 500 anos, está situada no meio do muro norte. É através dela que as pessoas entram na Cidade Velha nos limites entre o histórico Bairro Muçulmano e o Bairro Cristão.

No século I, um homem chamado Saulo de Tarso atravessou uma versão mais antiga daquela porta em seu caminho para Damasco, onde planejava liderar a extinção brutal de uma nova seita judaica que ele considerava herética. Os alvos dessa perseguição acabariam sendo chamados de cristãos. Um encontro surpreendente não apenas evitou que Saulo chegasse ao seu destino como também mudou sua vida para sempre.

Com toda a história que permeia a atmosfera daquele local, eu talvez não devesse ter ficado surpreso por ter tido ali um encontro que também transformaria minha vida.

Certo dia, meu melhor amigo, Jamal, e eu estávamos passando pela Porta de Damasco quando, de repente, ouvi uma voz que se dirigia a mim:

– Qual é o seu nome? – um sujeito que parecia ter cerca de 30 anos perguntou em árabe, embora essa certamente não fosse sua origem.

– Meu nome é Mosab.

– Aonde você está indo, Mosab?

– Estamos indo para casa. Somos de Ramallah.

– Eu sou do Reino Unido – disse ele, passando a falar em inglês.

Ele continuava a falar, mas seu sotaque era tão carregado que eu tinha dificuldade em compreendê-lo. Depois de algumas frases truncadas, entendi que ele estava dizendo algo relacionado ao cristianismo e a um grupo de estudos que se reunia na Associação Cristã de Moços, perto do King David Hotel, em Jerusalém Ocidental.

Eu sabia onde a ACM ficava. Como estava um pouco entediado na época, achei que poderia ser interessante aprender sobre a religião cristã. Se eu podia aprender tanto com os israelenses, talvez outros "infiéis" também pudessem ter algo valioso a me ensinar. Além disso, depois de me relacionar com muçulmanos moderados, fanáticos, ateus, com gente culta e ignorante, de direita e de esquerda, judeus e gentios, eu deixara de ser tão seletivo. Aquele sujeito me parecia um homem simples que estava me convidando apenas para conversar, não para votar em Jesus nas próximas eleições.

– O que você acha? – perguntei a Jamal. – Devemos ir?

Eu e Jamal nos conhecíamos desde muito jovens. Havíamos estudado e atirado pedras juntos e íamos à mesquita na companhia um do outro. Bonito e com quase 1,90m de altura, Jamal nunca falava muito. Raramente puxava conversa, mas era um ouvinte excepcional. Nunca discutimos.

Além de termos crescido juntos, estivemos na mesma época na prisão de Megiddo. Depois que a Seção Cinco pegou fogo durante a rebelião, Jamal foi transferido, junto com meu primo Yousef, para a Seção Seis e, de lá, libertado.

No entanto, a prisão o modificou. Ele parou de fazer suas orações e de ir à mesquita e começou a fumar. Estava deprimido e passava a maior parte do tempo em casa, assistindo à televisão.

Pelo menos eu tinha crenças às quais me agarrar enquanto estava na prisão, mas Jamal era de uma família secular que não praticava o islamismo, portanto sua fé era frágil demais para ampará-lo.

Jamal olhou para mim e percebi que ele queria ir ao grupo de estudos da Bíblia. Sem dúvida ele estava tão curioso e entediado quanto eu, mas algo dentro dele resistia.

– Vá você – sugeriu. – Ligue quando chegar em casa.

Naquela noite, cerca de 50 pessoas estavam reunidas em uma loja usada como igreja, a maioria estudantes mais ou menos da minha idade, de várias etnias e religiões. Uma pessoa traduzia a apresentação do inglês para o árabe e outra para o hebraico.

Telefonei para Jamal quando cheguei em casa.

– Como foi a apresentação? – ele perguntou.

– Foi ótima – respondi. – Eles me deram um Novo Testamento escrito em árabe e em inglês. Foi divertido conhecer novas pessoas, uma nova cultura.

– Não sei não, Mosab – retrucou Jamal. – Pode ser perigoso se descobrirem que você esteve com um bando de cristãos.

Eu sabia que Jamal estava falando pelo meu bem, mas não fiquei muito preocupado. Meu pai sempre nos ensinou a ter a mente aberta e a ser amorosos com todos, até mesmo com quem não tinha as mesmas crenças que nós.

Olhei para a Bíblia no meu colo. Meu pai tinha uma enorme biblioteca, com 5 mil livros, entre os quais uma Bíblia. Quando criança, eu havia lido as passagens sexuais no Cântico dos Cânticos, mas nunca fora adiante. Aquele Novo Testamento, porém, era um presente. Como os presentes são honrados e respeitados na cultura árabe, decidi que o mínimo que eu podia fazer era ler aquele livro.

Comecei do início e, quando cheguei ao Sermão da Montanha, pensei: *Nossa, esse tal Jesus é realmente impressionante. Tudo o que ele diz é lindo.* Eu não conseguia largar o livro. Cada verso parecia tocar uma ferida profunda em minha vida, transmitindo uma mensagem muito simples, mas que, de alguma maneira, tinha o poder de curar minha alma e me dar esperança.

Então, li a seguinte passagem: "Vocês ouviram o que foi dito: *Ame o seu próximo e odeie o seu inimigo.* Mas eu lhes digo: Amem os seus inimigos e orem por aqueles que os perseguem, para que vocês venham a ser filhos de seu Pai que está nos céus." (Mateus 5:43-45)

Fiquei atordoado com aquelas palavras. Eu nunca havia ouvido nada do gênero, mas soube imediatamente que aquela era a mensagem que estivera procurando toda a minha vida.

Havia tempos que eu lutava para saber quem eram meus inimigos, procurando-os fora do Islã e da Palestina. De repente, percebi que os israelenses não eram meus inimigos. O Hamas, meu tio Ibrahim, o rapaz que me batera com a coronha do seu fuzil e o guarda que parecia um macaco no centro de detenção também não eram meus inimigos. Eu me dei conta de que os inimigos não são definidos por nacionalidade, religião ou cor da pele. Entendi que todos nós temos inimigos em comum: a cobiça, o orgulho e todos os pensamentos ruins e a escuridão do demônio que vive dentro de nós.

Isso significava que eu podia amar qualquer pessoa. O único inimigo de verdade era o que eu carregava dentro de mim.

Cinco anos antes, eu teria lido as palavras de Jesus e o considerado um idiota e acabaria jogando a Bíblia fora. No entanto, minhas experiências com o açougueiro louco que era meu vizinho, os parentes e os líderes religiosos que me maltrataram quando meu pai estava na prisão e o tempo que passei em Megiddo se combinaram para me preparar para a força e a beleza daquela verdade. Minha única reação era pensar: *Como esse homem era sábio!*

Jesus disse: "Não julguem para que vocês não sejam julgados." (Mateus 7:1) Que diferença entre ele e Alá! O deus do Islá era muito crítico, e a sociedade árabe seguia seu exemplo.

Jesus reprovava a hipocrisia de escribas e fariseus, e eu pensei no meu tio. Eu me lembrei de uma ocasião em que ele recebeu um convite para ir a um evento especial, porém ficou furioso quando não lhe foi dado o melhor lugar. Era como se Jesus estivesse falando com Ibrahim e com todos os xeiques e imãs do Islá.

Tudo o que Jesus dizia nas páginas daquele livro sagrado fazia todo o sentido para mim. Emocionado, comecei a chorar.

Percebi que Deus usara o Shin Bet para me mostrar que Israel não era meu inimigo e colocara as respostas aos meus outros questionamentos bem nas minhas mãos, por meio daquele Novo Testamento. Mas eu ainda tinha um longo caminho à minha frente para entender a Bíblia. Os muçulmanos aprendem a crer em todos os livros de Deus, tanto na Torá quanto na Bíblia. No entanto, também aprendemos que os homens modificaram a Bíblia, tornando-a pouco confiável. Maomé declarou que o Alcorão era a palavra final, isenta de erros, de Deus para o homem. Então, primeiro eu teria de abandonar minha crença de que a Bíblia havia sido modificada. Depois, teria de descobrir como conjugar os dois livros em minha vida, de alguma maneira unindo o Islá e o cristianismo. Não seria um desafio simples conciliar o inconciliável.

Ao mesmo tempo, embora acreditasse nos ensinamentos de Jesus, eu ainda não conseguia fazer a ligação entre ele e o conceito de Deus. Mesmo assim, meus parâmetros haviam mudado de forma repentina e drástica, pois estavam sendo influenciados pela Bíblia no lugar do Alcorão.

Continuei a ler meu exemplar do Novo Testamento e a frequentar o grupo de estudos bíblicos. Eu ia a várias missas e pensava: *Este não é o cristianismo religioso que vejo em Ramallah. Isto é real.* Os cristãos que eu havia conhecido antes não eram diferentes dos muçulmanos tradicionais. Eles alegavam ter uma religião, mas não viviam de acordo com suas crenças.

Comecei a passar mais tempo com integrantes do grupo de estudos bíblicos e a realmente gostar da companhia deles. Nós nos divertíamos falando de nossas vidas, origens e crenças. Eles sempre respeitavam muito minha cultura e minha herança muçulmana, e eu sentia que podia ser eu mesmo quando estava com eles.

Estava ansioso para levar o que vinha aprendendo para a minha própria cultura, porque percebia que a razão do nosso sofrimento não era a ocupação. Nosso problema era muito maior do que exércitos e política.

Perguntei a mim mesmo o que os palestinos fariam se Israel deixasse de existir, se as coisas não apenas voltassem a ser como antes de 1948, mas se todo o povo judeu abandonasse a Terra Santa e voltasse a se espalhar pelo mundo. Pela primeira vez, eu sabia a resposta.

Ainda lutaríamos. Por nada. Por causa de uma garota que não estivesse usando um véu. Para saber quem era mais durão e importante. Para decidir quem ditaria as regras e quem conseguiria o melhor lugar.

Era o fim de 1999 e eu tinha 21 anos. Minha vida havia começado a mudar e, quanto mais eu aprendia, mais confuso ficava.

"Deus, o Criador, me mostre a verdade", eu orava todos os dias. "Estou confuso. Estou perdido e não sei que caminho seguir."

Capítulo 16
A SEGUNDA INTIFADA
Verão – outono de 2000

O HAMAS, QUE JÁ HAVIA SIDO a facção predominante entre os palestinos, estava em frangalhos. A Autoridade Nacional Palestina, ferrenha rival da estilhaçada organização, controlava corações e mentes.

Por meio de intrigas e pactos, a ANP tinha conseguido o que Israel não fora capaz de obter com a força bruta: destruir a ala militar do Hamas e mandar seus líderes e combatentes para a prisão. Mesmo após a libertação, seus integrantes foram para casa e não fizeram mais nada contra a organização rival e a ocupação. Os jovens *fedayeen* estavam exaustos. Seus líderes, divididos, desconfiavam profundamente uns dos outros.

Meu pai estava sozinho mais uma vez e voltou a trabalhar na mesquita e nos campos de refugiados. Nessa época, ele passou a falar em nome de Alá, não como líder do Hamas. Depois de anos de separação por causa de nossos respectivos períodos cumprindo pena na prisão, eu apreciava a oportunidade de viajar com ele e ficar mais uma vez ao seu lado. Eu havia sentido falta das nossas longas conversas sobre a vida e o Islã.

À medida que eu lia a Bíblia e aprendia mais sobre o cristianismo, percebi que me sentia atraído pela clemência, pelo amor e pela humildade de que Jesus falava. Surpreendentemente, essas eram as mesmas características que faziam as pessoas se encantarem por meu pai, um dos muçulmanos mais devotos que eu conhecia.

Com o Hamas praticamente fora de combate e a Autoridade Nacional Palestina mantendo a situação sob controle, parecia que não havia nada para eu fazer como colaborador do Shin Bet. Eu e os agentes éramos apenas amigos. Eles poderiam me dispensar quando quisessem e eu podia parar de trabalhar para eles a qualquer momento.

A Conferência de Cúpula de Camp David entre Yasser Arafat, o presidente americano Bill Clinton e o primeiro-ministro israelense Ehud Barak terminou em 25 de julho de 2000. Barak ofereceu a Arafat cerca de 90% da Cisjordânia, toda a Faixa de Gaza e Jerusalém Oriental como capital de um novo Estado palestino. Além disso, um novo fundo internacional seria criado para indenizar os palestinos pelas propriedades que haviam perdido. Aquela oferta de "terra em troca de paz" representava uma oportunidade histórica para o sofrido povo palestino, algo que poucos teriam ousado imaginar que fosse possível. Mesmo assim, não era suficiente para Arafat.

O líder da ANP se tornara extraordinariamente rico como símbolo internacional do sofrimento. Ele não estava disposto a abrir mão daquele status e assumir a responsabilidade de construir uma sociedade que funcionasse. Então, insistiu para que todos os refugiados voltassem para as terras que possuíam antes de 1967, uma condição que ele tinha certeza de que Israel não aceitaria.

A rejeição da oferta de Barak por parte de Arafat foi uma catástrofe histórica para seu povo, mas o chefe da Autoridade Nacional Palestina voltou para o seio de seus correligionários linha-dura como um herói que desdenhara o presidente dos Estados Unidos, alguém que não havia recuado e feito concessões, um líder que enfrentava o mundo inteiro de maneira obstinada.

Arafat foi para a televisão e todos o viram falar do seu amor pelo povo palestino e da sua dor por milhares de famílias que viviam em meio à sordidez e à miséria dos campos de refugiados. Naquela época, eu acompanhava meu pai nas viagens e nas reuniões com Arafat e comecei a ver com meus próprios olhos como aquele homem amava a atenção da mídia. Ele parecia adorar ser retratado como uma espécie de Che Guevara palestino, um indivíduo à altura de reis, presidentes e primeiros-ministros, e deixou claro que desejava entrar para a história como um herói.

Ao observá-lo, eu costumava pensar: *Que ele seja lembrado em nossos livros de história não como um herói, mas como um traidor que vendeu o próprio povo e se aproveitou dele. Como um Robin Hood às avessas, ele saqueou os pobres para se tornar rico. Esse péssimo ator comprou seu lugar na ribalta com sangue palestino.*

Também era interessante ver Arafat através dos olhos dos agentes do serviço secreto israelense com quem eu mantinha contato.

– O que esse sujeito está fazendo? – me perguntou um dos agentes certo dia. – Nunca pensamos que nossos líderes fossem abrir mão do que ofereceram a Arafat. Nunca! E ele recusou a proposta?

De fato, Arafat recebeu as chaves para promover a paz no Oriente Médio junto com uma soberania real para o povo palestino, mas jogou tudo fora. Por isso, a corrupção silenciosa continuou a existir. E o clima, aparentemente tranquilo, logo ficaria tenso. Para Arafat, sempre parecia haver algo a ganhar se os palestinos estivessem sofrendo e sangrando. Outra intifada derramaria mais sangue e faria as câmeras dos noticiários do Ocidente se voltarem de novo para aquela região.

A voz corrente entre os governos e as empresas jornalísticas de todo o mundo afirma que o sangrento levante conhecido como Segunda Intifada foi uma erupção espontânea da raiva palestina provocada pela visita do general Ariel Sharon ao que Israel chamava de complexo do Monte do Templo, conhecido pelos palestinos como Esplanada das Mesquitas. Como de costume, a voz corrente está equivocada.

∴

Na noite de 27 de setembro de 2000, meu pai bateu à minha porta e perguntou se eu podia levá-lo à casa de Marwan Barghouti na manhã seguinte, após a prece da alvorada.

Um jovem e carismático líder, ferrenho defensor de um Estado palestino, além de inimigo da corrupção e das violações dos direitos humanos por parte da ANP e das forças de segurança de Arafat, Barghouti exercia a função de secretário-geral do Fatah, a maior facção política da OLP. Um homem baixo e simples, ele era o favorito para ocupar o cargo de próximo presidente palestino.

– O que está acontecendo? – perguntei ao meu pai.

– Sharon tem uma visita programada à Mesquita de Al-Aqsa amanhã, e a ANP acha que será uma boa oportunidade para iniciar um levante.

Ariel Sharon era o líder do Likud, o partido conservador de Israel e opositor político do Partido Trabalhista, de esquerda, do primeiro-ministro Ehud Barak. Sharon estava no meio de uma concorrida disputa na qual desafiava Barak pela liderança do governo israelense.

Um levante? Será que eles estavam falando sério? Os líderes da Autoridade Nacional Palestina, que mandaram meu pai para a prisão, estavam pedindo que ele os ajudasse a iniciar uma outra intifada. Embora fosse irritante, não era difícil deduzir por que o abordaram com aquele plano. Eles sabiam que o amor e a confiança que as pessoas nutriam por meu pai era grande, ou maior do que o ódio e a desconfiança que sentiam em relação à ANP. Elas seguiriam meu pai a qualquer lugar, e os líderes sabiam disso.

Também sabiam que o Hamas, como um pugilista esgotado, estava quase caído na lona, inconsciente. Queriam que meu pai o levantasse, jogasse água em seu rosto e o mandasse para outro round a fim de que a ANP pudesse levá-lo a nocaute diante de uma plateia exultante. Até os líderes do Hamas, cansados de anos de conflito, falaram para meu pai ficar alerta.

– Arafat só quer nos usar como combustível para sua fornalha política – disseram. – Não vá longe demais com essa nova intifada que ele quer promover.

No entanto, meu pai entendeu a importância daquele gesto. Se ele ao menos não aparentasse estar colaborando com a ANP, simplesmente apontariam para o Hamas, nos culpando por perturbar o processo de paz.

Não importa o que fizéssemos, parecíamos estar em uma situação sem chance de vitória, e eu estava muito preocupado com o plano. Mas meu pai precisava fazer aquilo, então, na manhã seguinte, o levei até a casa de Marwan Barghouti. Batemos à porta, porém não obtivemos resposta imediata. Depois, viemos a saber que ele ainda estava na cama.

Típico, pensei comigo mesmo. *O Fatah envolve meu pai em seus planos estúpidos e, depois, seu líder nem sai da cama para ajudar a implementá-los.*

– Deixa pra lá – disse ao meu pai. – Não se preocupe. Entre no carro e eu o levo a Jerusalém.

Acompanhar meu pai até o local da visita de Sharon sem dúvida seria arriscado, já que não era permitido à maioria dos carros palestinos entrar em Jerusalém. Normalmente, se um motorista palestino era pego pela polícia israelense, recebia uma multa, mas, por causa de quem éramos, era bem provável que eu e meu pai fôssemos presos no ato. Eu precisava ser muito cauteloso, evitando sair das estradas secundárias e confiando na proteção dos agentes com quem mantinha contato no Shin Bet, se necessário.

A Mesquita de Al-Aqsa e o Domo da Rocha foram construídos sobre os escombros e destroços de dois templos judaicos, o Templo de Salomão, do século X a.C., e o Templo de Herodes, o Grande, existente até o início da era cristã. Portanto, é com razão que algumas pessoas descrevem aquela colina rochosa como os 14 hectares mais disputados da Terra. O lugar é sagrado para as três grandes religiões monoteístas do mundo. No entanto, tomando por base uma perspectiva científica e histórica, também se trata de um sítio arqueológico de enorme importância, mesmo para o ateu mais convicto.

Nas semanas anteriores à visita de Sharon, o Waqf, a entidade islâmica que administra aquele local, interditou por completo qualquer inspeção arqueológica do Monte do Templo por parte da Autoridade de Antiguidades de Israel. Depois, ao realizar obras de construção de novas mesquitas subterrâneas no local, levou para lá equipamento pesado de escavação. Em Israel, o noticiário noturno exibiu imagens de tratores, escavadeiras e caminhões trabalhando no subsolo e na superfície do sítio. Ao longo de várias semanas, caminhões transportaram cerca de 13 mil toneladas de cascalho do complexo do Monte do Templo para os depósitos de lixo de Jerusalém. As reportagens mostravam os arqueólogos incrédulos ao pegar restos de artefatos encontrados no meio do entulho, dos quais alguns remontavam aos períodos do Primeiro e do Segundo Templos.

Para muitos israelenses, estava claro que a intenção era transformar todo o complexo de 14 hectares em um sítio exclusivamente muçulmano, eliminando qualquer vestígio, resquício e memória do seu passado judeu. Isso incluía a destruição de qualquer achado arqueológico que representasse uma prova daquela história.

A visita de Sharon tinha como objetivo enviar uma mensagem silenciosa, mas clara, aos eleitores israelenses: "Vou pôr fim a essa destruição desnecessária." Ao planejar a visita, os assessores de Sharon receberam garantias do chefe da segurança palestina, Jibril Rajoub, de que não haveria problemas, contanto que ele não pusesse os pés em uma mesquita.

Era uma manhã tranquila e meu pai e eu chegamos ao local alguns minutos antes de Sharon. Aproximadamente uma centena de palestinos tinham ido fazer suas orações. Sharon apareceu durante o horário normal de visitas turísticas, acompanhado de uma delegação do Partido Likud e cerca de 1.000 policiais antimotim. Ele chegou, deu uma olhada e foi embora. Não disse nada. Nunca entrou na mesquita.

Tudo me pareceu um grande anticlímax. No caminho de volta para Ramallah, perguntei ao meu pai por que tanto alarde.

– O que aconteceu? – perguntei. – Você não começou a intifada.

– Ainda não – ele respondeu. – Mas liguei para alguns ativistas do movimento estudantil islâmico e pedi que me encontrassem aqui para um protesto.

– Mas não aconteceu nada em Jerusalém, e agora você quer fazer uma manifestação em Ramallah? Isso é loucura – eu disse.

– Temos que fazer o que for necessário. A Mesquita de Al-Aqsa pertence aos muçulmanos e Sharon não precisava ir até lá. Não podemos permitir isso.

Fiquei me perguntando se ele estava querendo convencer a mim ou a si mesmo.

A manifestação em Ramallah foi tudo, menos um espetáculo dramático de combustão espontânea. Mal amanhecera e as pessoas circulavam pela cidade como de costume, se perguntando o que estava acontecendo com aqueles estudantes e integrantes do Hamas que não pareciam sequer saber o motivo do protesto.

Vários homens carregavam megafones e faziam discursos. O pequeno grupo de palestinos que se reunira em volta deles às vezes começava a cantar e a gritar. No entanto, a maioria das pessoas não parecia estar profundamente interessada.

Nos últimos tempos, a situação estava bem mais calma nos territórios palestinos. A rotina da ocupação era sempre a mesma e os soldados israelenses haviam se tornado parte da paisagem. Os palestinos podiam trabalhar e ir à escola em Israel. A vida noturna de Ramallah estava prosperando, por isso era difícil imaginar por que aqueles homens estavam tão exaltados.

Na minha opinião, aquela manifestação parecia outro anticlímax. Então, liguei para alguns amigos do grupo de estudos bíblicos e partimos para a Galileia a fim de acampar à beira do lago.

Isolado de todas as fontes de notícias, eu não fiquei sabendo que, na manhã seguinte, um grande número de manifestantes palestinos atirou pedras e entrou em confronto com a polícia antimotim de Israel perto do local da visita de Sharon. Das pedras, passaram a atirar coquetéis molotov e, depois, abriram fogo com fuzis. A polícia usou balas de borracha e, segundo relatos, munição de verdade para dispersar os manifestantes. Quatro palestinos foram mortos e outros 200 ficaram feridos, além de 14 policiais israelenses que também se feriram. Aquilo era exatamente o que a ANP esperava que acontecesse.

No dia seguinte, um dos agentes do Shin Bet me ligou:

— Mosab, onde você está?

— Na Galileia, acampando com alguns amigos.

— Na Galileia! Ficou louco? — Loai começou a rir. — Você é realmente inacreditável. Toda a Cisjordânia de pernas para o ar e você se divertindo com seus amigos cristãos.

Quando ele me contou o que estava acontecendo, entrei no carro e fui para casa imediatamente.

Arafat e os outros líderes da ANP estavam determinados a iniciar outra intifada. Passaram meses planejando tudo aquilo, mesmo durante a conferência com Barak e o presidente Clinton em Camp David. Estavam simplesmente esperando um pretexto adequado, e a visita de Sharon acabou sendo uma desculpa perfeita. Depois de dois falsos inícios, a Intifada de Al-Aqsa começou para valer, os conflitos na Cisjordânia e em Gaza voltaram a pegar fogo. Principalmente em Gaza.

Lá, o Fatah organizou manifestações que resultaram na morte de um garoto de 12 anos chamado Mohammed al-Dura, transmitida pela televisão em todo o mundo. O menino e o pai, Jamal, ficaram no meio do fogo cruzado e se protegeram atrás de um cilindro de concreto. O garoto foi atingido por uma bala perdida e morreu nos braços do pai. A cena comovente foi filmada por um operador de câmera palestino que trabalhava para uma emissora de televisão pública francesa. Em poucas horas, o vídeo havia percorrido o mundo e provocado a fúria de milhões de pessoas contra a ocupação israelense.

Nos meses seguintes, porém, haveria uma acalorada polêmica internacional sobre aquele episódio. Alguns alegavam ter provas de que a morte do garoto teria sido ocasionada por disparos feitos por palestinos. Outros continuavam a culpar os israelenses. Havia até quem dissesse que a filmagem fora um golpe de propaganda cuidadosamente encenado. Como não mostrava o garoto sendo alvejado nem seu cadáver, muitos suspeitavam de uma trama propagandística arquitetada pela OLP. Se isso for verdade, foi uma trama brilhante e eficaz.

Independentemente do que tinha de fato acontecido, logo me vi em uma posição difícil, no meio de uma guerra da qual meu pai era um dos principais líderes, embora ele não fizesse ideia do que estava liderando nem de aonde aquilo o levaria. Ele estava simplesmente sendo usado e manipulado por Arafat e pelo Fatah para criar confusão, fornecendo à ANP nova moeda de barganha e motivos para angariar fundos.

Enquanto isso, as pessoas mais uma vez estavam sendo mortas nos postos de controle. Os dois lados atiravam indiscriminadamente. Crianças eram assassinadas. A cada dia sangrento, um lacrimoso Arafat aparecia diante das câmeras dos noticiários ocidentais torcendo as mãos e negando que incitasse a violência. Em vez disso, com um dos dedos ele apontava para meu pai, para Marwan Barghouti e os refugiados. Ele garantia ao mundo que estava fazendo todo o possível para pôr fim ao levante. Com outro dedo, porém, o tempo todo ele apertava bem firme o gatilho.

No entanto, Arafat logo descobriu que libertara um terrível gênio. Havia incitado e atiçado o povo palestino porque era conveniente a seus propósitos, mas a população não demorou a fugir ao controle. Ao ver as Forças de Defesa de Israel matar seus pais, mães e filhos, as pessoas ficaram com tanta raiva que não davam mais ouvidos à ANP nem a ninguém.

Arafat também descobriu que o pugilista esgotado que havia colocado novamente de pé era mais resistente do que imaginava. As ruas eram o lar do Hamas, onde a organização havia começado sua carreira, e era lá que ela era mais forte.

Paz com Israel? Conferência de Camp David? Acordos de Oslo? Metade de Jerusalém? Esqueça tudo isso! A disposição para fazer qualquer concessão evaporara na ardente fornalha do conflito. Os palestinos haviam voltado à mentalidade "ou tudo ou nada". E agora era o Hamas, não Arafat, que atiçava as chamas.

Com israelenses e palestinos reagindo às agressões na mesma moeda, a violência aumentava. Dia após dia, crescia a lista de queixas de cada lado à medida que seus reservatórios de dor transbordavam.

Em 8 de outubro de 2000, hordas de judeus atacaram palestinos em Nazaré. Dois árabes foram mortos e dezenas ficaram feridos. Em Tiberíades, judeus destruíram uma mesquita de 200 anos.

Em 12 de outubro, uma horda de palestinos matou dois soldados das Forças de Defesa de Israel em Ramallah. Os israelenses retaliaram bombardeando Gaza, Ramallah, Jericó e Nabulus.

Em 2 de novembro, um carro-bomba matou dois israelenses perto do mercado Mahane Yehuda, em Jerusalém, e outros 10 ficaram feridos.

Mais de 150 palestinos foram mortos até 5 de novembro, o 38º dia da Intifada de Al-Aqsa.

Em 11 de novembro, um helicóptero israelense detonou um dispositivo explosivo que havia sido colocado no carro de um ativista do Hamas.

Em 20 de novembro, uma bomba explodiu na rua, ao lado de um ônibus escolar. Dois israelenses morreram. Outros nove, entre os quais cinco crianças, ficaram feridos.[4]

Eu não podia acreditar no que estava vendo. Algo precisava ser feito para interromper aquela loucura crescente. Eu sabia que estava na hora de começar a colaborar com o Shin Bet e me entreguei de corpo e alma àquela tarefa.

Capítulo 17
AGENTE SECRETO
2000-2001

O QUE ESTOU PRESTES a revelar só era conhecido até agora por bem poucos homens do serviço de inteligência de Israel. Estou divulgando estas informações na esperança de lançar luz sobre vários acontecimentos importantes que há muito tempo estão envoltos em mistério.

No dia que tomei a decisão de fazer tudo o que podia para deter aquela loucura, comecei a me informar sobre as atividades e os planos de Marwan Barghouti e dos líderes do Hamas. Contei tudo o que sabia ao Shin Bet, que estava fazendo o possível para encontrá-los.

Dentro do serviço de inteligência interno de Israel, ganhei o codinome Príncipe Verde – *verde* era a cor da bandeira do Hamas e *príncipe*, uma referência óbvia à posição do meu pai, um rei dentro daquela organização terrorista. Então, aos 22 anos, me tornei o único agente do Shin Bet que fazia parte do Hamas e podia se infiltrar em suas alas militar e política, bem como em outras facções palestinas.

Essa responsabilidade, porém, não estava toda nos meus ombros. Àquela altura, já estava claro para mim que Deus tinha um motivo ao me colocar especificamente no núcleo central do Hamas e da liderança palestina, tendo acesso às reuniões de Yasser Arafat e ao serviço de segurança israelense. Eu me encontrava em uma posição singular, sem precedentes, para realizar aquela tarefa, e podia sentir que Deus estava comigo.

Eu queria ir fundo, saber tudo o que estava acontecendo. Estivera no centro da Primeira Intifada, cercado de violência. Os mortos no conflito haviam lotado um cemitério no qual eu jogava futebol quando criança. Atirei pedras, desrespeitei o toque de recolher, mas não entendia por que nosso povo buscava a violência. Queria saber por que estávamos fazendo tudo aquilo novamente. Eu precisava entender.

Da perspectiva de Yasser Arafat, o levante parecia estar relacionado à política, ao dinheiro e à manutenção do poder. Ele era um grande manipulador, o comandante supremo das marionetes palestinas. Diante das câmeras, condenava o Hamas pelos ataques contra civis em Israel. O Hamas não representava a ANP nem o povo palestino, ele insistia em declarar. No entanto, pouco fazia para interferir, contente porque o Hamas realizava o trabalho sujo e era o alvo da pressão da comunidade internacional. Arafat havia se tornado um velho político dissimulado que sabia que o governo israelense não podia deter os ataques sem estabelecer uma parceria com a ANP. Quanto mais ataques houvesse, mais cedo Israel iria para a mesa de negociações.

Durante aquele período, surgiu em cena um novo grupo radical autodenominado Brigada dos Mártires de Al-Aqsa. Seus alvos preferidos eram os soldados das Forças de Defesa de Israel e os colonos. No entanto, ninguém sabia quem eram esses homens e de onde vinham. Pareciam religiosos, embora ninguém no Hamas ou na Jihad Islâmica os conhecesse. Não pareciam ser uma ramificação nacionalista da ANP nem do Fatah.

O Shin Bet estava tão intrigado quanto todo mundo. Uma ou duas vezes por semana, um carro ou um ônibus de colonos era atacado com precisão letal. Nem mesmo soldados israelenses fortemente armados eram páreo para aquele grupo.

Certo dia, Loai me ligou:

– Temos relatos de homens não identificados visitando Maher Odeh e precisamos que você descubra quem são e qual a ligação deles com Odeh. Acreditamos que você é a única pessoa que vai fazer isso direito.

Maher Odeh era um importante líder do Hamas, muito procurado pelo Shin Bet. Era o chefe da ala de segurança da organização dentro do sistema carcerário, e eu sabia que ele era responsável por boa parte da tortura que acontecia lá dentro. Eu suspeitava de que ele fosse o articulador por trás dos ataques suicidas. Odeh também era uma pessoa muito reservada, o que tornava quase impossível para o Shin Bet reunir as provas necessárias para levá-lo à prisão.

Naquela noite, dirigi até o centro de Ramallah. Era o mês sagrado do Ramadã e as ruas estavam vazias. O sol já havia se posto e todos estavam em casa quebrando o jejum diário quando entrei em um estacionamento na rua do prédio em que Odeh morava. Embora não tivesse sido treinado para aquele tipo de operação, eu conhecia as táticas básicas. No cinema, os espiões ficam dentro de um carro parado na rua, do outro lado da casa do suspeito, e o vigiam com câmeras especiais e outros aparelhos de espionagem. Apesar de o Shin Bet dispor de equipamentos extremamente sofisticados, eu contava apenas com meu carro e meus olhos para aquela missão. Eu só precisava observar o edifício e ficar de olho em quem entrasse e saísse.

Cerca de meia hora depois, vários homens armados saíram do prédio de dois andares e entraram em um Chevy verde novo com placa israelense. Mas achei que havia algo de errado com aquela cena. Em primeiro lugar, os integrantes do Hamas, sobretudo os da ala militar, nunca portavam armas em público. Segundo, sujeitos como Maher Odeh não saíam acompanhados de homens armados.

Liguei o carro e, antes de sair do estacionamento, esperei que dois automóveis passassem por mim. Segui brevemente o Chevy verde na estrada principal para Betunia, onde meus pais moravam, mas depois o perdi de vista.

Estava com raiva de mim mesmo e do Shin Bet. Aquilo não era um filme, era a vida real, na qual a espionagem pode terminar em morte. Se quisessem que eu seguisse homens armados como aqueles, em especial à noite, precisariam me enviar reforços. Era uma tarefa para várias pessoas, não apenas uma. Eu achava que uma operação como aquela também envolveria vigilância aérea e via satélite, além de modernos dispositivos de alta tecnologia. No entanto, não havia mais ninguém além de mim. Eu poderia ter tido sorte ou poderia ter levado um tiro. Na verdade, nada aconteceu. Voltei para casa com a sensação de que havia acabado de perder um negócio de 1 milhão de dólares.

Na manhã seguinte, me levantei decidido a encontrar aquele carro. Porém, depois de dirigir horas, nada consegui. Novamente frustrado, desisti da busca e resolvi levar meu carro para uma lavagem. E lá estavam os homens no lava-carros: o mesmo Chevy verde, os mesmos sujeitos, as mesmas armas.

Teria sido sorte ou intervenção divina?

À luz do dia, pude observá-los com muito mais atenção e me aproximei mais do que na noite anterior. Com seus ternos elegantes, seus fuzis AK-47 e M16, logo os reconheci como integrantes da Força 17, uma unidade de elite que existia desde o início da década de 1970. Eram aqueles homens que cuidavam da segurança de Arafat e o protegiam da crescente lista de pessoas ambiciosas e usurpadores.

Algo não estava certo. Aqueles não podiam ser os mesmos homens que eu havia visto na casa de Maher Odeh. Ou será que eram? O que ele estaria fazendo na companhia de homens armados? Ele não tinha nada a ver com Arafat. Ou será que tinha? Nada fazia sentido para mim.

Depois que foram embora, perguntei ao dono do lava-carros quem eram aqueles caras. Ele sabia que eu era filho do xeique

Hassan Yousef e, por isso, não ficou nem um pouco surpreso com minhas perguntas. Confirmou que os homens eram da Força 17 e disse que moravam em Betunia, o que me deixou ainda mais confuso. Por que aqueles sujeitos moravam a poucos minutos da casa dos meus pais em vez de no quartel-general de Arafat?

Fui até o endereço que o dono do lava-carros me deu e vi o Chevy estacionado do lado de fora. De lá, corri ao quartel-general do Shin Bet e contei a Loai tudo o que havia descoberto. Ele ouviu com atenção, mas seu chefe insistiu em discutir comigo.

– Isso não faz sentido – ele disse. – Por que os guardas de Arafat estariam morando fora do quartel-general dele? Você está enganado!

– Não estou enganado! – retorqui.

Eu sabia que não fazia sentido e estava frustrado por não poder explicar o que vira. No entanto, aquele sujeito estava me dizendo que eu não tinha visto nada daquilo.

– Parece haver algo de errado com a situação como um todo – eu disse. – Não me importa se faz sentido ou não. Foi o que eu vi.

Ele ficou indignado por eu ter falado daquela maneira e saiu às pressas da reunião. Loai insistiu para que eu me acalmasse e repetisse todos os detalhes mais uma vez. Ao que tudo indicava, o Chevy não batia com as informações que eles tinham sobre as Brigadas. Era um carro israelense roubado, que costumava ser usado pelo pessoal da Autoridade Nacional Palestina, mas não conseguíamos descobrir como isso os ligava à nova facção.

– Tem certeza de que era um Chevy verde? – Loai perguntou. – Não viu um BMW?

Eu não tinha dúvida de que era um Chevy, mas, de qualquer forma, voltei ao prédio de Odeh. Lá estava o carro, estacionado no mesmo lugar. Ao lado do edifício, porém, vi um outro automóvel coberto por um lençol branco. Com cuidado, fui até a lateral do prédio e levantei a parte do lençol que cobria a traseira. Sob o pano, havia um BMW prateado modelo 1982.

— Então nós os pegamos! – ouvi os gritos de Loai no meu celular quando liguei para dizer o que havia encontrado.

— Do que você está falando?

— Os guardas de Arafat!

— O que quer dizer? Achei que minhas informações estivessem equivocadas – eu disse com uma ponta de sarcasmo.

— Não, você tinha toda a razão. Esse BMW foi usado em todos os tiroteios que aconteceram na Cisjordânia nos últimos meses.

Loai então me explicou que aquela informação era um grande avanço: era a primeira prova de que as Brigadas dos Mártires de Al--Aqsa eram formadas por ninguém mais do que os próprios guardas de Arafat, financiadas diretamente por ele com dinheiro dos contribuintes americanos e doações internacionais. A descoberta daquela conexão representava um enorme passo para pôr fim à terrível sequência de ataques a bomba que vinham matando civis inocentes. Mais tarde, a prova que forneci ao Shin Bet seria usada contra Arafat perante o Conselho de Segurança da ONU.[5] Tudo o que nos restava fazer era pegar os membros daquela nova célula – cortar a cabeça da cobra, como os israelenses gostavam de dizer.

Soubemos que os integrantes mais perigosos eram Ahmad Ghandour, um líder das Brigadas, e Muhaned Abu Halawa, um de seus tenentes. Eles já haviam matado 12 pessoas. Deter esses sujeitos não parecia uma tarefa muito difícil. Sabíamos quem eram e onde moravam. E, sobretudo, eles não faziam ideia de que sabíamos disso.

As Forças de Defesa de Israel enviaram um pequeno avião teleguiado para sobrevoar o condomínio e obter informações. Dois dias depois, as Brigadas realizaram outro ataque dentro do país e os israelenses quiseram revidar. O canhão de um tanque israelense Merkava de 65 toneladas disparou 20 projéteis no prédio das Brigadas. Infelizmente, ninguém se dera o trabalho de verificar o avião teleguiado que vigiava a área para saber se os homens estavam lá. Não estavam.

E, pior ainda, eles ficaram sabendo que estávamos atrás deles. Como era de esperar, se refugiaram no quartel-general de Yasser Arafat. Sabíamos que eles tinham se escondido lá, mas, naquele momento, era politicamente impossível entrar na propriedade e capturá-los. Consequentemente, seus ataques se tornaram mais frequentes e mais agressivos.

Por ser o líder, Ahmad Ghandour estava no topo da lista de procurados. Depois que ele se mudou para o quartel-general do líder da ANP, imaginamos que nunca o pegaríamos. E, na verdade, não o pegamos. Ele mesmo se encarregou disso.

Um dia, caminhando perto do velho cemitério em Al-Bireh, vi que um funeral militar estava sendo realizado.

– Quem morreu? – perguntei por curiosidade.

– Alguém do norte – respondeu um homem. – Você não deve conhecê-lo.

– Qual é o nome dele?

– Ahmad Ghandour.

Tentei controlar meu entusiasmo e perguntei casualmente:

– O que aconteceu com ele? Acho que já ouvi esse nome antes.

– Ele não sabia que a arma estava carregada e deu um tiro na própria cabeça. Dizem que seu cérebro ficou grudado no teto.

Liguei para Loai:

– Diga adeus a Ahmad Ghandour, porque ele já era.

– Você o matou?

– E você por acaso me deu uma arma? Não, não o matei. Ele mesmo se matou. Já era – eu disse, mas Loai não conseguia acreditar. – Ele está morto. Estou no enterro dele.

• • •

Nos primeiros anos da Intifada de Al-Aqsa, eu acompanhava meu pai aonde quer que ele fosse. Como filho mais velho, era seu protegido, guarda-costas, confidente, aluno e amigo. E ele era tudo para mim: o melhor exemplo do que significava ser um homem. Embora nossa ideologia evidentemente não fosse mais a mesma, eu sabia que seu coração tinha razão e que seus motivos eram puros. Seu amor pelos muçulmanos e sua devoção a Alá nunca esmoreceram. Ele ansiava pela paz para seu povo e havia trabalhado a vida toda para atingir aquele objetivo.

O segundo levante se concentrou sobretudo na Cisjordânia. Em Gaza, houve algumas manifestações, e a morte do jovem Mohammed al-Dura jogou ainda mais lenha na fogueira. No entanto, foi o Hamas que atiçou o fogo até que ele se tornasse um incêndio de grandes proporções na Cisjordânia.

Em todos os vilarejos e cidades, multidões furiosas entravam em confronto com os soldados israelenses. Cada posto de controle se tornou um sangrento campo de batalha. Era difícil encontrar um indivíduo que não tivesse enterrado amigos ou parentes recentemente.

Enquanto isso, os líderes de todas as facções palestinas, homens de alto nível e prestígio, se reuniam diariamente com Yasser Arafat para coordenar suas estratégias. Meu pai representava o Hamas, que outra vez se tornara a maior e mais importante organização islâmica. Ele, Marwan Barghouti e Arafat também se reuniam semanalmente, sem a presença dos outros. Em diversas ocasiões, pude acompanhá-lo.

Eu desprezava Arafat e o que ele estava fazendo com o povo que eu tanto amava. No entanto, por causa do meu papel de informante do Shin Bet, não era prudente mostrar meus sentimentos. Mesmo assim, em uma ocasião, depois que Arafat me beijou, instintivamente limpei o rosto. Ele percebeu e não tive dúvidas de que se sentiu humilhado. Meu pai ficou constrangido. Aquela foi a última vez que o acompanhei.

Os líderes da intifada sempre chegavam àquelas reuniões diárias em seus carros de 70 mil dólares, acompanhados por outros carros repletos de guarda-costas. Meu pai, porém, ia com seu Audi 1987 azul-escuro. Sem guarda-costas, só eu ia a seu lado.

As reuniões eram o motor da intifada. Àquela altura, embora tivesse de ficar sentado do lado de fora da sala de reuniões, eu sabia de todos os detalhes do que acontecia lá dentro, porque meu pai anotava o que debatiam. Eu tinha acesso àquelas anotações e as copiava. Elas nunca continham informações supersecretas (como o executor, o local e a data de uma operação militar). Os líderes, pelo contrário, sempre falavam em termos gerais que revelavam padrões e direções, como concentrar um ataque ao território israelense ou tomar como alvo colonos ou postos de controle.

No entanto, as anotações das reuniões incluíam datas para manifestações. Se meu pai dizia que o Hamas faria um protesto no dia seguinte, à uma da tarde, no centro de Ramallah, mensageiros eram rapidamente enviados a mesquitas, campos de refugiados e escolas para informar a todos os integrantes do Hamas que estivessem lá nesse horário. Os soldados israelenses também compareciam. Muçulmanos, refugiados e, muitas vezes, crianças acabavam morrendo.

O fato é que o Hamas estava quase morto antes da Segunda Intifada. Meu pai deveria ter deixado aquilo para lá. Dia após dia, as pessoas nas nações árabes viam seu rosto e ouviam sua voz na rede de televisão Al-Jazeera. Ele conquistara visibilidade como líder da intifada, o que o tornou incrivelmente popular e importante em todo o mundo muçulmano, mas também o transformou no grande vilão aos olhos de Israel.

Entretanto, no fim das contas, Hassan Yousef não se envaideceu. Ele só estava humildemente contente por ter realizado a vontade de Alá.

Certa manhã, ao ler as anotações do meu pai, vi que uma manifestação havia sido programada. No dia seguinte, caminhei atrás dele, à frente de uma turba ensurdecedora, até um posto de controle israelense. Duzentos metros antes de chegarmos lá, os líderes caíram fora e se instalaram em segurança no topo de uma colina. Todos os outros – os jovens e as crianças saídas das escolas – assumiram a dianteira e começaram a atirar pedras nos soldados fortemente armados, que responderam disparando na multidão.

Em situações desse tipo, até mesmo balas de borracha podem ser fatais. As crianças eram as mais vulneráveis. Aquela munição podia ser letal quando disparada de uma distância menor do que os 40 metros determinados pelas regras das Forças de Defesa de Israel.

Do topo da colina, vimos mortos e feridos por toda parte. Os soldados abriam fogo até contra as ambulâncias, atirando nos motoristas e matando os socorristas que tentavam chegar até os feridos. A violência foi brutal.

Logo todos estavam atirando. Choviam pedras sobre o posto de controle. Milhares de pessoas arremetiam contra as barreiras, tentando passar à força pelos soldados, lutando obcecadas, com um só pensamento: alcançar o assentamento de Beit El e destruir tudo e todos pelo caminho. Estavam tomadas pela raiva desencadeada pela visão dos entes queridos mortos e pelo cheiro de sangue.

Quando parecia que as coisas não podiam ficar mais caóticas, o motor a diesel de 1.200 cavalos de um tanque Merkava ressoou em meio à confusão. De repente, um disparo de seu canhão rasgou o ar como o estrondo de um avião supersônico.

O tanque estava reagindo às forças da ANP, que haviam começado a atirar nos soldados israelenses. À medida que o tanque avançava, guarda-costas rapidamente levavam seus protegidos para local seguro. Eu tentava levar meu pai até o carro, mas pedaços de corpos se espalhavam pela colina aos nossos pés. Quando conseguimos chegar ao veículo, saímos em disparada em direção a Ramallah, rumo ao hospital repleto de pessoas feridas, moribundas e mortas. Não havia leitos suficientes. Em uma tentativa de evitar que as pessoas sangrassem até a morte antes de conseguir entrar no hospital, o Crescente Vermelho se instalou do lado de fora. Mas simplesmente não era suficiente.

Havia sangue por todo lado nas paredes e no chão do hospital. Escorregava-se ao caminhar pelos corredores. Maridos e pais, esposas, mães e crianças soluçavam de tristeza e gritavam de raiva.

Surpreendentemente, em meio à dor e à raiva, as pessoas pareciam muito gratas aos líderes palestinos como meu pai, que tinham ido até lá ampará-las naquele momento. No entanto, aqueles eram os mesmos líderes que as haviam guiado como gado para o matadouro e, depois, se retiraram para um local seguro a fim de observar a carnificina de uma distância confortável. Aquilo me enojava mais do que todo o sangue derramado.

E aquela foi apenas uma manifestação. Todas as noites, ficávamos diante da televisão e ouvíamos a litania sem fim dos mortos. Dez nesta cidade. Cinco naquela. Vinte em outra.

Vi uma reportagem sobre um sujeito chamado Shada que estava fazendo um furo na parede de um prédio em frente ao qual estava ocorrendo uma manifestação. O artilheiro de um tanque israelense o viu e achou que a furadeira fosse uma arma. Lançou um projétil de canhão que atingiu o homem na cabeça.

Meu pai e eu fomos à sua casa. Ele se casara recentemente com uma jovem muito bonita. Mas o pior não era isso. Os líderes palestinos que tinham ido consolar a viúva começaram a brigar entre si para decidir quem ia pregar no funeral de Shada. Quem receberia as visitas durante três dias? Quem se encarregaria da comida para a família? Eles chamavam Shada de "nosso filho", declarando que o rapaz havia sido um integrante de suas facções e tentando provar qual delas tinha maior participação na intifada.

Só restava às organizações concorrentes bater boca por causa dos mortos. E, na maioria das vezes, os que haviam morrido eram indivíduos que nada tinham a ver com o movimento. Eram apenas pessoas que foram tragadas pela maré da emoção. Muitos outros, como Shada, estavam simplesmente no lugar errado na hora errada. Enquanto isso, os árabes no mundo todo queimavam bandeiras dos Estados Unidos e de Israel, protestavam e despejavam bilhões de dólares nos territórios palestinos para pôr fim à ocupação. Nos primeiros dois anos e meio da Segunda Intifada, Saddam Hussein doou 35 milhões de dólares às famílias de mártires palestinos – sendo 10 mil para a família de qualquer pessoa que tivesse morrido combatendo Israel e 25 mil para a de cada terrorista suicida. Podia-se dizer muitas coisas daquela batalha insana por terra. Só não se podia dizer que a vida valia pouco.

Capítulo 18
O MAIS PROCURADO
2001

Os palestinos não culpavam mais Yasser Arafat ou o Hamas por seus problemas. Eles agora culpavam Israel por matar suas crianças. No entanto, eu não conseguia fugir de uma pergunta fundamental: para começo de conversa, por que aquelas crianças estavam lá fora? Onde estavam os pais? Por que não as mantiveram dentro de casa? Aqueles meninos e meninas deveriam estar sentados em suas carteiras na escola, não correndo pelas ruas, atirando pedras em militares armados.

— Por que vocês mandam crianças para a morte? — perguntei ao meu pai depois de um dia de confrontos sangrentos.

— Nós não mandamos as crianças — ele respondeu. — Elas é que querem ir. Veja os seus irmãos.

Senti um arrepio na espinha.

— Se eu souber que um dos meus irmãos saiu para atirar pedras, quebro o braço dele — eu disse. — Prefiro que sofra com um braço quebrado a ele ser morto.

— É mesmo? Talvez esteja interessado em saber que eles saíram para atirar pedras ontem.

Ele falou de um jeito casual. Mas eu não conseguia acreditar que aquele era simplesmente um modo de vida para nós naquele momento.

Quatro dos meus irmãos não eram mais crianças. Sohayb tinha 21 anos e Seif, 18, idades em que já poderiam ser presos. Com 16 e 14 anos, Oways e Mohammad eram grandes o bastante para levar um tiro. Todos deveriam ter mais bom senso, porém, quando perguntei, eles negaram que haviam atirado pedras.

Depois, quando fui conversar com eles, disse num tom sério:
— Vocês já estão grandes, e nunca mais bati em vocês. Mas, se eu souber que estão atirando pedras nos israelenses, isso vai mudar.
— Você e o papai também participaram das manifestações — Mohammad protestou.
— Participamos, mas não atiramos pedras.

Em meio a tudo isso, em especial com os cheques gordos que chegavam do impiedoso ditador do Iraque, Saddam Hussein, o Hamas achou que havia perdido o monopólio dos atentados suicidas. Agora, também havia terroristas suicidas entre a Jihad Islâmica e as Brigadas dos Mártires de Al-Aqsa, os leigos, os comunistas e os ateus, todos competindo entre si para ver quem matava mais civis israelenses.

Havia sangue demais. Eu não conseguia dormir. Não conseguia comer. Não via mais aquilo apenas através dos olhos de um muçulmano ou de um palestino, nem mesmo como filho de Hassan Yousef; eu também via o conflito pela perspectiva dos israelenses. E, sobretudo, observava aquela matança insana através dos olhos de Jesus, que agonizara por aqueles que estavam perdidos. Quanto mais eu lia a Bíblia, mais clara uma verdade única se revelava para mim: amar e perdoar seus inimigos é a única maneira de realmente interromper o derramamento de sangue.

Porém, por mais que eu admirasse Jesus, não acreditava em meus amigos cristãos quando eles tentavam me convencer de que ele era Deus. Meu deus era Alá. Mas, conscientemente ou não, pouco a pouco eu estava adotando os ensinamentos de Jesus e rejeitando os de Alá. O que me afastava cada vez mais do islamismo era a hipocrisia que eu via à minha volta. De acordo com os ensinamentos do Islã, um servo devoto de Alá que se torna mártir vai direto para o paraíso. Não é submetido a questionamento por anjos estranhos nem é torturado no túmulo. No entanto, parecia que, de uma hora para outra, *qualquer um* assassinado pelos israelenses, fosse muçulmano não praticante, comunista ou até mesmo ateu, estava sendo tratado como um mártir sagrado. Em meio à dor da perda, os imãs e os xeiques diziam às famílias dos mortos: "Seu ente querido está no paraíso."

O Alcorão, é claro, não respaldava essa retórica. Quando se trata de definir quem vai para o céu e quem vai para o inferno, o livro sagrado dos muçulmanos é bem claro e não dá margem a dúvidas. No entanto, aqueles líderes pareciam não se importar. A questão não era transmitir a verdade ou respeitar a teologia islâmica, mas mentir para as pessoas a fim de obter vantagens estratégicas e recursos políticos. Era como se os líderes islâmicos estivessem dopando seu povo com mentiras para fazê-lo esquecer a dor que eles mesmos estavam causando.

À medida que o Shin Bet me passava mais informações, eu ficava surpreso com o que eles sabiam sobre as pessoas em minha vida, muitas vezes velhos amigos que haviam se tornado sujeitos perigosos. Muitos até integravam o núcleo dirigente da ala militar do Hamas, como Daya Muhammad Hussein Al-Tawil, um jovem bonito cujo tio era um dos líderes da organização.

Em todos os anos que mantive contato com ele, Al-Tawil nunca foi movido pelo fervor religioso. Na verdade, seu pai era comunista e nunca se envolveu com os preceitos do Islã. Do ponto de vista cultural, sua mãe era muçulmana, mas sem dúvida não era radical. Sua irmã era uma mulher moderna que não usava véu, tinha cidadania americana e cursara faculdade de jornalismo nos Estados Unidos. A família morava em uma bela casa e todos haviam estudado. Al--Tawil cursara engenharia na Universidade Birzeit e fora o primeiro da turma. Pelo que sei, ele jamais havia participado de alguma manifestação do Hamas.

Por causa de todos esses fatos, fiquei chocado quando, em 27 de março de 2001, soubemos que Al-Tawil havia cometido um atentado suicida, explodindo uma bomba presa a seu corpo, no cruzamento do Monte Francês, em Jerusalém. Apesar de nenhuma outra pessoa ter morrido, 29 israelenses ficaram feridos.

Al-Tawil não era um rapaz tolo que podia ser facilmente convencido a fazer algo daquele tipo. Não era um refugiado miserável que não tinha nada a perder. Não precisava de dinheiro. Então, o que o levara a fazer aquilo? Ninguém entendia. Seus pais ficaram perplexos, e eu também. Nem mesmo o serviço secreto israelense conseguia descobrir o motivo.

O Shin Bet me chamou para uma reunião de emergência. Os agentes me entregaram a fotografia de uma cabeça que fora arrancada do corpo e me pediram para identificá-la. Garanti que era de Al--Tawil. E voltei para casa com uma pergunta que não saía da minha cabeça: *Por quê?* Acho que ninguém jamais saberá a resposta. Ninguém previu aquilo, nem mesmo o tio do rapaz, líder do Hamas.

Al-Tawil foi o primeiro terrorista suicida da Intifada de Al--Aqsa. Seu ataque levou os agentes a acreditarem na existência de uma célula que, ao que tudo indica, agia de forma independente em algum lugar. O Shin Bet estava determinado a identificar os integrantes desse grupo antes que eles realizassem outro ataque.

Loai me mostrou uma lista de suspeitos. Eu conhecia os cinco primeiros nomes. Eram homens do Hamas que a ANP tinha libertado da prisão antes de começar a intifada. Arafat sabia que eles eram perigosos, mas, com o Hamas quase acabado, ele não via motivo para mantê-los presos.

Estava enganado.

O principal suspeito era Muhammad Jamal al-Natsheh, que ajudara a fundar o Hamas com meu pai e acabou se tornando o chefe de sua ala militar na Cisjordânia. Al-Natsheh era membro da maior família que morava nos territórios, portanto não temia nada. Com cerca de 1,80m, durão, forte e inteligente, era um verdadeiro guerreiro. Paradoxalmente, embora al-Natsheh nutrisse um ódio imenso pelos judeus, quando o conheci ele me pareceu um homem muito carinhoso.

Saleh Talahme, outro nome na lista, era um engenheiro elétrico muito inteligente e culto. Eu não sabia disso na época, mas nós dois nos tornaríamos amigos íntimos.

Ibrahim Hamed, outro nome da lista, liderava a ala de segurança na Cisjordânia. Aqueles três homens eram auxiliados por Sayyed al-Sheikh Qassem e Hasaneen Rummanah.

Atlético, pouco instruído e obediente, Sayyed era um bom seguidor. Hasaneen, por outro lado, era um artista jovem e bonito que tinha sido muito ativo no movimento estudantil islâmico, principalmente durante a Primeira Intifada, quando o Hamas tentava mostrar sua força nas ruas. Como líder da organização, meu pai trabalhara muito para conseguir libertá-los e devolvê-los a suas famílias. No dia em que Arafat os libertou, meu pai e eu fomos buscá-los na prisão, colocamos todos no nosso carro e os instalamos em um apartamento em Al-Hajal, em Ramallah.

Quando Loai me mostrou a lista, eu disse:

— Você não vai acreditar, mas conheço todos esses homens. E sei onde eles moram. Fui eu que os levei para um lugar seguro.

— Está falando sério? — ele perguntou com um grande sorriso. — Então, vamos capturá-los.

Quando eu e meu pai os pegamos na prisão, eu não fazia ideia de sua periculosidade nem de quantos israelenses haviam matado. Eu era uma das poucas pessoas no Hamas que sabia onde eles estavam.

Fui visitá-los, levando comigo os equipamentos de espionagem mais sofisticados do Shin Bet para que pudéssemos monitorar todos os seus movimentos, todas as suas palavras. Porém, assim que começamos a conversar, ficou claro que eles não me dariam nenhuma informação concreta.

Fiquei pensando que eles talvez não fossem os homens que estávamos procurando.

— Há algo de errado — eu disse a Loai. — Eles não revelaram nada. Não poderia ser outra célula?

— Até poderia — ele admitiu. — Mas aqueles homens têm um histórico de assassinatos e ataques. Precisamos continuar a vigiá-los até obtermos o que precisamos.

De fato, eles tinham um histórico, mas aquilo não era suficiente para prendê-los. Precisávamos de provas concretas, então continuamos pacientemente a coletar informações. Não queríamos cometer um erro grave e pegar os homens errados, deixando os terroristas de verdade livres para detonar a próxima bomba.

• • •

Talvez minha vida não fosse suficientemente complicada, ou quem sabe parecesse uma boa ideia na época, mas, naquele mesmo mês, passei a trabalhar no Escritório do Programa de Água e Saneamento Básico da Agência dos Estados Unidos para o Desenvolvimento Internacional (a USAID, na sigla em inglês), com sede em Al-Bireh. O nome da instituição era, de fato, longo, porém perfeitamente adequado à importância do projeto. Como eu ainda não tinha diploma universitário, comecei como recepcionista.

Alguns dos cristãos do meu grupo de estudos da Bíblia haviam me apresentado a um dos gerentes americanos, que imediatamente simpatizou comigo e me ofereceu um emprego. Loai achou que seria um ótimo disfarce, porque minha nova carteira de identidade, carimbada pela embaixada dos Estados Unidos, me permitiria viajar livremente entre Israel e os territórios palestinos. O novo emprego também evitaria que as pessoas suspeitassem de todo o dinheiro de que eu dispunha para gastar.

Meu pai considerou uma ótima oportunidade e ficou grato ao governo americano por fornecer água potável e saneamento básico aos moradores daquela região. Na época, porém, ele não conseguia esquecer que os americanos também forneciam a Israel as armas usadas para matar os palestinos. Isso exemplifica os sentimentos ambivalentes que a maioria dos árabes tem em relação aos Estados Unidos.

Não deixei passar a oportunidade de fazer parte do maior projeto financiado por aquele país na região. Os meios de comunicação sempre pareciam focar as questões mais polêmicas: terra, independência e indenizações. No entanto, a água era um assunto muito mais importante do que a terra no Oriente Médio. As pessoas lutam por esse recurso desde que os pastores de Abraão brigaram com os de seu sobrinho, Ló. A principal fonte de água de Israel e dos territórios ocupados é o mar da Galileia, também conhecido como Genesaré ou Tiberíades, 213 metros abaixo do nível do mar Mediterrâneo.

A água sempre foi uma questão complicada na terra da Bíblia. Para o moderno Estado de Israel, a dinâmica mudou com as fronteiras da nação. Um dos resultados da Guerra dos Seis Dias, em 1967, por exemplo, foi Israel ter tomado da Síria as colinas de Golã. Isso garantiu ao governo israelense o controle de todo o mar da Galileia e, por conseguinte, do rio Jordão e de todos os outros mananciais e córregos que são seus afluentes ou defluentes. Violando as leis internacionais, Israel desviou, por meio de seu Aqueduto Nacional, a água do Jordão que abastecia a Cisjordânia e a Faixa de Gaza, fornecendo aos cidadãos e colonos israelenses mais de três quartos da água dos aquíferos da Cisjordânia. Os Estados Unidos gastaram centenas de milhões de dólares cavando poços e estabelecendo fontes independentes de água para o meu povo.

A USAID era, na verdade, mais do que um disfarce para mim. Os homens e as mulheres que trabalhavam lá se tornaram meus amigos. Eu sabia que Deus havia me dado aquele emprego. Era política da USAID não empregar ninguém que tivesse engajamento político, muito menos uma pessoa cujo pai liderava uma importante organização terrorista. Entretanto, por algum motivo, meu chefe decidiu me manter no emprego. Sem que ele nunca soubesse, sua bondade logo seria recompensada.

Por causa da intifada, o governo dos Estados Unidos permitia que seus funcionários entrassem na Cisjordânia apenas para passar o dia e realizar algum trabalho. Mas isso significava que eles tinham de atravessar perigosos postos de controle. Na verdade, estariam mais seguros morando na Cisjordânia do que enfrentando diariamente o perigo dos postos de controle e dirigindo jipes americanos com adesivos de identificação amarelos de Israel. O palestino comum não distinguia entre quem ia ajudar e quem ia matar.

Caso estivessem planejando uma operação que fosse colocar o pessoal da USAID em perigo, as Forças de Defesa de Israel sempre avisavam a agência, mas o Shin Bet não emitia tais avisos. Afinal, éramos um serviço secreto. Se ficassem sabendo que um fugitivo estava indo de Jenin para Ramallah, por exemplo, os agentes davam início a uma operação sem aviso prévio.

Ramallah era uma cidade pequena. Durante essas operações, tropas de segurança vinham de todas as direções. As pessoas armavam barricadas nas ruas com carros e caminhões e ateavam fogo a pneus. O ar ficava impregnado de fumaça preta. Agachados, atiradores procuravam se abrigar onde podiam, alvejando o que estivesse no caminho. Jovens atiravam pedras. Crianças choravam. Nas ruas, sirenes de ambulâncias se misturavam aos gritos das mulheres e aos estampidos de fuzis e metralhadoras.

Pouco depois de eu ter começado a trabalhar para a USAID, Loai me avisou que as forças de segurança entrariam em Ramallah no dia seguinte. Liguei para meu gerente americano e o alertei para não ir à cidade e aconselhar todos a ficar em casa. Disse que não podia revelar como havia conseguido aquela informação, mas tentei convencê-lo a acreditar em mim. Ele acreditou. Provavelmente imaginou que eu dispunha de informações sigilosas por ser filho de Hassan Yousef.

No dia seguinte, Ramallah estava em chamas. As pessoas corriam pelas ruas, abrindo fogo no que aparecesse pela frente. Carros eram incendiados e vitrines eram quebradas, deixando as lojas vulneráveis a bandidos e saqueadores. Depois de assistir ao noticiário, meu chefe me disse:

— Por favor, Mosab, toda vez que algo assim for acontecer novamente, me avise.

— Tudo bem — respondi —, mas com uma condição: não me faça perguntas. Se eu disser para você não vir trabalhar, simplesmente não venha.

Capítulo 19
SAPATOS
2001

A Segunda Intifada parecia prosseguir sem uma pausa para tomar fôlego. Em 28 de março de 2001, um atentado suicida matou dois adolescentes em um posto de gasolina. Em 22 de abril, um terrorista matou, além de si mesmo, uma pessoa e feriu cerca de outras 50 em um ponto de ônibus. No dia 18 de maio, cinco civis foram mortos e mais de 100 ficaram feridos em um atentado suicida a bomba do lado de fora de um shopping em Netanya.

Às 23h26 de 1º de junho, um grupo de adolescentes estava numa fila, conversando, rindo e se divertindo, ansiosos para entrar na Dolphinarium, uma discoteca popular de Tel Aviv conhecida como Dolphi. A maioria era da ex-União Soviética, tendo imigrado para Israel recentemente com os pais. Saeed Hotari também estava na fila, mas era palestino e um pouco mais velho. Estava envolto em explosivos e fragmentos metálicos.

Os jornais não classificaram o ataque na Dolphinarium como atentado suicida a bomba. Chamaram-no de massacre. Muitos adolescentes foram dilacerados por pequenas esferas de aço e pelo impacto da explosão. Foram muitas as vítimas: 21 mortos, 132 feridos.

Nenhum terrorista suicida jamais havia matado tanta gente em um único ataque. Os vizinhos de Hotari na Cisjordânia felicitaram seu pai.

— Espero que meus outros três filhos façam o mesmo — declarou o Sr. Hotari a um repórter. — Gostaria que todos os membros da minha família, todos os meus parentes, morressem pela minha nação e pela minha pátria.⁶

Israel estava mais determinado do que nunca a cortar a cabeça da cobra. No entanto, já deveria ter entendido que, se prender os líderes das facções em nada ajudava a deter o derramamento de sangue, assassiná-los provavelmente também não traria bons resultados.

Jamal Mansour era jornalista e, como meu pai, fizera parte do grupo dos sete fundadores do Hamas. Ele era um de seus melhores amigos. Os dois foram juntos para o exílio no sul do Líbano. Conversavam e riam ao telefone quase diariamente. Ele também era o principal defensor dos atentados suicidas. Em uma entrevista à *Newsweek* em janeiro de 2001, defendeu o assassinato de civis desarmados e elogiou os terroristas.

Em 31 de julho, uma terça-feira, depois da informação passada por um colaborador, dois helicópteros Apache se aproximaram do escritório de Mansour em Nabulus. Dispararam três mísseis guiados por laser contra a janela do seu escritório no segundo andar. Mansour, o líder do Hamas Jamal Salim e seis outros palestinos foram incinerados pelas explosões. Duas crianças, de 8 e 10 anos, que tinham ido se consultar com o médico no andar de baixo, também morreram, esmagadas pelos escombros.

Aquilo parecia loucura, então liguei para Loai.

— Que diabos está acontecendo? Tem certeza de que aqueles homens estavam envolvidos em atentados suicidas? Sei que eles apoiavam os ataques, mas faziam parte da ala política do Hamas junto com meu pai, não da ala militar.

— Sim. Temos informações de que Mansour e Salim estavam diretamente envolvidos no massacre da Dolphinarium. Suas mãos estavam manchadas de sangue, por isso tínhamos de fazer isso.

O que eu podia fazer? Discutir? Dizer que ele não tinha as informações certas? De repente, percebi que o governo israelense também devia estar decidido a matar meu pai. Embora não tivesse organizado os atentados suicidas, ele, de qualquer maneira, era culpado por ter ligações com os envolvidos no massacre. Além disso, ele tinha informações que poderiam ter salvado vidas e não as divulgara. Meu pai tinha influência, mas não sabia usá-la. Poderia ter tentado deter a matança, mas não o fizera. Apoiava o movimento e incentivava seus integrantes a manter a oposição até que os israelenses fossem obrigados a se retirar. Aos olhos do governo israelense, ele também era um terrorista.

Com toda a leitura da Bíblia, eu estava comparando as ações do meu pai aos ensinamentos de Jesus em vez de aos ensinamentos do Alcorão. Cada vez menos ele parecia um herói para mim, e isso me entristecia. Eu queria contar a ele o que estava aprendendo, mas sabia que ele não ouviria. E, se os israelenses conseguissem o que queriam, meu pai nunca teria a oportunidade de ver como o Islã o havia levado para o caminho errado.

Eu me consolava com a ideia de que ele estaria a salvo, pelo menos por algum tempo, por causa da minha ligação com o Shin Bet. Eles o queriam vivo tanto quanto eu, por motivos diferentes, é claro. Para o serviço interno de inteligência de Israel, ele era a principal fonte de informações sigilosas sobre as atividades do Hamas. Obviamente, eu não podia explicar isso a ele, do contrário até mesmo a proteção do serviço secreto israelense poderia acabar sendo perigosa. Afinal de contas, seria muito suspeito se todos os outros líderes do Hamas fossem forçados a se esconder e meu pai pudesse caminhar livremente pelas ruas. Eu precisava pelo menos tentar protegê-lo. Fui imediatamente ao seu escritório e avisei que o que havia acabado de acontecer com Mansour também poderia facilmente acontecer com ele.

— Livre-se de todo mundo. Livre-se dos seus guarda-costas. Feche o escritório. Não volte mais aqui.

Sua reação foi a que eu esperava:

— Vou ficar bem, Mosab. Colocaremos chapas de aço nas janelas.

— Está louco? Saia daqui agora! Os mísseis deles atravessam tanques e prédios, e você acha que vai estar protegido com uma chapa de metal? Se você conseguisse lacrar as janelas, eles entrariam pelo teto. Venha, vamos embora!

Eu não podia culpá-lo por se recusar a sair. Ele era um líder religioso e um político, não um militar. Não fazia ideia do exército ou dos assassinatos. Não tinha conhecimento de tudo o que eu sabia. Finalmente, concordou em ir embora comigo, embora eu soubesse que ele não estava satisfeito.

No entanto, não fui só eu que cheguei à conclusão de que Hassan Yousef, o velho amigo de Mansour, pela lógica seria o próximo alvo. Enquanto caminhávamos pela rua, todos à nossa volta pareciam preocupados. Apertavam o passo e olhavam ansiosos para o céu, como se estivessem tentando se afastar de nós o mais depressa possível. Eu sabia que, assim como eu, eles estavam atentos, tentando ouvir o barulho de helicópteros se aproximando. Ninguém queria acabar se ferindo ou morrendo por estar perto dele.

Levei meu pai para o City Inn Hotel e pedi que permanecesse lá.

— Muito bem, o rapaz da recepção vai mudar você de quarto a cada cinco horas. Preste atenção ao que ele disser. Não leve ninguém para o quarto. Não telefone para ninguém, só para mim, e não saia deste lugar. Tome, este é um telefone seguro.

Assim que saí, informei aos agentes do Shin Bet onde ele estava.

— Muito bem. Mantenha-o lá, longe de encrencas.

Para isso, eu precisava saber onde ele estava a cada instante. Precisava conhecer todos os seus movimentos. Dispensei todos os guarda-costas, já que eu não podia confiar em ninguém. Precisava que meu pai confiasse totalmente em mim. Senão era quase certo que ele acabaria cometendo um erro que lhe custaria a vida. Eu me tornei seu assistente, guarda-costas e guardião. Supria todas as suas necessidades. Ficava de olho em tudo o que acontecia em qualquer lugar perto do hotel. Eu era seu contato com o mundo externo e vice-versa. Aquela minha nova ocupação tinha o benefício adicional de me livrar de qualquer suspeita de espionagem.

Comecei a interpretar o papel de líder do Hamas. Carregava um fuzil M16, que me identificava como um homem que desfrutava de posses, boas relações e autoridade. Naquela época, havia grande demanda e pouca oferta de armas daquele tipo – meu fuzil de ataque, por exemplo, valia 10 mil dólares. Eu me aproveitava muito do meu relacionamento com o xeique Hassan Yousef.

Os homens da ala militar do Hamas começaram a andar comigo só para se mostrar. Como achavam que eu conhecia todos os segredos da organização, sentiam-se à vontade para dividir seus problemas e suas frustrações comigo, achando que eu poderia ajudá-los.

Eu os ouvia atentamente. Eles não faziam ideia de que estavam me dando pequenas informações que eu juntava para ter uma visão muito mais ampla da situação. As revelações que chegavam até mim levaram a mais operações do Shin Bet do que eu seria capaz de descrever em um único livro. Só posso dizer que muitas vidas inocentes foram salvas graças àquelas conversas. Em razão dos atentados suicidas que fomos capazes de evitar, menos mulheres perderam seus maridos no conflito e menos crianças se tornaram órfãs.

Ao mesmo tempo, ganhei confiança e respeito dentro da ala militar e, também para as outras facções palestinas, me tornei o integrante do Hamas a ser procurado em caso de necessidade. Eu era a pessoa que eles esperavam que pudesse fornecer explosivos e coordenar ações com aquela organização.

Um dia, Ahmad al-Faransi, assistente de Marwan Barghouti, pediu que eu conseguisse explosivos para vários terroristas suicidas de Jenin. Eu disse que conseguiria e comecei a entrar no jogo, enrolando até poder descobrir as células dos terroristas na Cisjordânia. Jogadas desse tipo eram muito perigosas, mas eu sabia que estava protegido em várias frentes. O simples fato de ser o filho mais velho do xeique Hassan Yousef me mantivera a salvo da tortura a que o próprio Hamas submetia seus membros na prisão e me protegia quando eu trabalhava no meio de terroristas. Meu emprego na USAID também me dava certa proteção e liberdade. E o Shin Bet sempre me proporcionava cobertura.

No entanto, a Autoridade Nacional Palestina era sempre uma ameaça, e um erro qualquer poderia ter custado minha vida. Ela dispunha de alguns dispositivos de escuta eletrônica bastante sofisticados que haviam sido fornecidos pela CIA. Às vezes, eles os usavam para descobrir nossos terroristas. Outras vezes, para desmascarar colaboradores. Então, eu precisava ser muito cauteloso, principalmente para não cair nas mãos dos membros da ANP, já que eu, mais do que qualquer outro agente, sabia muito sobre a maneira como o Shin Bet operava.

Eu me tornei o único interlocutor com acesso ao meu pai, e passei a ter contato direto com todos os líderes do Hamas na Cisjordânia, na Faixa de Gaza e na Síria. A única pessoa que tinha esse mesmo nível de acesso era Khalid Meshaal, em Damasco. Nascido na Cisjordânia, mas tendo passado a maior parte da vida em outros países árabes, se filiara à Irmandade Muçulmana kuwaitiana e estudara física na Universidade do Kuwait. Depois da fundação do Hamas, Meshaal passara a chefiar a divisão da organização naquele país. Após a invasão iraquiana, mudara-se para a Jordânia, para o Qatar e, por fim, para a Síria.

Por viver em Damasco, ele não estava sujeito às restrições de movimentação impostas aos líderes do Hamas nos territórios palestinos. Então, se tornou uma espécie de diplomata, representando a organização no Cairo, em Moscou e na Liga Árabe. Durante suas viagens, ele angariava fundos – só em abril de 2006, captou 100 milhões de dólares no Irã e no Qatar.

Meshaal não fazia muitas aparições em público, vivia em lugares secretos e não podia voltar aos territórios ocupados porque temia ser assassinado. Ele tinha boas razões para agir com cautela.

Em 1997, quando Meshaal ainda estava na Jordânia, agentes secretos israelenses invadiram seu quarto e injetaram um veneno raro no seu ouvido enquanto ele dormia. Seus guarda-costas viram os homens saindo do edifício e um deles foi verificar se estava tudo bem com Meshaal. Não viu sangue, mas percebeu que seu líder estava caído no chão e não conseguia falar. O guarda-costas perseguiu os agentes israelenses e um deles caiu em um bueiro aberto. Os outros foram capturados pela polícia jordaniana.

Pouco tempo antes, Israel havia firmado um acordo de paz e restabelecido relações com a Jordânia e aquele ataque malogrado punha em risco o novo arranjo diplomático. O Hamas ficara constrangido pelo fato de um de seus principais líderes ter sido atingido tão facilmente. A história tinha sido humilhante para todas as partes envolvidas, portanto, todos tentaram acobertá-la. No entanto, a imprensa internacional de alguma maneira a descobriu.

Manifestações tomaram as ruas da Jordânia e o rei Hussein exigiu que Israel libertasse o xeique Ahmed Yassin, o líder espiritual do Hamas, e outros prisioneiros palestinos em troca dos humilhados agentes do Mossad. Além disso, o serviço secreto internacional israelense deveria enviar uma equipe médica imediatamente para injetar em Meshaal o antídoto do veneno. Israel aceitou, relutante.

Meshaal me ligava pelo menos uma vez por semana. Em outras ocasiões, saiu de reuniões muito importantes para atender meus telefonemas. Um dia, o Mossad ligou para o Shin Bet:

– Tem uma pessoa muito perigosa de Ramallah que fala com Khalid Meshaal toda semana, mas não conseguimos descobrir quem é!

É claro que estavam falando de mim. Todos nós rimos da situação e o Shin Bet decidiu não revelar nada sobre mim ao Mossad. Parece que há competição e rivalidade entre as agências de segurança em todos os países, como acontece com o FBI, a CIA e a Agência Nacional de Segurança nos Estados Unidos.

Um dia, decidi tirar proveito da minha relação com Meshaal. Disse a ele que tinha informações muito importantes que não podiam ser passadas pelo telefone.

— Tem alguma maneira secreta para entregá-las? – ele perguntou.

— Claro. Ligo para você daqui a uma semana e informo os detalhes.

Normalmente, as pessoas que viviam nos territórios ocupados e em Damasco se comunicavam entregando cartas a alguém que não tivesse ficha policial nem ligação conhecida com o Hamas, e essa pessoa levava a correspondência de um lugar a outro. Essas cartas eram escritas em papel muito fino, enroladas até ficarem bem pequenas e, depois, colocadas dentro de uma cápsula de remédio ou simplesmente amarradas com fio de náilon. Pouco antes de cruzar a fronteira, o portador engolia a cápsula e depois a regurgitava em um banheiro do outro lado. Às vezes, um portador tinha de levar até 50 cartas de uma só vez. Naturalmente, essas "mulas" não tinham a menor ideia do conteúdo das correspondências.

Decidi fazer algo diferente e abrir um novo canal secreto com nossos líderes, ampliando assim meu acesso do nível pessoal aos níveis operacional e de segurança.

O Shin Bet adorou a ideia.

Escolhi um integrante local do Hamas e ordenei que ele me encontrasse no velho cemitério no meio da madrugada. Para impressioná-lo, apareci carregando meu fuzil M16.

— Quero que você realize uma missão muito importante – eu disse.

Claramente aterrorizado, mas empolgado, ele prestou a máxima atenção a todas as palavras do filho de Hassan Yousef.

– Você não pode falar sobre isso com ninguém, nem mesmo com a sua família ou com seu líder local do Hamas. A propósito, quem é o seu líder?

Pedi que ele escrevesse toda a sua história no Hamas, tudo o que sabia, antes que eu revelasse algo mais sobre a missão. Ele não conseguia escrever tudo com a rapidez suficiente. E eu não podia acreditar na quantidade de informações que ele me passou, o que incluía novidades sobre todos os movimentos em sua área.

Tivemos um segundo encontro e eu avisei que ele seria mandado para fora da Palestina.

– Aja exatamente do jeito que eu disser – avisei – e não faça perguntas.

Contei a Loai que o sujeito estava envolvido até o pescoço com o Hamas, então, se a organização resolvesse inspecioná-lo, encontraria um integrante muito participativo e leal. O Shin Bet fez suas próprias verificações, o aprovou e permitiu que ele atravessasse a fronteira.

Escrevi uma carta informando Khalid Meshaal de que eu tinha todas as chaves para a Cisjordânia e que ele podia confiar em mim para realizar missões especiais e complicadas que não pudessem ser delegadas a canais convencionais do Hamas. Disse que estava pronto para receber suas ordens e garanti êxito.

O momento não poderia ser mais oportuno, já que Israel havia assassinado ou prendido a maioria dos líderes e ativistas do Hamas àquela altura. As Brigadas Al-Qassam estavam esgotadas e Meshaal contava com pouquíssimos recursos humanos.

No entanto, não instruí o portador a engolir a carta. Eu planejara uma missão mais sofisticada, até porque era mais divertido. Aos poucos, eu estava descobrindo que adorava aquele clima de espionagem, sobretudo com o serviço secreto de Israel abrindo o caminho.

Compramos para o portador roupas muito bonitas, um traje completo para que ele não direcionasse sua atenção aos sapatos nos quais, sem que ele soubesse, havíamos escondido a carta.

Ele vestiu as roupas e eu lhe dei dinheiro suficiente para a viagem e um pouco mais para que se divertisse na Síria. Informei que as pessoas que entrariam em contato com ele o reconheceriam apenas pelos sapatos e que, portanto, ele deveria permanecer calçado. Do contrário, achariam que ele era outra pessoa e estaria sujeito a grandes riscos.

Depois que o portador chegou à Síria, liguei para Meshaal e disse que em breve entrariam em contato com ele. Se alguma outra pessoa tivesse dito aquilo, ele teria suspeitado imediatamente e recusado o encontro. Porém aquele homem havia sido enviado por seu jovem amigo, o filho de Hassan Yousef. Então, ele acreditou que não tinha com o que se preocupar.

Quando eles se encontraram, Khalid pediu a carta.

– Que carta? – nosso portador perguntou.

Ele não sabia que estava levando uma correspondência.

Eu dera a Meshaal uma pista de onde procurar e ele encontrou o compartimento em um dos sapatos. Dessa maneira, um novo canal de comunicação foi estabelecido com Damasco, embora Meshaal não soubesse que, na verdade, o Shin Bet estava na escuta.

Capítulo 20
DIVIDIDO
Verão de 2001

EM 9 DE AGOSTO DE 2001, um pouco antes das duas da tarde, Izz al-Din Shuheil al-Masri, de 22 anos, se explodiu na movimentada pizzaria Sbarro, na esquina das ruas King George e Jaffa. Ele era de uma família abastada da Cisjordânia.

Cerca de cinco a 10 quilos de explosivos lançaram pregos, porcas e parafusos na multidão, matando 15 pessoas e mutilando outras 130. Esse ato terrível e o atentado a bomba na boate Dolphinarium, alguns meses antes, deixaram os cidadãos israelenses quase cegos de dor e raiva. O grupo ou a facção por trás daqueles ataques precisava ser identificado e detido antes que mais inocentes fossem mortos. Do contrário, os acontecimentos muito provavelmente sairiam do controle, causando mortes e pesar sem precedentes em toda a região.

Mais uma vez, os agentes do Shin Bet analisaram todos os detalhes do atentado, tentando ligá-lo aos cinco homens no esconderijo – Muhammad Jamal al-Natsheh, Saleh Talahme, Ibrahim Hamed, Sayyed al-Sheikh Qassem e Hasaneen Rummanah –, porém nenhuma das provas estabelecia uma relação entre eles e os atentados na Dolphinarium e na Sbarro.

Quem poderia ter fabricado aquelas bombas? Sem dúvida, não havia sido um estudante de química ou de engenharia, porque conhecíamos todos eles, suas notas e o que comiam no café da manhã.

Quem quer que estivesse fabricando aquelas bombas era um especialista, não parecia estar afiliado a nenhuma das facções palestinas e atuava fora do nosso radar. Esse sujeito era muito perigoso e, de alguma maneira, precisávamos encontrá-lo antes que ele fizesse mais bombas.

O que não notamos na época foi que o pessoal de Yasser Arafat havia recebido um telefonema da CIA logo depois do atentado na Sbarro.

– Sabemos quem fabricou as bombas. O nome dele é Abdullah Barghouti e ele mora com um parente chamado Bilal Barghouti – disseram os americanos, informando o endereço. – Vão lá e prendam os dois.

Em poucas horas, Abdullah e Bilal Barghouti estavam sob a custódia da Autoridade Nacional Palestina. Não queriam prendê-los, mas, para manter o fluxo de dinheiro e o apoio logístico de Washington, Arafat sabia que a ANP precisava pelo menos *aparentar* estar fazendo a sua parte a fim de garantir a paz. Acho que Arafat teria preferido brindar Abdullah com uma medalha a lhe dar uma sentença de prisão.

Logo depois que Abdullah foi confortavelmente instalado no Quartel-General de Segurança Preventiva, outro Barghouti, Marwan, apareceu para tirá-lo de lá. A ANP não podia soltar o sujeito, porque a CIA o havia entregado de bandeja e os Estados Unidos esperavam que os palestinos assumissem a responsabilidade por mantê-lo preso. Israel esperava a mesma coisa e, sem dúvida, tomaria providências decisivas se a ANP não cumprisse seu dever. Então, Marwan deu comida, roupas e dinheiro a Abdullah, e o manteve em uma espécie de prisão domiciliar: ele trabalhava em um belo escritório, fumava, tomava café e conversava com altos oficiais da segurança.

Apesar de não serem parentes, Marwan e Abdullah tinham em comum uma história interessante. Ambos estavam ligados a um louco varrido de 23 anos chamado Muhaned Abu Halawa, que havia sido tenente de Ahmad Ghandour. Halawa era comandante de operações do Fatah e integrante da Força 17. Quando pensamos em tropas de elite como a Força 17 e a Guarda Republicana de Saddam Hussein, disciplina, habilidade e treinamento rígido vêm à nossa mente. Mas Halawa não correspondia a esse modelo. Ele era um homem ignorante e imprevisível que costumava levar consigo uma metralhadora enorme do tipo que normalmente é fixado em jipes. Com frequência, Halawa distribuía armas para outros extremistas e militantes repulsivos, que as usavam ao passar por postos de controle, atirando indiscriminadamente em soldados e civis.

Em maio, por exemplo, ele deu a um homem dois fuzis AK-47 carregados e um saco de munição. Pouco tempo depois, esse sujeito e mais um amigo armaram uma emboscada em uma estrada que saía de Jerusalém e crivaram 13 balas em um monge grego ortodoxo chamado Tsibouktsakis Germanus. Halawa recompensou os assassinos com mais armas para um ataque que estava planejando à Universidade Hebraica, no Monte dos Profetas, em Jerusalém.

Evidentemente, não demorou muito até Israel pressionar o Shin Bet para tirar Halawa de ação de uma vez por todas. Por causa das minhas ligações com o Hamas, eu era o único no Shin Bet que podia identificá-lo. Porém, pela primeira vez na vida, eu estava enfrentando um dilema moral de verdade. Algo dentro de mim se opunha totalmente à ideia de matar aquele homem, por pior que ele fosse.

Fui para casa e peguei minha Bíblia, já gasta àquela altura. Procurei muito e não encontrei nenhuma passagem nela que concordasse com homicídios. No entanto, eu também não conseguiria lidar com o sangue que mancharia minhas mãos caso continuássemos a deixá-lo viver e matar outras pessoas. Eu me senti encurralado.

Continuei a pensar e a rezar para Deus Todo-Poderoso até que, finalmente, fiz uma prece: *Perdoe-me, Senhor, pelo que estou prestes a fazer. Perdoe-me. Esse homem não pode viver.*

– Muito bem – Loai me disse quando informei minha decisão. – Nós o pegaremos. Certifique-se apenas de que Marwan Barghouti não esteja no carro com ele.

Marwan não era apenas um palestino importante, era também um terrorista com muito sangue israelense em suas mãos. Por mais que o odiasse, o Shin Bet não queria assassiná-lo, porque assim ele se tornaria um mártir formidável.

Em 4 de agosto de 2001, eu estava sentado no meu carro, em frente ao escritório de Barghouti, quando vi Halawa entrar. Cerca de duas horas depois, ele saiu, entrou no seu Golf dourado e foi embora. Liguei para as forças de segurança e garanti aos agentes que Halawa estava sozinho.

De dentro de um tanque no topo de uma colina nas imediações, os soldados das Forças de Defesa de Israel observavam o carro de Halawa, esperando o momento apropriado para um disparo preciso e desimpedido, sem que houvesse civis por perto. O primeiro míssil perfurador de blindagem partiu em direção ao para-brisa, mas Halawa deve tê-lo visto, pois abriu a porta e tentou pular do veículo. Não foi rápido o bastante. O míssil explodiu e o jogou para fora do automóvel. Até meu carro, que estava a várias centenas de metros de distância, tremeu com a força da explosão. Um segundo míssil errou o alvo e atingiu a rua. O Golf estava em chamas, assim como Halawa, mas ele não estava morto. Ao vê-lo correr pelas ruas, gritando de dor enquanto as chamas envolviam seu corpo, meu coração disparou.

O que eu havia feito?

– O que você está fazendo? – o agente do Shin Bet gritou ao celular quando viu meu carro tão perto daquela cena. – Quer morrer? Saia daí!

Embora eu não devesse estar próximo do local do ataque, fui até lá para ver o que aconteceria. Eu me sentia responsável e me obriguei a testemunhar aquilo de que participara. Na verdade, foi uma idiotice. Se tivessem me visto, minha presença ali seria coincidência demais para que alguém acreditasse que eu não estava envolvido na tentativa de assassinato e eu certamente seria desmascarado.

Naquela noite, fui com meu pai e Marwan Barghouti ao hospital visitar Halawa. Seu rosto estava tão horrivelmente queimado que eu não conseguia olhar para ele. Mas o homem parecia fanático demais para morrer.

Durante vários meses, Halawa ficou escondido. Soube que ele havia se ferido acidentalmente com uma arma e sangrou tanto que quase morreu. No entanto, nem isso era suficiente para detê-lo, pois ele continuava a matar. Então, um dia, Loai me ligou.

– Onde você está?

– Em casa.

– Certo, fique aí.

Não perguntei o que estava acontecendo. Eu havia aprendido a confiar nas instruções de Loai. Algumas horas depois, ele ligou mais uma vez. Aparentemente, Halawa tinha ido comer com alguns amigos em um restaurante perto da minha casa. Um espião israelense o localizou e verificou sua identidade. Quando Halawa e os amigos saíram do estabelecimento, dois helicópteros surgiram no céu, lançaram mísseis e deram fim ao terrorista.

Depois do assassinato de Halawa, alguns membros das Brigadas dos Mártires de Al-Aqsa foram ao restaurante e encontraram um garoto de 17 anos que tinha sido uma das últimas pessoas a vê-lo antes de ele entrar no carro. O rapaz era órfão e não havia ninguém para protegê-lo. Então o torturaram, e ele confessou ter colaborado com os israelenses. Eles o mataram, amarraram seu corpo à traseira de um carro, o arrastaram pelas ruas de Ramallah e o penduraram na torre da praça.

Depois do episódio, os meios de comunicação protestaram com veemência, afirmando que Israel havia tentado matar Marwan Barghouti, o que, obviamente, não era verdade. Eu sabia que o Shin Bet tomara cuidado para não matá-lo. No entanto, todos acreditavam nos jornais e na rede de TV Al-Jazeera, por isso Marwan Barghouti resolveu se aproveitar politicamente do boato e começou a se vangloriar:

– É verdade, tentaram me assassinar, mas sou esperto demais para eles.

Quando Abdullah Barghouti ouviu a notícia na prisão, também acreditou e mandou ao assistente de Marwan algumas de suas bombas especiais com o intuito de que fossem usadas para desencadear uma vingança terrível contra os israelenses. Marwan ficou muito grato pelo gesto e sentiu que assumia uma dívida com Abdullah.

• • •

A chegada de Abdullah marcou uma mudança drástica no conflito entre Israel e a Palestina. Primeiro, porque suas bombas eram muito mais sofisticadas e devastadoras do que qualquer outra coisa já utilizada, tornando Israel mais vulnerável e aumentando a pressão para que o governo pusesse um fim aos atentados.

Segundo, a Intifada de Al-Aqsa não se restringia mais à Palestina. Abdullah era estrangeiro, nascera no Kuwait. Quem podia dizer se outras ameaças esperavam por Israel fora de suas fronteiras?

Terceiro, ele não era uma pessoa fácil de rastrear. Não era membro do Hamas nem integrava a Autoridade Nacional Palestina. Era somente Abdullah Barghouti, uma máquina de matar anônima e independente.

Logo após a prisão de Abdullah, a ANP pediu que Marwan conversasse com ele sobre futuros ataques que havia planejado.

– Tudo bem – ele disse. – Mandarei Hassan Yousef falar com ele.

Marwan sabia que meu pai tinha uma posição inabalável contra a corrupção política e ouvira falar dos seus esforços para fazer as pazes entre o Hamas e a ANP. Ele telefonou e meu pai concordou em ir falar com Abdullah.

O xeique Hassan Yousef nunca tinha ouvido falar de Abdullah Barghouti, que certamente não era um integrante do Hamas. No entanto, avisou:

– Se você planejou alguma ação, precisa contar à ANP para que possamos interrompê-la e aliviar um pouco a pressão que estamos sofrendo de Israel, pelo menos durante as próximas semanas. Se houver outra explosão como as que aconteceram na Dolphinarium e na Sbarro, Israel entrará com tudo na Cisjordânia. Vão endurecer com os líderes da ANP e pegarão você.

Abdullah admitiu ter enviado várias bombas a Nabulus, onde alguns combatentes estavam planejando distribuir os explosivos em quatro carros, cercar o automóvel em que seria conduzido o ministro das Relações Exteriores de Israel, Shimon Peres, e assassiná-lo. Também revelou que integrantes do Hamas no norte iam realizar atentados contra vários legisladores israelenses. Infelizmente, ele não sabia quem eram os terroristas, quais eram os alvos ou quem estava planejando o assassinato de Peres. Tudo o que ele tinha era um número de telefone.

Meu pai voltou para casa e me informou sobre o que ficara sabendo. Estávamos a par de informações sobre uma trama para assassinar uma das autoridades máximas de Israel. As consequências eram assustadoras.

Obviamente, só nos restava ligar para o contato de Abdullah. Nem Marwan Barghouti nem meu pai queriam que Abdullah usasse seus telefones. Todos sabíamos que os israelenses estariam na escuta e nenhum dos dois queria ter ligação alguma com as operações terroristas.

Então, me pai mandou que eu comprasse um telefone celular pré-pago do qual pudéssemos fazer a ligação e depois jogasse o aparelho fora. Comprei o telefone, anotei o número e o informei ao Shin Bet, para que a ligação pudesse ser rastreada.

Abdullah ligou para seu contato em Nabulus e mandou que ele interrompesse todas as operações até receber ordens contrárias. Assim que o serviço secreto israelense soube o que havia sido planejado, todos os ministros e membros do Knesset, o parlamento de Israel, tiveram sua segurança reforçada. Mas a situação só começou a se acalmar um pouco depois de alguns meses.

Enquanto isso, Marwan continuava a trabalhar para a libertação de Abdullah, não apenas porque havia recebido bombas fabricadas por ele, mas também porque, em liberdade, ele poderia matar mais israelenses. Além de ser um dos líderes da Segunda Intifada, Marwan Barghouti também era um terrorista que atirava em soldados e colonos.

Passado um tempo, a Autoridade Nacional Palestina acabou libertando Abdullah Barghouti, e o Shin Bet ficou furioso.

Foi nessa época que as coisas realmente enlouqueceram.

Capítulo 21
O JOGO
Verão de 2001 – primavera de 2002

EM 27 DE AGOSTO DE 2001, um helicóptero israelense disparou dois foguetes contra o escritório de Abu Ali Mustafa, secretário-geral da Frente Popular para a Libertação da Palestina. Sentado à sua mesa, ele foi atingido por um dos foguetes.

No dia seguinte, mais de 50 mil palestinos furiosos, entre os quais os familiares de Mustafa, compareceram ao seu funeral. Ele havia sido contrário ao processo de paz e ao Acordo de Oslo, embora fosse moderado como meu pai.

Israel atribuía a ele nove ataques com carros-bomba, mas isso não era verdade. Como meu pai, ele era um líder político, não militar. Eu tinha certeza de que Israel não possuía prova alguma contra ele, mas isso não fazia diferença. De qualquer modo, assassinaram Mustafa, talvez em retaliação pela carnificina na pizzaria Sbarro ou por causa do massacre na Dolphinarium. Era muito provável que simplesmente quisessem mandar uma mensagem a Yasser Arafat. Além do seu papel de liderança na FPLP, Mustafa também era integrante do Comitê Executivo da OLP.

Duas semanas depois, no dia 11 de setembro, 19 terroristas da Al-Qaeda sequestraram quatro aviões comerciais nos Estados Unidos. Dois foram jogados contra as torres do World Trade Center, em Nova York. Outro atingiu o Pentágono, em Washington. O quarto caiu em um campo no condado de Somerset, na Pensilvânia. No total, 2.973 pessoas morreram, além dos terroristas.

Enquanto a imprensa lutava para se manter a par dos acontecimentos inacreditáveis que se sucediam, eu e o mundo inteiro assistíamos sem parar aos relatos sobre o colapso das Torres Gêmeas, com as cinzas cobrindo as ruas próximas como uma nevasca em fevereiro. Senti vergonha quando vi imagens de crianças palestinas comemorando o ataque nas ruas de Gaza.

Os atentados também reduziram a causa palestina a cinzas enquanto o mundo protestava a uma só voz contra o terrorismo, qualquer que fosse, não importando sua motivação. Nas semanas seguintes, o Shin Bet começou a procurar lições a serem aprendidas dos escombros do que ficaria conhecido simplesmente como o fatídico 11 de Setembro.

Por que as agências de inteligência dos Estados Unidos não conseguiram evitar o desastre? Um dos motivos é porque operavam de forma independente e competiam entre si. Além disso, confiavam sobretudo na tecnologia e raramente montavam uma estratégia em que conseguissem recrutar terroristas para atuar como seus colaboradores. Essas táticas podiam ter funcionado bem durante a Guerra Fria, mas é bastante difícil combater ideais fanáticos com tecnologia.

O serviço interno de inteligência israelense, por outro lado, contava principalmente com recursos humanos, tendo à disposição inúmeros espiões em mesquitas, organizações islâmicas e em cargos de liderança, além de não enfrentar dificuldades para recrutar até mesmo os terroristas mais perigosos. Os agentes sabiam que precisavam de olhos e ouvidos infiltrados nas instituições do inimigo, além de mentes capazes de compreender seus motivos e suas emoções, bem como de unir as peças dos quebra-cabeças.

Os Estados Unidos não entendiam a cultura islâmica nem sua ideologia. Esse ponto fraco, associado a fronteiras abertas e falhas na segurança, os tornavam um alvo muito mais fácil do que Israel. Mesmo assim, embora meu papel como espião permitisse que o serviço secreto israelense tirasse centenas de terroristas das ruas, nosso trabalho não tinha condições de acabar com o terrorismo, nem mesmo em um país minúsculo como Israel.

Pouco mais de um mês depois, em 17 de outubro, quatro assassinos da Frente Popular para a Libertação da Palestina entraram no Hotel Hyatt, em Jerusalém, e mataram Rehavam Ze'evi, ministro do Turismo de Israel. Afirmaram que estavam se vingando do assassinato de Abu Ali Mustafa. Apesar de ocupar um ministério aparentemente apolítico, Ze'evi era um alvo óbvio. Ele defendia publicamente a política de tornar a vida tão miserável para os 3 milhões de pessoas que viviam na Cisjordânia e em Gaza a ponto de elas quererem se mudar para outros países árabes. Misturando suas metáforas, Ze'evi declarou uma vez a um repórter da Associated Press que alguns palestinos eram como "piolhos" que precisavam ser detidos, assim como combatemos "um câncer que se espalha dentro de nós".[7]

Pagando na mesma moeda, a matança recíproca continuava. Olho por olho, dente por dente.

Durante muitos anos, eu vinha dando duro para obter todas as informações possíveis a fim de ajudar o Shin Bet a deter o banho de sangue. Continuamos a vigiar Muhammad Jamal al-Natsheh, Saleh Talahme e os outros três sujeitos que eu escondera após terem sido libertados da prisão no quartel-general da Autoridade Nacional Palestina. Eles se mudaram várias vezes e apenas Saleh se manteve em contato comigo. Mas rastreamos os outros por meio de suas famílias, além de monitorar ligações feitas de telefones públicos.

Saleh confiava em mim, sempre me dizia onde estava morando e com frequência me convidava para visitá-lo. À medida que o fui conhecendo, percebi que realmente gostava dele. Ele era um homem incrível, um acadêmico brilhante, que se formou em primeiro lugar na sua turma de engenharia elétrica, tendo sido um dos melhores alunos da Universidade Birzeit. Para ele, eu era o filho de Hassan Yousef, um bom amigo e ouvinte.

Passei muito tempo com Saleh, sua esposa, Majeda, e seus cinco filhos (dois meninos e três meninas). O mais velho se chamava Mosab, como eu. Sua mulher e as crianças tinham saído de Hebron para Ramallah a fim de passar um tempo com Saleh em seu esconderijo. Na época, eu ainda estava tentando concluir a faculdade e, certa noite, ele me perguntou como andavam os estudos.

– Tem tido dificuldade em alguma matéria?
– Tenho sim, com estatística.
– Bem, não se preocupe. Traga o livro amanhã e estudaremos juntos.

Quando contei isso a Loai e aos outros no Shin Bet, eles ficaram contentes. Acharam que aquelas aulas particulares seriam um bom disfarce para obter informações sigilosas.

No entanto, não era totalmente um disfarce. Saleh e eu estávamos nos tornando amigos de verdade. Ele me explicou a matéria e tirou minhas dúvidas, e eu me saí muito bem na prova algumas semanas depois. Eu o adorava, assim como adorava seus filhos. Costumava fazer refeições com a família e, ao longo do tempo, um forte vínculo começou a se formar entre todos nós. Era um relacionamento estranho, porque eu sabia que Saleh se tornara um sujeito muito perigoso. No entanto, o mesmo havia acontecido comigo.

• • •

Certa noite, em março de 2002, eu estava em casa quando dois homens apareceram à porta.

Desconfiado, perguntei:
– Em que posso ajudar?
– Estamos procurando o xeique Hassan Yousef. É importante.

– O que vocês têm de importante para falar com ele?

Eles explicaram que eram dois dos cinco terroristas suicidas que haviam acabado de chegar da Jordânia. O contato deles fora preso e eles precisavam de um lugar seguro onde ficar.

– Muito bem, vocês vieram ao lugar certo – eu disse e perguntei do que precisavam.

– Temos um carro cheio de explosivos e bombas e precisamos escondê-lo em um local seguro.

Que ótimo, pensei. *O que vou fazer com um carro abarrotado de explosivos?* Eu precisava pensar rápido. Decidi guardar o automóvel na garagem ao lado da nossa casa. É claro que não foi uma das minhas ideias mais inteligentes, mas eu não tinha tempo para pensar.

– Tudo bem, fiquem com este dinheiro – eu disse, esvaziando minha carteira. – Procurem um lugar para ficar, voltem aqui à noite e pensaremos no que fazer.

Depois que eles partiram, liguei para Loai e, para meu alívio, agentes do Shin Bet foram até lá e levaram o carro.

Os cinco terroristas voltaram pouco tempo depois.

– Bom, a partir de agora, eu sou seu contato com o Hamas. Fornecerei alvos, locais, transporte, tudo de que precisarem. Não falem com mais ninguém, senão podem acabar morrendo antes de terem chance de matar algum israelense.

No que se refere a obter informações secretas, aquela situação era uma incrível coincidência. Até aquele momento, ninguém tomava conhecimento dos terroristas suicidas antes que eles detonassem os explosivos. De uma hora para outra, cinco deles haviam aparecido na minha casa com um carro repleto de bombas. Meia hora depois de eu ter informado a localização deles ao Shin Bet, o primeiro-ministro israelense Ariel Sharon autorizou que fossem assassinados.

– Vocês não podem fazer isso! – eu disse a Loai.

– Como não?

— Sei que eles são terroristas e estão prestes a cometer outro atentado, mas aqueles cinco homens não passam de ignorantes. Eles não sabem o que estão fazendo. Vocês não podem matá-los. Se os assassinarem, esta será minha última operação.

— Está nos ameaçando?

— Não, mas você sabe como eu trabalho. Abri uma exceção com Halawa, e você se lembra de como aquilo terminou. Não quero ser cúmplice de assassinatos.

— Quais são as outras opções?

— Vocês podem prendê-los — respondi, mas, ao dizer aquelas palavras, percebi que era uma ideia insana.

Tínhamos apreendido o carro e as bombas, mas aqueles homens ainda dispunham dos cintos com explosivos. Se um soldado chegasse a 100 metros do conjugado em que estavam, eles detonariam os cintos e matariam todos que estivessem próximos.

Mesmo que conseguíssemos capturá-los vivos, sem que ninguém mais morresse, eles certamente mencionariam meu nome aos interrogadores, e minha identidade como colaborador certamente seria revelada. Meu senso de autopreservação me informou que o mais seguro para todos os envolvidos era simplesmente permitir que um helicóptero disparasse alguns mísseis no esconderijo deles e pusesse fim àquela história.

No entanto, minha consciência estava passando por grandes transformações. Embora ainda não tivesse me convertido ao cristianismo, eu realmente estava tentando seguir os ensinamentos éticos de Jesus. Alá não tinha dificuldades em lidar com assassinatos; na verdade, ele até os encorajava. Jesus, porém, me mostrava uma maneira de agir e viver muito mais sublime. Descobri que não podia matar nem mesmo um terrorista.

Além disso, eu havia me tornado valioso demais para o Shin Bet para que eles corressem o risco de me perder. Eles não estavam satisfeitos com aquela situação, mas acabaram concordando em desistir do assassinato.

— Precisamos saber o que está acontecendo dentro daquele cômodo — me disseram.

Então, fui para o apartamento com o pretexto de levar aos terroristas alguns móveis simples. O que eles não sabiam era que havíamos colocado escutas dentro dos móveis, o que nos permitia ouvir cada palavra que eles diziam. Juntos, ouvimos quando discutiram quem seria o primeiro, o segundo, o terceiro, e assim por diante, a se detonar. Todos queriam ser o primeiro para não ver os amigos morrerem. Era macabro. Estávamos escutando homens que já se consideravam mortos.

Em 16 de março, tropas das forças de segurança foram acionadas. O apartamento em que os terroristas estavam escondidos ficava no centro de Ramallah, por isso o Exército israelense não podia usar tanques. A operação era muito perigosa porque as tropas tinham de entrar a pé na cidade. De casa, acompanhei o desenrolar da manobra, enquanto Loai falava comigo ao telefone e me mantinha informado de tudo o que estava acontecendo.

— Eles estão indo dormir.

Ficamos aguardando até que sons de ronco fossem ouvidos.

O maior risco era acordá-los antes da hora. Os soldados precisavam passar pela porta e chegar até as camas antes que um dos terroristas pudesse se mover.

Enquanto prestávamos atenção nos monitores tentando detectar o menor dos ruídos, como a mais leve interrupção dos roncos, um soldado prendeu uma carga explosiva na porta. Em seguida, deram o sinal.

A porta explodiu. Os soldados das forças especiais entraram correndo no apartamento, pegando todos os homens, exceto um. Ele pegou uma arma e pulou pela janela, mas já estava morto antes de tocar no chão.

Todos soltaram um suspiro de alívio, menos eu. Assim que puseram os homens no jipe, um deles mencionou meu nome, me expondo como colaborador.

Meus piores temores haviam se tornado realidade. Minha identidade fora revelada. E agora?

Loai tinha a solução. O Shin Bet simplesmente deportou o sujeito para a Jordânia e mandou seus amigos para a prisão. Então, enquanto aquele homem estava livre, se divertindo com a família, os outros três presumiram que ele havia sido o traidor, não eu. Foi uma ideia brilhante.

Eu havia escapado mais uma vez, mesmo que por um triz. Mas ficou claro que eu estava abusando da sorte.

...

Certo dia, recebi uma mensagem de Avi Dichter, diretor do Shin Bet, me agradecendo pelo trabalho que eu estava fazendo para a agência. Ele dizia que havia aberto os arquivos da guerra de Israel contra o terrorismo e encontrado referências ao Príncipe Verde em todos eles. Embora eu me sentisse lisonjeado, aquela mensagem também era um aviso, e eu o entendi, bem como Loai. Se eu continuasse a me envolver daquela maneira, acabaria morto. O meu rastro era longo demais e alguém certamente o notaria. De alguma maneira, minha imagem precisava ser "limpa".

Minha teimosia ao me recusar a permitir que os cinco suicidas fossem mortos havia posto em risco minha identidade como colaborador. Embora acreditassem que o terrorista que fora mandado de volta para a Jordânia fosse o responsável pelas prisões, todos também sabiam que Israel não hesitaria em capturar qualquer pessoa suspeita de fornecer ajuda a terroristas suicidas. E eu os ajudara muito. Então, por que não fui preso?

Uma semana após a prisão, a equipe do serviço de inteligência israelense me apresentou duas ideias que poderiam evitar que minha identidade como colaborador fosse revelada. Primeiro, poderiam me prender e me mandar de volta para a prisão. No entanto, eu temia que aquilo se tornasse uma sentença de morte para meu pai, que não teria mais a mim para protegê-lo das tentativas de assassinato por parte de Israel.

– A outra opção é entrarmos no jogo.
– Jogo? Que jogo?

Loai explicou que seria preciso montar uma operação que chamasse atenção, algo que tivesse muita visibilidade para convencer toda a Palestina de que Israel queria me ver preso ou morto. Para ser convincente, não poderia ser uma encenação. Tinha de ser real. As forças de segurança israelenses realmente teriam de tentar me capturar. Isso significava que o Shin Bet teria de manipulá-las, ou seja, teria de enganar seu próprio pessoal.

O Shin Bet deu às forças armadas israelenses apenas algumas horas para se prepararem para aquela importante operação. Alertaram que, como filho de Hassan Yousef, eu era um jovem muito perigoso porque tinha um forte vínculo com terroristas suicidas e podia estar armado com explosivos. Disseram que tinham informações seguras de que eu iria à casa dos meus pais naquela noite para visitar minha mãe. Ficaria lá pouco tempo e estaria armado com um fuzil M16.

Que imagem eles criaram para mim! Aquele era realmente um *jogo* elaborado.

As Forças de Defesa de Israel foram levadas a acreditar que eu era um importante terrorista que poderia desaparecer para sempre caso a operação não fosse bem-sucedida. Então, fizeram todo o possível para se certificar de que tudo daria certo. Agentes especiais disfarçados com vestimentas árabes, além de francoatiradores muito bem treinados, entraram na área em veículos palestinos, pararam a dois minutos da minha casa e esperaram um sinal. Tanques blindados ficaram estacionados a 15 minutos de distância, na fronteira territorial. Helicópteros equipados com metralhadoras estavam prontos para fornecer cobertura aérea caso houvesse algum problema com combatentes palestinos nas ruas.

Diante da casa do meu pai, eu estava sentado no meu carro à espera do telefonema do Shin Bet. Depois que atendesse, eu teria exatamente 60 segundos para fugir antes que as forças especiais cercassem a casa. Para mim, também não havia margem de erro.

Fiquei arrependido quando imaginei o terror que minha mãe e meus irmãos sentiriam em alguns instantes. Como sempre, eles teriam de pagar o preço por tudo o que eu e meu pai fazíamos.

Olhei para o belo jardim da minha mãe. Ela cultivava flores de todas as partes, pegando mudas de amigos e parentes sempre que possível, e cuidava delas como se fossem seus filhos.

— De quantas flores precisamos? — eu às vezes brincava com ela.

— Só mais algumas — era sempre sua resposta.

Eu me lembrei da vez que ela apontou para uma e disse:

— Essa planta é mais velha do que você, Mosab. Quando criança, você quebrou o vaso, mas eu consegui cuidar dela e ainda está viva.

Será que ainda estaria viva dali a alguns minutos, depois que os soldados as esmagassem sob seus pés?

Meu celular tocou.

O sangue afluiu para minha cabeça e meu coração disparou. Dei partida no motor e fui correndo para o centro da cidade, onde se localizava meu novo esconderijo. Eu não estava mais fingindo ser um fugitivo. Naquele exato momento, os soldados que preferiam me matar a me prender estavam me procurando. Um minuto após a minha partida, 10 carros civis com placas palestinas frearam com violência diante da casa dos meus pais. Agentes das forças especiais israelenses cercaram a residência com armas em punho, vigiando todas as portas e janelas. Na vizinhança havia muitas crianças na rua, entre as quais meu irmão Naser. Elas interromperam a partida de futebol e se dispersaram, aterrorizadas.

Assim que os soldados se posicionaram, mais de 20 tanques chegaram com grande estrondo. Àquela altura, toda a cidade sabia que algo estava acontecendo. Do meu esconderijo, eu ouvia os possantes motores a diesel. Centenas de militantes palestinos armados correram para a casa do meu pai e cercaram as Forças de Defesa de Israel. Mas não podiam atirar porque ainda havia crianças correndo para se esconder e também porque minha família estava lá dentro.

Com a chegada dos *fedayeen*, os helicópteros foram chamados.

De repente, me perguntei se errara ao poupar os terroristas suicidas. Se eu tivesse simplesmente deixado as forças israelenses jogarem uma bomba em cima deles, minha família e nossos vizinhos não estariam correndo risco naquele momento. Se um dos meus irmãos morresse naquele caos, eu nunca me perdoaria.

Para ter certeza de que nossa elaborada produção se tornaria um grande evento midiático global, avisei a Al-Jazeera de que haveria um ataque à casa do xeique Hassan Yousef. Todos achavam que Israel finalmente iria capturar meu pai e queriam transmitir sua prisão ao vivo. Imaginei qual seria a reação quando os megafones começassem a ressoar e os soldados exigissem que Mosab, o filho mais velho de Yousef, saísse com as mãos para o alto. Assim que cheguei ao meu apartamento, liguei o televisor e assisti ao drama junto com todo o mundo árabe.

O Exército obrigou minha família a sair de casa e a interrogou. Minha mãe contou que eu havia saído um minuto antes de eles chegarem. Obviamente, eles não acreditaram. Acreditavam nos agentes do Shin Bet, que armaram toda aquela encenação, as únicas pessoas além de mim que sabiam que o jogo começara. Quando não me entreguei, os soldados ameaçaram começar a disparar.

Durante 10 minutos de tensão, todos esperaram para ver se eu sairia e, caso saísse, se apareceria atirando ou com minhas mãos para o alto. Então, o tempo se esgotou. Os soldados abriram fogo e mais de 200 projéteis crivaram meu quarto no segundo andar da casa – as marcas das balas estão nas paredes até hoje. Não havia mais conversa. Eles obviamente tinham decidido me matar.

De repente, os disparos cessaram. Momentos depois, um míssil atravessou o ar com um zunido e explodiu metade de nossa casa. Soldados entraram correndo. Eu sabia que eles estavam revistando cada cômodo, mas não acharam nenhum cadáver ou fugitivo escondido.

As forças israelenses ficaram constrangidas e furiosas por eu ter escapado. Loai me avisou por telefone que, se me pegassem, abririam fogo imediatamente. Para mim e para o Shin Bet, porém, a operação foi um sucesso. Ninguém havia se ferido e eu agora fazia parte da lista dos mais procurados. A cidade inteira estava falando de mim. Da noite para o dia, eu me tornara um terrorista perigoso.

Nos meses seguintes, eu tinha três prioridades: ficar longe do Exército, proteger meu pai e continuar a coletar informações, nessa ordem.

Capítulo 22
ESCUDO DEFENSIVO
Primavera de 2002

A ESCALADA DE VIOLÊNCIA era atordoante. Israelenses levavam tiros, eram esfaqueados e vítimas de atentados a bomba. Palestinos eram assassinados. Era um círculo vicioso que girava cada vez mais rápido. E a comunidade internacional tentava, em vão, pressionar Israel.

— Acabem com a ocupação ilegal. Interrompam os bombardeios a áreas civis, os assassinatos, o uso desnecessário de força letal, as demolições e a humilhação diária a que são submetidos os cidadãos palestinos comuns — exigiu o secretário-geral da ONU Kofi Annan em março de 2002.[8]

No mesmo dia em que prendemos os quatro terroristas suicidas que evitei que fossem assassinados, líderes da União Europeia ligaram para Israel e para os palestinos numa tentativa de conter a violência.

— Não há solução militar para esse conflito — disseram.[9]

Em 2002, o *Pessach*, a Páscoa judaica, caiu no dia 27 de março. Em uma sala de jantar no térreo do Park Hotel, em Netanya, 250 hóspedes haviam se reunido para a tradicional cerimônia do *Seder*.

Abdel-Basset Odeh, de 25 anos, integrante do Hamas, passou pelo guarda da entrada, pela recepção e entrou no salão lotado. Em seguida, pôs a mão dentro do paletó.

A explosão matou 30 pessoas e feriu outras 140. Algumas das vítimas haviam sobrevivido ao Holocausto. O Hamas assumiu a responsabilidade, declarando que o propósito do ataque era obstruir a Reunião de Cúpula Árabe que estava sendo realizada em Beirute. Mesmo assim, no dia seguinte, a Liga Árabe, liderada pela Arábia Saudita, anunciou que aprovara por unanimidade o reconhecimento do Estado de Israel e a normalização das relações com esse país, desde que o governo israelense concordasse em recuar até as fronteiras existentes em 1967, resolver o problema dos refugiados e estabelecer um Estado palestino independente tendo Jerusalém Oriental como capital. Essas concessões de Israel teriam sido uma enorme vitória para o nosso povo se o Hamas não estivesse empenhado em levar adiante seu idealismo do tipo "ou tudo ou nada".

Ao reconhecer esse fato, Israel deu início ao planejamento de uma solução extrema.

Duas semanas antes, as autoridades haviam decidido testar o terreno para uma grande incursão nos territórios palestinos, com a invasão das cidades de Ramallah e Al-Bireh. Analistas militares alertaram para o grande número de baixas israelenses, mas não precisavam ter se preocupado.

As Forças de Defesa de Israel mataram cinco palestinos, impuseram toques de recolher e ocuparam alguns prédios. Enormes escavadeiras blindadas também demoliram várias casas no campo de refugiados de Al-Amari, entre as quais a de Wafa Idris, a primeira mulher a se tornar terrorista suicida, matando um israelense de 81 anos e ferindo outras 100 pessoas diante de uma sapataria em Jerusalém, em 27 de janeiro.

No entanto, depois do atentado no Park Hotel, a incursão de teste se tornou irrelevante. O conselho de ministros israelense deu sinal verde para que fosse lançada uma operação sem precedentes com o codinome Escudo Defensivo.

Meu telefone tocou. Era Loai.

– O que aconteceu? – perguntei.

– As forças de segurança estão se reunindo – Loai respondeu. – Esta noite, vamos prender Saleh e os outros fugitivos.

– Como assim?

– Vamos reocupar a Cisjordânia e revistar todas as casas e escritórios, por mais demorado que seja. Não saia daí. Volto a entrar em contato.

Puxa, pensei. *Isso é ótimo! Talvez essa guerra insana finalmente acabe.*

Boatos corriam pela Cisjordânia. Os líderes palestinos sabiam que algo estava para acontecer, mas não faziam ideia do quê. As pessoas saíram dos escritórios e das salas de aula e foram para casa esperar que a televisão desse alguma notícia. Eu havia transferido meu pai para a casa de dois cidadãos americanos e o Shin Bet me garantiu que ele estaria seguro lá.

Em 29 de março, me hospedei no City Inn Hotel, localizado na rua Nabulus, em Al-Bireh, onde jornalistas da BBC, da CNN e de outros veículos da imprensa internacional estavam alojados. Meu pai e eu mantínhamos contato via rádio.

O Shin Bet esperava que eu estivesse no hotel, comendo salgadinhos e vendo TV. Mas eu não queria perder algo tão importante. Queria estar a par de tudo, então pendurei meu fuzil M16 no ombro e saí. Tal como um fugitivo, fui para o topo da colina, perto da biblioteca de Ramallah, de onde eu podia avistar a parte sudeste da cidade, onde meu pai estava. Imaginei que aquele era um lugar seguro para mim e que eu poderia correr para o hotel assim que ouvisse a chegada dos tanques.

Por volta da meia-noite, centenas de tanques israelenses entraram com grande estrondo na cidade. Eu não esperava que eles viessem de todas as direções ao mesmo tempo ou que se movimentassem tão depressa. Algumas das ruas eram tão estreitas que os condutores dos tanques não tinham outra escolha a não ser passar por cima dos carros. Outras ruas eram suficientemente largas, mas os soldados pareciam gostar do barulho de metal sendo amassado embaixo dos trilhos dos tanques. Nos campos de refugiados, as ruas eram pouco mais do que becos entre casas de blocos de cimento que os tanques reduziam a pó.

– Desligue o rádio! – disse ao meu pai. – Não se levante e mantenha a cabeça abaixada!

Eu havia estacionado o Audi do meu pai no meio-fio e observei horrorizado quando um tanque o esmagou. Aquele carro de combate não deveria estar ali e eu não sabia o que fazer. Certamente, não ia telefonar para Loai e pedir que ele interrompesse a operação porque eu decidira bancar o Rambo.

Corri para o centro da cidade e me escondi em um estacionamento subterrâneo a alguns metros de um tanque que vinha em minha direção. Ainda não havia soldados pelas ruas, porque eles estavam esperando que os tanques garantissem a segurança naquela área. De repente, me dei conta de algo terrível. Várias facções da resistência palestina tinham escritórios no prédio que ficava bem em cima do estacionamento em que eu me encontrava. Eu me refugiara em um dos principais alvos.

Os tanques não sabem diferenciar colaboradores do Shin Bet de terroristas, cristãos de muçulmanos, combatentes armados de civis indefesos. Os jovens dentro daquelas máquinas estavam com tanto medo quanto eu. À minha volta, homens como eu atiravam nos tanques com seus fuzis AK-47. *Ping. Ping. Ping.* As balas ricocheteavam como brinquedos. *BUUM!* O tanque respondia com um estrondo, quase estourando meus tímpanos.

Enormes pedaços dos edifícios à nossa volta começaram a cair, formando montes fumegantes. Cada disparo de canhão era como um soco no estômago. O barulho das armas automáticas ecoava em todas as paredes. Em seguida, outra explosão e nuvens de poeira que impediam a visão. Estilhaços e pedaços de pedra e metal voavam para todo lado.

Eu precisava sair de lá. Mas como?

De repente, um grupo de guerreiros do Fatah entrou no estacionamento e se agachou à minha volta. Temi que aquilo não fosse acabar bem. E se os soldados israelenses entrassem naquele momento? Os *fedayeen* abririam fogo. Eu também atiraria? Em quem? Se eu não atirasse, eles me matariam de qualquer maneira. Mas eu não podia matar ninguém. Antes, eu talvez fosse capaz, mas, àquela altura, não conseguiria.

Mais guerreiros chegaram, chamando outros enquanto corriam. De repente, foi como se o tempo tivesse parado. Ninguém respirava.

Os soldados das Forças de Defesa de Israel abriram caminho com cautela até o estacionamento. Estavam se aproximando. Seja lá o que fosse ocorrer, aconteceria em questão de segundos. Suas lanternas procuravam o branco dos olhos ou o reflexo de uma arma. Eles escutavam atentamente. E nós observávamos. Tanto do lado israelense quanto do palestino, dedos suados repousavam sobre os gatilhos.

Foi então que algo inesperado aconteceu.

Talvez eles estivessem com medo de adentrar mais a garagem escura e úmida, ou talvez quisessem apenas se sentir seguros na companhia de um tanque. Por algum motivo, os soldados pararam, deram meia-volta e simplesmente foram embora.

Depois que eles saíram, subi e encontrei um lugar de onde podia ligar para Loai.

— Você poderia pedir que as forças de segurança recuem dois quarteirões para eu voltar para o meu hotel?

— O quê?! Onde você está? Por que não está no hotel?

— Estou fazendo meu trabalho.

— Você é louco!

Houve um silêncio constrangedor.

– Tudo bem, vou ver o que dá para fazer.

Passaram-se duas horas até que fossem deslocados tanques e soldados, que devem ter se perguntado por que haviam recebido ordens para recuar. Depois que eles saíram daquela área, quase quebrei a perna pulando de um telhado para outro até voltar ao meu quarto. Ao chegar lá, tranquei a porta, tirei a roupa e escondi meu traje de terrorista e minha arma no duto do ar condicionado.

Enquanto isso, a casa em que meu pai estava escondido ficara bem no meio do confronto. As forças de segurança procuraram dentro de todas as residências à sua volta, atrás de cada edifício e embaixo de cada pedra. No entanto, tinham ordens para não entrar naquela casa.

Lá dentro, meu pai, o proprietário da casa e sua mulher liam o Alcorão e faziam suas orações. Depois, sem motivo aparente, os soldados foram embora e começaram a vasculhar outra área.

– Você não vai acreditar nesse milagre, Mosab – meu pai me disse ao telefone mais tarde. – Foi incrível! Os soldados chegaram, revistaram todas as casas à nossa volta, vasculharam o bairro inteiro, menos o lugar onde estávamos. Alá seja louvado!

Não há de quê, pensei.

Desde a Guerra dos Seis Dias, não houve nada como a Operação Escudo Defensivo. E aquele era apenas o começo. Ramallah seria a primeira cidade a ser ocupada pela operação. Depois, viriam Belém, Jenin e Nabulus. Enquanto eu corria e fugia dos soldados israelenses, as Forças de Defesa de Israel cercaram o quartel-general de Yasser Arafat, bloqueando todas as saídas e impondo severos toques de recolher.

Em 2 de abril, tanques e veículos blindados cercaram o Centro de Segurança Preventiva perto da nossa casa em Betunia. Helicópteros equipados com metralhadoras pairavam no ar. Sabíamos que a Autoridade Nacional Palestina estava escondendo em seu quartel-general pelo menos 50 homens procurados, e o Shin Bet estava frustrado por não conseguir capturar ninguém em nenhum outro lugar.

O quartel-general de Arafat era composto por quatro prédios, além do edifício de quatro andares que abrigava o coronel Jibril Rajoub[10] e outros oficiais da segurança. Todas aquelas instalações haviam sido projetadas, construídas e equipadas pela CIA. A polícia fora treinada e armada também pela CIA, que até tinha escritórios lá. Centenas de policiais fortemente armados estavam lá dentro, além de vários prisioneiros, entre os quais Bilal Barghouti e outros integrantes da lista de procurados de Israel. O Shin Bet e as forças armadas israelenses não estavam para brincadeira. Por megafones, os militares anunciaram que o Exército explodiria o Edifício Um em cinco minutos e mandaram que todos saíssem.

Exatamente cinco minutos depois, *buum!*

– Saiam todos! – avisaram antes de explodir o Edifício Dois.

Buum! E fizeram o mesmo com os outros dois edifícios.

– Tirem as roupas – foi a ordem dada pelos megafones. Os israelenses não queriam correr o risco de alguém ainda estar armado ou com explosivos presos ao corpo. Centenas de homens ficaram nus. Depois, receberam macacões, foram embarcados em ônibus e levados para a Base Militar Ofer, ali perto, onde o Shin Bet descobriu o erro que cometera.

Sem dúvida, havia gente demais para ser presa, mas os israelenses só queriam mesmo os fugitivos. Haviam planejado fazer uma triagem dos detentos e soltar todos, exceto os que constavam da lista de suspeitos. O problema era que todos deixaram as roupas, com as respectivas carteiras de identidade, no quartel-general da ANP. Como as forças de segurança fariam a distinção entre os homens procurados e os policiais?

Ofer Dekel, superior do chefe de Loai, era o responsável pela operação. Ele ligou para Jibril Rajoub, que estava fora do quartel-general no momento do ataque. Dekel deu a Rajoub uma permissão especial para que ele pudesse passar com segurança pelas centenas de tanques e os milhares de soldados. Quando Rajoub chegou, Dekel perguntou se ele se importaria em indicar quais homens trabalhavam para ele e quais eram fugitivos. Rajoub respondeu que seria um prazer. Rapidamente, disse que os policiais eram os fugitivos e vice-versa, e o Shin Bet libertou todos os procurados.

– Por que você fez isso comigo? – Dekel perguntou depois de ter descoberto o que acontecera.

– Você acabou de explodir meus escritórios e meu quartel-general – explicou Rajoub calmamente.

Dekel também parecia ter esquecido que Rajoub havia sido ferido um ano antes, quando os tanques e os helicópteros das forças de segurança de Israel destruíram sua casa, tornando-o ainda menos propenso a fazer favores para os israelenses.

O Shin Bet estava profundamente constrangido. A única coisa que a agência podia fazer em retaliação era divulgar o relatório oficial que classificava Rajoub como traidor por entregar a Israel os homens procurados em um acordo mediado pela CIA. Dessa maneira, Rajoub perdeu seu poder e acabou como chefe da Associação Palestina de Futebol.

Sem dúvida foi um fiasco.

Durante as três semanas seguintes, os israelenses suspenderam o toque de recolher em algumas ocasiões e, em 15 de abril, durante uma dessas interrupções, pude levar comida e artigos de primeira necessidade para meu pai. Ele me disse que não se sentia seguro naquela casa e queria se mudar. Liguei para um dos líderes do Hamas e perguntei se ele sabia de algum lugar seguro onde Hassan Yousef poderia ficar protegido. Ele sugeriu que eu levasse meu pai para o local em que o xeique Jamal al-Taweel, outro importante fugitivo do Hamas, estava escondido.

Logo pensei que a prisão de al-Taweel certamente faria com que o Shin Bet se sentisse muito melhor a respeito da Operação Escudo Defensivo. Agradeci, mas disse:

– É melhor não colocarmos meu pai no mesmo lugar. Pode ser perigoso demais deixar os dois juntos lá.

Concordamos com relação a outro local e eu rapidamente instalei meu pai em seu novo esconderijo. Depois, liguei para Loai.

– Sei onde Jamal al-Taweel está se escondendo.

Loai não conseguia acreditar na notícia. Al-Taweel acabou preso naquela mesma noite.

No mesmo dia, também capturamos outro dos homens mais procurados pelas forças de segurança: Marwan Barghouti.

Embora Marwan fosse um dos líderes mais ardilosos do Hamas, sua captura, na verdade, se revelou bastante simples. Liguei para um dos seus guardas e falei depressa com ele ao telefone enquanto o Shin Bet rastreava a ligação. Posteriormente, Barghouti foi julgado por um tribunal civil e condenado a cinco penas consecutivas de prisão perpétua.

Enquanto isso, não passava um dia sem que a Operação Escudo Defensivo estivesse nas manchetes dos noticiários internacionais. Poucas eram elogiosas. Surgiram boatos de um massacre de grandes proporções em Jenin cuja veracidade ninguém pôde confirmar porque as Forças de Defesa de Israel bloquearam todas as entradas da cidade. O ministro palestino Saeb Erekat falou de 500 mortos. Esse número foi corrigido posteriormente para cerca de 50.

Em Belém, mais de 200 palestinos ficaram sitiados na Igreja da Natividade por cerca de cinco semanas. Depois que a poeira baixou e a maioria dos civis recebeu permissão para partir, oito palestinos foram mortos, 26 mandados para Gaza, 85 investigados pelas forças de segurança e libertados e os 13 mais procurados foram mandados para o exílio na Europa.

No total, durante a Operação Escudo Defensivo, quase 500 palestinos foram mortos, 1.500 feridos e aproximadamente 4.300 detidos pelas Forças de Defesa de Israel. Do outro lado, 29 israelenses morreram e 127 ficaram feridos. O Banco Mundial estimou os prejuízos em mais de 360 milhões de dólares.

Capítulo 23
PROTEÇÃO SOBRENATURAL
Verão de 2002

QUARTA-FEIRA, 31 DE JULHO DE 2002, foi um dia de muito calor, com a temperatura chegando a 39°C. No campus da Universidade Hebraica de Jerusalém, localizado no Monte dos Profetas, não havia aulas, mas alguns alunos ainda estavam fazendo provas e outros faziam fila para se matricular nos cursos de outono. Às 13h30, a Cafeteria Frank Sinatra estava lotada de pessoas que tomavam bebidas refrescantes e conversavam. Ninguém notou a bolsa que foi deixada lá por um pintor.

A forte explosão destruiu o local e matou nove pessoas, entre as quais cinco americanos, deixando outras 85 feridas, 14 delas em estado grave.

No mesmo dia, meu amigo Saleh desapareceu. Quando verificamos a localização dos outros quatro integrantes da nossa lista dos mais procurados, descobrimos que eles também haviam desaparecido sem deixar rastro, interrompendo até os contatos com os familiares. Conseguimos identificar a célula do Hamas que detonou a bomba e descobrimos que seus membros estavam dentro de Israel, não nos territórios ocupados. Eles possuíam carteiras de identidade azuis, israelenses, que lhes permitiam ir aonde quisessem. Cinco moravam em Jerusalém Oriental, eram casados, tinham boas famílias e bons empregos.

Durante a investigação, um nome veio à tona: Mohammed Arman, um homem que vivia em uma das aldeias de Ramallah. Sob tortura, Arman identificou o responsável pelo ataque à Universidade Hebraica de Jerusalém, afirmando que o conhecia apenas como "xeique".

Os interrogadores mostraram a Arman fotos de suspeitos de terrorismo, como aqueles livros com fotos de criminosos que existem nas delegacias americanas, e mandaram que ele apontasse o tal "xeique". Arman identificou uma fotografia de Ibrahim Hamed, nos fornecendo a primeira prova concreta do seu envolvimento com os atentados suicidas.

Viemos a saber mais tarde que, quando seu nome foi mencionado, Hamed usou o fato de ter sido identificado por Arman para proteger Saleh e os outros integrantes. Todos os membros das células sob seu comando haviam recebido instruções para, caso fossem capturados, culpá-lo por tudo, já que ele não tinha nada mais a perder. Então, naquele momento, a trilha terminava em Ibrahim Hamed. E ele estava desaparecido.

...

Nos meses após a Operação Escudo Defensivo, Ramallah esteve sob toque de recolher. As operações de Arafat foram praticamente interrompidas. A USAID suspendeu seus projetos e não permitia que os funcionários entrassem na Cisjordânia. Os postos de controle israelenses estrangulavam a cidade, deixando que apenas ambulâncias entrassem ou saíssem de lá. Eu era oficialmente um fugitivo. Tudo isso dificultava minha circulação por aquela área. No entanto, eu ainda tinha de me encontrar com os agentes do Shin Bet a cada duas semanas para falar das operações em andamento, sobre as quais não podíamos conversar ao telefone.

Eu também precisava de apoio emocional. A solidão era terrível. Eu me tornara um estranho na minha própria cidade. Não podia compartilhar a vida com ninguém, nem mesmo com minha família. E não podia confiar em nenhuma pessoa. Normalmente, Loai e eu nos encontrávamos em uma das casas do Shin Bet em Jerusalém, mas eu não podia mais sair de Ramallah. Além disso, não era mais seguro para mim ser visto nas ruas durante o dia. Nenhuma das opções habituais era possível.

Se chegassem em carros palestinos para me buscar, os integrantes das forças especiais corriam o risco de ser parados pelos *fedayeen* e desmascarados por causa do sotaque. Se os agentes de segurança com uniformes das Forças de Defesa de Israel fingissem me sequestrar, alguém poderia me ver pulando no jipe. Mesmo que funcionasse, quantas vezes poderíamos recorrer a essa artimanha?

Por fim, o Shin Bet sugeriu uma maneira mais criativa para nos encontrarmos. A Base Militar Ofer, que ficava cerca de 3,5 quilômetros ao sul de Ramallah, era uma das instalações de alta segurança de Israel. O local estava repleto de segredos e cercado de proteção. Os escritórios locais do Shin Bet ficavam lá.

– Muito bem – disse Loai. – A partir de agora, vamos nos encontrar em Ofer. Tudo o que você precisa fazer é forçar sua entrada.

Nós dois rimos. Depois percebi que ele estava falando sério.

– Se você for pego – ele explicou –, todos vão achar que estava tentando se infiltrar em uma importante instalação militar para planejar um ataque.

– *Se* eu for pego?

O plano era preocupante. Certa noite, quando chegou o momento de colocá-lo em prática, me senti como um ator em noite de estreia, prestes a pisar em um palco que nunca havia visto, trajando um figurino que nunca tinha usado, sem roteiro e sem ensaios.

Eu não sabia que o Shin Bet havia posicionado seus próprios agentes em duas guaritas que ladeavam o ponto do perímetro externo pelo qual eu deveria entrar. Também não sabia que outros agentes de segurança armados e equipados com dispositivos de visão noturna estavam de prontidão ao longo do meu caminho para me proteger caso alguém estivesse me seguindo, embora essa fosse uma hipótese improvável.

Eu continuava a pensar: *E se eu cometer um erro?*

Estacionei meu carro longe. Loai havia me orientado a vestir roupas escuras, não usar lanterna e levar algo parecido com um alicate. Respirei fundo.

Entrando na região das colinas, eu conseguia ver o brilho das luzes da base militar a distância. Durante certo tempo, uma matilha de vira-latas ficou latindo atrás de mim enquanto eu subia e descia pelo terreno acidentado. Os cachorros não eram problema, desde que não chamassem atenção indesejada.

Finalmente, cheguei à grade exterior e liguei para Loai.

– A partir do canto, conte sete postes – ele disse. – Depois, espere o meu sinal e comece a cortar.

Passei pelo que havia se tornado a antiga grade depois que uma outra tinha sido construída, no início da Segunda Intifada, cerca de sete metros mais para dentro da base.

Eu fora avisado dos porcos de guarda – isso mesmo, porcos de guarda! –, mas não os vi, então, não fez diferença. A área entre os perímetros externo e interno formava um corredor que, em qualquer outra base militar, seria patrulhado por pastores alemães ou alguma outra raça de cães de ataque muito bem treinados. Ironicamente, os israelenses, tão cuidadosos com as regras kosher, usavam porcos. É verdade.

Era como se a presença de porcos e a ameaça do possível contato com eles servisse de impedimento psicológico para qualquer terrorista em potencial que fosse muçulmano devoto. O Islã proíbe o contato com porcos com tanta veemência quanto o judaísmo ortodoxo, talvez até mais.

Nunca vi porcos protegendo assentamentos, mas Loai me disse depois que eles agiam como sentinelas na Base Militar Ofer.

Encontrei uma pequena porta na grade interna que havia sido deixada destrancada. Entrei e me vi no meio de guaritas que se erguiam de ambos os lados, como os chifres do diabo, dentro de uma das instalações militares mais seguras de Israel.

– Mantenha a cabeça abaixada – Loai disse ao celular – e espere meu sinal.

Havia arbustos à minha volta. Depois de um breve momento, vários deles começaram a se mexer. Na verdade, alguns eram agentes que costumavam estar presentes em nossos encontros, mas que, naquela ocasião, estavam portando metralhadoras pesadas e usando uniformes camuflados das Forças de Defesa de Israel com galhos saindo por todos os lados. Pude perceber que eles estavam se divertindo ao brincar de comandos militares – esse era só mais um disfarce em um repertório que ia de terroristas e *fedayeen* até velhos e, ocasionalmente, mulheres.

– Como vai? – me perguntaram, como se estivéssemos sentados em um café. – Tudo bem?

– Tudo certo.

– Trouxe alguma coisa?

Às vezes, eu levava para eles aparelhos de gravação, provas ou informações secretas, mas, daquela vez, cheguei de mãos abanando.

Começou a chover, então subimos uma colina até uma área na qual dois jipes nos esperavam. Três dos homens subiram no primeiro veículo e eu pulei na traseira. Os outros ficaram com o segundo jipe para garantir minha volta. Fiquei com pena dos homens que deixamos para trás, porque a chuva estava forte, mas, mesmo assim, parecia que eles estavam se divertindo.

Depois de me encontrar com Loai, o chefe dele e os guardas por algumas horas, saí da mesma maneira que entrei: satisfeito comigo mesmo, embora a caminhada de volta tenha sido longa, úmida e fria.

Passamos a nos encontrar dessa maneira. Era perfeitamente coreografada e executada impecavelmente todas as vezes. Não tive mais de cortar a grade, mas, por via das dúvidas, sempre levava o alicate.

...

Depois da minha "fuga" da incursão repleta de alarde das Forças de Defesa de Israel, continuei a rastrear meu pai, me assegurando de que ele estava bem e verificando se precisava de alguma coisa. De vez em quando, eu ia até o escritório da USAID, mas, como havíamos suspendido a maior parte do trabalho, eu conseguia terminar o pouco que precisava fazer no meu computador de casa. À noite, eu me encontrava com homens procurados e reunia informações sigilosas. E uma ou duas vezes por mês, tarde da noite, eu me infiltrava em uma instalação militar escondida para participar de reuniões com agentes secretos.

No meu tempo livre, eu continuava a sair com meus amigos cristãos para conversar sobre o amor de Jesus. Na verdade, era muito mais do que conversar. Embora eu ainda não fosse um seguidor do Mestre, sentia que todos os dias estava vivenciando o amor e a proteção de Deus, que também se estendiam aos meus familiares.

Certa tarde, soldados das forças especiais vasculharam o hotel City Inn à procura de fugitivos, mas não encontraram nada, então decidiram descansar em uma casa ali perto. Essa era uma prática comum, tendo em vista que as Forças de Defesa de Israel não precisavam de ordens nem de autorização para fazer o que bem entendessem. Quando as coisas estavam relativamente calmas, os militares simplesmente requisitavam a casa de alguém a fim de descansar algumas horas e talvez comer algo. Algumas vezes, durante combates pesados, até arrombavam casas e usavam os ocupantes como escudos humanos, como os *fedayeen* costumavam fazer.

Naquele dia específico, escolheram a casa em que meu pai estava se escondendo. O Shin Bet não sabia que aquilo estava acontecendo. Nenhum de nós sabia. Ninguém poderia ter previsto ou evitado que os soldados escolhessem especificamente aquela casa naquele determinado dia. Quando eles chegaram, meu pai "por acaso" estava no porão.

– Por favor, vocês poderiam não trazer os cachorros aqui para dentro? – a dona da casa pediu aos soldados. – Tenho filhos pequenos.

Aterrorizado com a possibilidade de os soldados encontrarem Hassan Yousef e prendê-los por dar abrigo a um fugitivo, o marido tentou agir normalmente, sem demonstrar medo. Mandou que a filha de 7 anos apertasse a mão do comandante. O militar ficou fascinado com a garotinha e presumiu que ela e seus pais eram simplesmente uma família comum que nada tinha a ver com os terroristas. Perguntou educadamente à mulher se os soldados poderiam descansar um pouco no andar de cima e ela respondeu que não havia problema algum. Cerca de 25 militares israelenses permaneceram mais de oito horas na casa, sem saber que meu pai estava literalmente embaixo deles.

Eu não conseguia explicar, de maneira racional, a sensação muito real de proteção e intervenção sobrenatural que eu tive. Numa outra ocasião, quando Ahmad al-Faransi – que certa vez me pediu explosivos para seus terroristas suicidas – me ligou do centro de Ramallah e me perguntou se eu podia pegá-lo e levá-lo para casa, respondi que estava por perto e que chegaria em alguns minutos. Quando cheguei, ele entrou no carro e nós fomos embora.

Não tínhamos ido muito longe quando o celular de al-Faransi tocou. O nome dele constava da lista de pessoas a serem eliminadas por Jerusalém, e o quartel-general de Arafat estava ligando para avisá-lo que helicópteros israelenses o estavam seguindo. Abri a janela e ouvi dois Apaches se aproximando. Embora possa parecer estranho para aqueles que nunca ouviram sua própria voz interior transmitindo as palavras de Deus, naquele dia ouvi Deus falando ao meu coração, me instruindo a virar à esquerda entre dois prédios. Mais tarde, soube que, se eu tivesse seguido em frente, meu carro teria sido um alvo fácil para os israelenses. Virei o carro e, naquele instante, ouvi a voz divina dizer: *Saia do veículo e vá embora*. Saltamos e corremos. Quando os helicópteros voltaram a localizar o alvo, a única coisa que o piloto conseguia ver era um carro estacionado e duas portas abertas. O helicóptero pairou ali em cima por cerca de 60 segundos e depois foi embora.

Soube posteriormente que o serviço secreto recebera uma mensagem informando que al-Faransi fora visto entrando em um Audi A4 azul-escuro. Havia muitos carros daquele tipo na cidade. Loai não estava na central de operações no momento para verificar a minha localização e ninguém sabia que aquele automóvel podia pertencer ao Príncipe Verde. Poucos integrantes do Shin Bet sabiam da minha existência.

De alguma maneira, eu sempre parecia me beneficiar da proteção divina. Eu ainda nem me convertera ao cristianismo, e al-Faransi certamente não conhecia o Senhor. No entanto, meus amigos cristãos rezavam por mim todos os dias. Jesus disse (Mateus 5:45) que Deus "faz raiar o seu sol sobre maus e bons e derrama chuva sobre justos e injustos". Definitivamente, havia uma grande diferença entre aquele Deus e o ente cruel e vingativo do Alcorão.

Capítulo 24
PRISÃO PREVENTIVA
Outono de 2002 – primavera de 2003

EU ESTAVA EXAUSTO E FARTO de desempenhar tantos papéis perigosos ao mesmo tempo, de ter de mudar de personalidade e aparência para me adaptar às pessoas com as quais estava convivendo. Quando me encontrava com meu pai e outros líderes do Hamas, eu tinha de agir como um integrante dedicado da organização. Quando estava na companhia dos agentes do Shin Bet, atuava como um colaborador israelense. Em casa, muitas vezes desempenhava o papel de pai e protetor dos meus irmãos e, no trabalho, era um funcionário comum. Eu estava no último semestre da faculdade e precisava estudar para as provas, mas não conseguia me concentrar.

Era fim de setembro de 2002 e decidi que chegara a hora do segundo ato da encenação que havia começado com a falsa tentativa do Shin Bet de me prender.

– Não consigo mais viver assim – disse a Loai. – O que é necessário? Alguns meses na prisão? Passamos pelas etapas de interrogatório e você me libera. Depois, posso voltar e terminar a faculdade. Posso retomar meu emprego na USAID e levar uma vida normal.

– E o seu pai?

– Não vou deixar que ele seja assassinado. Vá em frente e o prenda também.

— Se é o que você quer... Com certeza o governo ficará feliz por finalmente capturarmos Hassan Yousef.

Disse a minha mãe onde meu pai estava escondido e deixei que ela fosse visitá-lo. Cinco minutos depois que ela chegou ao esconderijo, as forças especiais cercaram a área. Os soldados corriam pela vizinhança, gritando para que todos os civis entrassem em suas casas.

Um desses "civis", fumando um narguilé na frente de casa, era ninguém menos do que o mestre fabricante de bombas Abdullah Barghouti, que não fazia ideia de que morava tão próximo de Hassan Yousef. E o pobre soldado das forças de segurança que o mandou entrar não fazia ideia de que estava gritando com o assassino em massa mais procurado de Israel.

Ninguém fazia ideia do que estava acontecendo. Meu pai não sabia que o próprio filho o havia entregado às autoridades israelenses para evitar que fosse assassinado. As Forças de Defesa de Israel não tinham a mínima noção de que o Shin Bet sabia o tempo todo do paradeiro de Hassan Yousef e que anteriormente alguns dos seus soldados haviam até almoçado e tirado um cochilo na casa em que ele estava se escondendo.

Como sempre, meu pai se entregou sem demonstrar resistência. Ele e os outros líderes do Hamas presumiram que o Shin Bet seguira minha mãe até o esconderijo. Naturalmente, minha mãe ficou triste, mas também aliviada por seu marido estar em um lugar seguro e não mais na lista de pessoas a serem eliminadas por Israel.

— Falamos com *você* à noite — Loai me disse depois que a poeira baixou.

Quando o sol começou a se pôr no horizonte, me sentei dentro de casa e fiquei olhando pela janela, observando cerca de 20 soldados das forças especiais se aproximando rapidamente e assumindo suas posições. Eu sabia que precisava abaixar a cabeça e me preparar para ser maltratado. Alguns minutos depois, os jipes chegaram. Em

seguida, surgiu um tanque e os militares isolaram a área. Alguém pulou na minha varanda. Outra pessoa bateu à porta.
– Quem é? – perguntei, fingindo não saber.
– Forças de Defesa de Israel! Abra a porta!
Eu a abri e eles me empurraram para o chão, me revistando rapidamente à procura de armas.
– Tem mais alguém aqui?
– Não.
Não sei por que se deram o trabalho de perguntar. Começaram a chutar as portas de qualquer maneira, revistando cada cômodo da casa. Quando já estava lá fora, me vi diante do meu amigo.
– Por onde você andou? – Loai perguntou num tom áspero, como se eu realmente fosse o que fingia ser. – Estivemos procurando você. Quer ser morto? Você foi louco em fugir da casa do seu pai ano passado – disse enquanto um bando de soldados zangados observavam. – Pegamos seu pai – continuou – e finalmente pegamos você! Vamos ver o que você tem a dizer quando for interrogado!
Dois soldados me jogaram em um jipe. Loai se aproximou, se curvou para que ninguém o ouvisse e perguntou:
– Como você está, meu amigo? Está tudo bem? As algemas estão apertadas demais?
– Está tudo bem – respondi. – Só me tire daqui e não deixe que os soldados batam em mim no caminho.
– Não se preocupe. Um dos meus homens estará com você.
Eles me levaram para a Base Militar Ofer, onde, na mesma sala em que costumávamos nos reunir para beber café e conversar sobre a situação, fui submetido a algumas horas de "interrogatório".
– Vamos levá-lo para Maskobiyeh – Loai disse –, mas por pouco tempo. Vamos fingir que você passou por um interrogatório severo. Seu pai já está lá e você poderá vê-lo. Ele não está sendo interrogado nem torturado. Depois, levaremos você para a detenção administrativa. Você vai passar vários meses lá e, após isso, pediremos uma

prorrogação de três meses, porque qualquer pessoa perigosa como você deveria passar um tempo respeitável na prisão.

Quando vi os interrogadores, até mesmo aqueles que haviam me torturado quando fui preso pela primeira vez, fiquei surpreso ao perceber que não sentia nenhuma amargura em relação a eles. A única maneira de explicar aquilo era usando um versículo que eu lera. Hebreus 4:12 diz: "Pois a palavra de Deus é viva e eficaz, e mais afiada que qualquer espada de dois gumes; ela penetra até o ponto de dividir alma e espírito, juntas e medulas, e julga os pensamentos e as intenções do coração." Eu havia lido e ponderado sobre essas palavras muitas e muitas vezes, bem como sobre as ordens de Jesus para que perdoemos os inimigos e amemos aqueles que nos maltratam. De alguma maneira, embora eu ainda não fosse capaz de aceitar Jesus Cristo como meu Deus, suas palavras pareciam estar vivas e surtir efeito dentro de mim. Não sei de que outra maneira eu poderia ter visto pessoas apenas como pessoas, não como judeus ou árabes, prisioneiros ou torturadores. Até mesmo o velho ódio que havia me levado a comprar armas e tramar a morte de israelenses estava sendo substituído por um amor que eu não entendia.

Durante algumas semanas, fiquei sozinho em uma cela. Uma ou duas vezes por dia, quando não estavam ocupados interrogando outros prisioneiros, meus amigos do Shin Bet iam ver como eu estava e bater papo. Eu comia bem e continuava a ser o segredo mais bem guardado da prisão. Daquela vez, não houve capuzes fedorentos nem canções de Leonard Cohen – apesar de um dia ele ter se tornado meu cantor favorito. Estranho, não? Na Cisjordânia, circulavam boatos de que eu era um sujeito realmente durão que não fornecia informações aos israelenses, nem mesmo sob tortura.

Alguns dias antes da minha transferência, me colocaram na cela do meu pai. Um olhar de alívio tomou conta do seu rosto quando se levantou para me abraçar. Com os braços estendidos, ele me segurou e sorriu.

– Eu o segui – eu disse rindo. – Não poderia viver sem você.
Havia dois outros prisioneiros na cela e nós brincamos e nos divertimos juntos. Para ser sincero, eu estava muito feliz por ver meu pai em segurança atrás das grades. Nenhum erro seria cometido. Nenhum míssil viria do céu.

Às vezes, enquanto ele nos lia o Alcorão, eu simplesmente gostava de ficar olhando para ele e de ouvir sua linda voz. Pensava em como ele havia sido gentil com os filhos durante nossa infância. Nunca nos forçou a sair da cama para as preces do início da manhã, mas todos nós levantávamos porque queríamos que ele ficasse orgulhoso. Desde muito jovem ele havia dedicado a vida a Alá e, com seu exemplo, transmitiu aquela devoção a toda a família.

Eu pensava: *Meu amado pai, estou muito feliz por estar sentado aqui ao seu lado. Sei que a prisão é o último lugar em que gostaria de estar neste momento, mas, se você não estivesse aqui, seus restos estilhaçados provavelmente estariam em um pequeno saco plástico em algum lugar.* Às vezes, ele levantava a cabeça e me via sorrindo com amor e apreço. Ele não entendia por quê, e eu não podia lhe contar.

Quando os guardas chegaram para me transferir, meu pai e eu trocamos um abraço apertado. Ele parecia muito frágil em meus braços, mas eu sabia como ele era forte. Estivemos tão próximos nos dias anteriores que a separação dele dilacerava meu coração. Para mim, foi difícil até deixar os oficiais do Shin Bet. Havíamos desenvolvido um relacionamento incrivelmente íntimo ao longo dos anos. Encarei-os e esperei que eles soubessem como eu os admirava. Eles olharam para mim como se estivessem se desculpando, pois sabiam que a próxima parada na minha jornada não seria tão fácil.

Os rostos dos soldados que me algemaram para a transferência tinham uma expressão totalmente diferente. Para eles, eu era um terrorista que fugira das Forças de Defesa de Israel, fazendo-os parecer idiotas e evitando a captura. Daquela vez, fui levado para a

Prisão Ofer, que fazia parte da base militar onde eu me encontrava regularmente com os agentes do Shin Bet.

Lá, minha barba se tornou longa e grossa como a de todos os outros, e eu passei a compartilhar a rotina dos prisioneiros. Na hora das preces, eu me curvava, me ajoelhava e rezava, porém não mais para Alá. Eu fazia minhas orações para o Criador do universo. Estava me aproximando Dele. Certo dia, até encontrei uma Bíblia escrita em árabe, na seção de religiões do mundo da biblioteca. Era uma edição completa, não apenas do Novo Testamento. Nunca havia sido tocada. Aposto que ninguém sabia que aquele exemplar existia. Que presente divino! Eu a li repetidas vezes.

De vez em quando, alguém se aproximava de mim e tentava, discretamente, descobrir o que eu estava fazendo. Eu explicava que era estudante de história e que, por ser um livro antigo, a Bíblia continha algumas das informações mais antigas à nossa disposição. Não apenas isso, mas os valores ensinados também são incríveis, eu dizia, e, na minha opinião, todos os muçulmanos deveriam lê-la. As pessoas geralmente não se incomodavam com isso. A única ocasião em que ficavam um pouco chateadas era durante o Ramadá, quando parecia que eu estava estudando a Bíblia mais do que o Alcorão.

O grupo de estudos bíblicos que eu havia frequentado em Jerusalém Ocidental era aberto a todos: cristãos, muçulmanos, judeus, ateus, qualquer um. Lá, tive a oportunidade de me reunir com judeus que passaram a frequentá-lo com o mesmo propósito que eu: estudar o cristianismo e aprender sobre Jesus. Para mim, foi uma experiência única como muçulmano palestino estudar as lições sobre Jesus na companhia de judeus israelenses.

Com aquele grupo, pude conhecer bastante bem um judeu chamado Amnon, que era casado e tinha dois lindos filhos. Era muito inteligente e falava vários idiomas. Sua mulher era cristã e havia muito tempo o incentivava a se batizar. Amnon finalmente aceitou a ideia, então o grupo se reuniu certa noite para testemunhar o seu batismo. Quando cheguei, Amnon terminara de ler alguns versículos da Bíblia e tinha começado a chorar muito.

Ele sabia que, quando permitisse ser imerso na água, estaria não apenas declarando sua lealdade a Jesus Cristo por meio da identificação com sua morte e ressurreição, mas também estaria se afastando de sua cultura. Estaria dando as costas à fé de seu pai, que fora professor da Universidade Hebraica. Estaria abandonando as tradições religiosas da sociedade israelense, destruindo a própria reputação e pondo em risco seu futuro.

Pouco depois, Amnon recebeu sua convocação para servir as Forças de Defesa de Israel. Naquele país, todos os cidadãos que não são árabes, tanto homens quanto mulheres com mais de 18 anos, devem servir as forças armadas: os homens por três anos, as mulheres por dois. Amnon, porém, vira massacres demais em postos de controle para achar que, como cristão, não podia ser colocado em uma posição em que talvez tivesse de atirar em civis desarmados. Ele se recusou a vestir o uniforme e ir para a Cisjordânia.

– Não quero cumprir essa tarefa, mesmo que fosse possível realizá-la disparando na perna em vez de na cabeça de uma criança que estivesse atirando pedras – argumentava. – Devo amar meu inimigo.

Então, ele recebeu uma segunda convocação. E depois uma terceira.

Por se recusar a servir, Amnon foi detido e preso. O que eu não sabia era que ele estava encarcerado na seção judia da Prisão Ofer o tempo todo em que eu estive lá. Ele estava ali porque havia se recusado a trabalhar com os israelenses; eu, porque concordara em colaborar com eles. Eu estava tentando proteger os judeus, ele estava tentando proteger os palestinos.

Eu não achava que todas as pessoas em Israel e nos territórios ocupados precisariam se tornar cristãs para pôr fim ao derramamento de sangue. Acreditava, porém, que, se tivéssemos mil Amnons de um lado e mil Mosabs do outro, as coisas seriam bastante diferentes. E se tivéssemos ainda mais gente assim... quem sabe?

Alguns meses depois de chegar a Ofer, fui levado ao tribunal, onde ninguém sabia quem eu era – nem o juiz nem o promotor, nem mesmo meu próprio advogado.

No meu julgamento, os agentes do Shin Bet testemunharam afirmando que eu era perigoso e pedindo que minha pena fosse ampliada. O juiz concordou e me condenou a seis meses de detenção administrativa, então fui transferido mais uma vez.

A cinco horas de estrada de qualquer outro lugar, nas dunas do deserto de Negev e muito perto da usina nuclear de Dimona, se localiza a prisão de Ktzi'ot, formada por tendas, onde se derrete no verão e se congela no inverno.

– Você faz parte de qual organização?
– Hamas.

Eu ainda me identificava como parte da minha família, como parte da minha história, porém não era mais como os outros prisioneiros.

O Hamas ainda era a maioria. No entanto, desde o início da Segunda Intifada, o Fatah havia crescido de maneira significativa e cada facção tinha aproximadamente o mesmo número de tendas. Eu estava cansado de viver fingindo e meu recém-descoberto código de ética me impedia de mentir. Então, decidi ficar sozinho a maior parte do tempo enquanto estivesse lá.

Ktzi'ot é um lugar bastante selvagem e, no ar noturno, ecoavam os sons de lobos, hienas e leopardos. Eu ouvira algumas histórias de prisioneiros que haviam fugido de Ktzi'ot, mas nenhuma de quem tivesse sobrevivido ao deserto. O inverno era pior do que o verão: ar gelado, muita neve e apenas lona para manter o vento do lado de fora. Cada uma das tendas tinha barreiras de umidade no teto, mas certos prisioneiros cortavam alguns pedaços a fim de fazer cortinas que garantissem um pouco de privacidade em torno de seus catres. A umidade da nossa respiração deveria ser capturada por aquele forro, mas simplesmente flutuava e ficava presa na lona até se tornar pesada demais. Depois, toda aquela saliva caía como chuva sobre nós ao longo da noite enquanto dormíamos.

Os israelenses praticamente revestiram o acampamento com armadilhas adesivas no intuito de tentar manter a população de ratos sob controle. Logo cedo, em uma manhã gelada, enquanto todos dormiam, eu estava lendo minha Bíblia quando ouvi um rangido, como se fosse a mola enferrujada de um colchão. Olhei embaixo do meu catre e vi um rato preso em uma dessas armadilhas. O que me surpreendeu, porém, é que outro rato estava tentando salvá-lo sem ficar preso. Não sei se era sua fêmea ou um amigo. Fiquei observando durante meia hora enquanto um arriscava a vida para salvar o outro. Fiquei tão emocionado que libertei os dois animais.

Na prisão, o material de leitura se limitava praticamente ao Alcorão e a estudos corânicos. Eu tinha apenas dois livros em inglês que um amigo contrabandeara para mim por intermédio do meu advogado. Estava profundamente grato por ter algo para ler e melhorar meu inglês, mas não demorou muito até que as capas ficassem gastas, de tanto que eu lia aqueles livros. Um dia, eu estava caminhando sozinho quando vi dois prisioneiros fazendo chá. Ao lado deles, havia uma grande caixa de madeira repleta de romances enviados pela Cruz Vermelha. Aqueles homens estavam rasgando os livros para usá-los na fogueira! Não consegui me controlar. Afastei a caixa deles e comecei a pegar os livros. Eles acharam que eu os queria usar para aquecer meu próprio chá.

– Estão loucos? – eu disse. – Levei muito tempo para conseguir que me enviassem dois livros em inglês e vocês estão esquentando chá com estes aqui!

– São livros cristãos – eles argumentaram.

— Não são livros cristãos — rebati. — São best-sellers do *The New York Times*. Tenho certeza de que não dizem nada contra o Islã. São apenas histórias sobre experiências humanas.

Os homens provavelmente ficaram se perguntando o que havia de errado com o filho de Hassan Yousef. Até então, ele ficara muito calado, sozinho na maior parte do tempo, lendo. De repente, estava delirando por causa de uma caixa de livros. Se tivesse sido qualquer outra pessoa, eles provavelmente teriam lutado para manter seu precioso combustível. No entanto, deixaram que eu ficasse com os romances, então voltei para a cama com uma caixa repleta de novos tesouros. Empilhei-os à minha volta e me deleitei. Eu não me importava com o que os outros pensavam. Meu coração transbordava de alegria em louvor a Deus por me fornecer algo para ler enquanto tentava fazer o tempo passar naquele lugar.

Eu lia 16 horas por dia, até ter que forçar a vista por causa da iluminação ruim. Durante os quatro meses que fiquei em Ktzi'ot, decorei 4 mil palavras em inglês.

Enquanto estava lá, também presenciei duas rebeliões, muito piores do que a de Megiddo. Mas Deus me protegeu de tudo aquilo. Na verdade, senti a presença divina com mais força naquela prisão do que em qualquer outro momento da minha vida. Eu talvez ainda não reconhecesse Jesus como o Criador, mas certamente estava aprendendo a amar Deus, o Pai.

• • •

Em 2 de abril de 2003, quando as tropas da Coalizão corriam em direção a Bagdá, fui libertado. Saí da prisão como um respeitado líder do Hamas, um terrorista experiente, um fugitivo astuto. Eu fora submetido a uma prova de fogo e a superara. O risco de ser desmascarado como colaborador do serviço secreto israelense havia diminuído significativamente e meu pai estava são e salvo.

Mais uma vez, eu podia caminhar livremente pelas ruas de Ramallah. Não precisava mais me comportar como um fugitivo. Podia voltar a ser eu mesmo. Então, liguei para minha mãe e, em seguida, para Loai.

– Bem-vindo ao lar, Príncipe Verde – ele disse. – Sentimos muito a sua falta. Muita coisa está acontecendo e não sabíamos o que fazer sem você.

Alguns dias após meu retorno, tive uma reunião com Loai e meus outros amigos israelenses. Eles tinham apenas uma novidade para me contar, mas era muito importante.

Em março, Abdullah Barghouti havia sido localizado e preso. Naquele mesmo ano, o fabricante de bombas nascido no Kuwait seria julgado por um tribunal militar israelense por ter matado 66 pessoas e ferido cerca de 500. Eu sabia que ele cometera mais crimes, no entanto aquilo era tudo o que conseguíamos provar. Abdullah seria condenado a 67 penas de prisão perpétua, uma para cada vítima de homicídio e mais uma por todas as pessoas que ele havia ferido. Durante o pronunciamento da sentença, ele não expressou remorso algum, colocou a culpa toda em Israel e disse que só se arrependia por não ter tido a oportunidade de matar mais judeus.

– O rastro de terror assassino que o acusado provocou foi um dos mais graves na história sangrenta deste país – os juízes disseram.[11] Abdullah ficou furioso, ameaçando matar os juízes e ensinar todos os prisioneiros do Hamas a fabricar bombas. Por esse motivo, as penas teriam de ser cumpridas em confinamento solitário. Mas Ibrahim Hamed, meu amigo Saleh Talahme e os outros continuavam soltos.

Em outubro, meu projeto na USAID foi concluído, e eu fiquei sem emprego. Então, me dediquei ao trabalho para o Shin Bet, reunindo todas as informações que podia.

Alguns meses depois, numa manhã, Loai ligou:

– Encontramos Saleh.

Capítulo 25
SALEH
Inverno de 2003 – primavera de 2006

ERA FÁCIL SABER ONDE SALEH e seus amigos *tinham estado*, porque o rastro de sangue que deixavam era inconfundível. Entretanto, até aquele momento, ninguém tinha conseguido pegá-los.

O fato de o Shin Bet tê-lo encontrado me entristecia. Saleh era meu amigo, havia me ajudado nos estudos. Eu frequentava sua casa, fizera refeições com ele e sua mulher e brincara com seus filhos. Mas Saleh também era um terrorista. Durante seu encarceramento por parte da Autoridade Nacional Palestina, ele continuara os estudos na Universidade Aberta Al-Quds e colocara em prática os conhecimentos que adquirira para se tornar um fabricante de bombas tão extraordinário a ponto de conseguir criar explosivos com coisas que tinham sido jogadas no lixo.

Depois de ter sido libertado pela ANP, o Shin Bet o monitorou a fim de verificar quanto tempo ele e seus amigos levariam para reconstruir as Brigadas Al-Qassam. Não demorou muito. A organização reconstruída não era grande, mas era mortal.

Maher Odeh era o cérebro da operação, Saleh, o engenheiro, e Bilal Barghouti, o recrutador de terroristas suicidas. Na verdade, a ala militar do Hamas era formada por cerca de apenas 10 pessoas que agiam de forma independente, tinham orçamentos próprios e nunca se encontravam, a menos que fosse uma emergência. Saleh podia produzir vários cintos explosivos da noite para o dia e Bilal tinha uma lista de espera de candidatos a mártir.

Se acreditasse que Saleh era inocente, eu o teria avisado do que estava prestes a acontecer. No entanto, quando finalmente juntamos as peças do quebra-cabeça, percebi que ele estava por trás do atentado na Universidade Hebraica de Jerusalém e de muitos outros e entendi que ele precisava ser isolado em uma prisão. A única coisa que poderia ter feito era apresentá-lo aos ensinamentos de Jesus e estimulá-lo a segui-los, como eu mesmo havia feito. Mas sabia que ele estava cego de raiva, fanatismo e comprometimento para dar ouvidos a um velho amigo. Porém eu podia implorar ao Shin Bet que prendesse Saleh e os outros em vez de matá-los. Com muita relutância, eles concordaram.

Os agentes de segurança de Israel estavam monitorando Saleh havia mais de dois meses. Eles o viram sair do apartamento para se encontrar com Hasaneen Rummanah em uma casa abandonada. Também o observaram voltar para sua residência, de onde não saiu por aproximadamente uma semana. Viram que seu amigo Sayyed Al-Sheikh Qassem saía com mais frequência, mas ele fazia o que tinha de fazer e voltava logo. A cautela dos fugitivos era impressionante, por isso não era surpresa termos levado tanto tempo para encontrá-los. No entanto, uma vez que achamos seus vestígios, era só rastrear seus contatos e aqueles com quem estes se comunicavam, cerca de 40 ou 50 pessoas no total.

Havíamos localizado três dos homens da lista dos mais procurados, mas, quanto a Ibrahim Hamed e Maher Odeh, tínhamos apenas pistas, nada de concreto. Precisávamos decidir se era melhor aguardar até que elas nos levassem a eles, o que era arriscado, ou se deveríamos quebrar a espinha dorsal das Brigadas Al-Qassam na Cisjordânia prendendo os homens que já haviam sido localizados. Decidimos pela segunda opção, na esperança de termos sorte e conseguirmos capturar Hamed ou Odeh quando lançássemos nossa rede.

Na noite de 1º de dezembro de 2003, as forças especiais cercaram mais de 50 locais suspeitos ao mesmo tempo. Todas as tropas disponíveis na Cisjordânia haviam sido convocadas. Os líderes do Hamas estavam entocados no edifício Al-Kiswani, em Ramallah, e não responderam ao pedido de rendição. Saleh e Sayyed tinham muitas armas, entre as quais uma metralhadora pesada, do tipo que geralmente fica soldado aos veículos militares.

O impasse começou às 22 horas e se estendeu noite adentro. Quando o tiroteio começou, pude ouvi-lo da minha casa. Depois, a inconfundível explosão do canhão de um tanque israelense rompeu a manhã e tudo ficou em silêncio. Às seis, meu telefone tocou.

— Seu amigo está morto — Loai me informou. — Sinto muito. Você sabe que o teríamos poupado se tivesse sido possível. Mas me deixe contar uma coisa: se esse homem... — A voz dele ficou embargada enquanto tentava prosseguir. — Se esse homem tivesse crescido em um ambiente diferente, ele não teria sido assim. Teria sido como nós. Ele realmente acreditava que estava fazendo o bem para seu povo. Só que estava muito enganado.

Loai sabia que eu amava Saleh e não queria que ele morresse. Sabia que Saleh estava resistindo a algo que considerava mau e prejudicial ao seu povo. Talvez Loai, de alguma maneira, também tivesse começado a se importar com ele.

— Estão todos mortos?

— Ainda não vi os corpos. Eles foram levados para o hospital de Ramallah. Precisamos que vá até lá identificá-los. Você é o único que conhecia todos eles.

Peguei um casaco e fui até o hospital, esperando desesperadamente que o cadáver não fosse de Saleh, torcendo para que talvez outra pessoa tivesse sido morta no lugar dele. Quando cheguei, a cena que presenciei era um verdadeiro caos. Ativistas do Hamas furiosos gritavam na rua e havia policiais por toda parte. Ninguém podia entrar, mas, como todos me conheciam, os funcionários do hospital permitiram minha presença. Um auxiliar me conduziu por um corredor até uma sala cheia de grandes frigoríficos. O homem abriu a porta de um deles e puxou lentamente uma gaveta, liberando no recinto o miasma da morte.

Olhei para baixo e vi o rosto de Saleh. Ele parecia estar sorrindo, mas sua cabeça estava oca. Numa outra gaveta, dentro de um saco plástico preto, estava guardado um conjunto de pedaços de um corpo que pertencera a Sayyed – pernas, cabeça, qualquer coisa. Hasaneen Rummanah fora cortado ao meio. Eu nem tinha certeza se era ele, porque sua barba tinha sido feita, embora Hasaneen sempre tenha tido uma barba castanha e macia. Apesar dos relatórios contraditórios divulgados pelos meios de comunicação, Ibrahim Hamed não estava com eles. O homem que ordenara que aquelas pessoas lutassem até a morte fugira para salvar a própria pele.

Depois que praticamente todos os líderes do Hamas na Cisjordânia estavam mortos ou na prisão, me tornei o elo com os líderes em Gaza e em Damasco. De certo modo, eu havia me tornado o principal contato para toda a rede de partidos, seitas, organizações e células palestinas, incluindo as terroristas. E apenas meia dúzia de integrantes da elite do Shin Bet sabia quem ou o que eu realmente era. Isso era inacreditável.

Por causa do meu novo papel, cabia a mim a triste responsabilidade de organizar o funeral de Saleh e dos outros. Enquanto realizava essa tarefa, eu observava todos os movimentos e escutava cada um dos sussurros irados ou pesarosos que pudessem nos levar a Hamed.

– Como os boatos já estão correndo – Loai disse – e você está substituindo os líderes que prendemos, vamos espalhar que Ibrahim Hamed fez um pacto com o Shin Bet. A maioria dos palestinos não faz ideia do que está acontecendo. Vão acreditar nos rumores e ele será forçado a se defender publicamente ou, pelo menos, contatar os líderes políticos em Gaza ou em Damasco. De qualquer maneira, talvez consigamos uma pista.

Foi uma grande ideia, mas o alto escalão da agência a vetou porque temia que Ibrahim retaliasse lançando um ataque contra civis, como se o fato de Israel ter matado seus amigos e prendido metade da sua organização já não o tivesse deixado suficientemente zangado.

Então, seguimos o caminho mais difícil.

Agentes colocaram escutas em todos os cômodos da casa de Hamed na esperança de que sua mulher ou seus filhos deixassem escapar alguma informação. No entanto, aquela parecia ser a casa mais silenciosa da Palestina. Certa vez, escutamos o filho caçula perguntar à mãe:

– Onde está o papai?

– Nunca falamos sobre isso – ela respondeu em tom de bronca.

Se aquele era o nível de cuidado da família, Ibrahim devia ser ainda mais cauteloso. Meses se passaram sem nem sombra dele.

• • •

No fim de outubro de 2004, Yasser Arafat ficou doente durante uma reunião. Seus assessores disseram que ele estava gripado. No entanto, seu estado de saúde piorou e ele foi finalmente transferido de avião da Cisjordânia para um hospital nos arredores de Paris. Em 3 de novembro, entrou em coma. Alguns disseram que ele foi envenenado. Outros afirmaram que ele tinha Aids. Arafat morreu em 11 de novembro, aos 75 anos.

Aproximadamente uma semana depois, meu pai foi libertado da prisão e ficou mais surpreso do que todas as outras pessoas. Loai e outros agentes do Shin Bet se encontraram com ele na manhã da libertação.

– Xeique Hassan – disseram –, está na hora de termos paz. As pessoas lá fora precisam de alguém como o senhor. Arafat se foi, muita gente está morrendo. O senhor é um homem razoável, sabe que precisamos dar um jeito nas coisas antes que elas piorem.

— Saiam da Cisjordânia, nos deem um Estado independente e tudo acabará – meu pai respondeu.

É claro que ambos os lados sabiam que o Hamas não pararia antes de reconquistar todo o território de Israel, embora a independência da Palestina pudesse instaurar a paz talvez por uma ou duas décadas.

Eu estava esperando diante da Prisão Ofer junto com centenas de repórteres de todo o mundo. Carregando seus pertences em um saco de lixo preto e apertando os olhos por causa da claridade intensa, meu pai saiu escoltado por dois soldados israelenses.

Trocamos abraços e beijos e ele me pediu que, antes de ir para casa, o levasse diretamente ao túmulo de Arafat. Olhei em seus olhos e entendi que aquele era um passo muito importante para ele. Depois da morte do dirigente palestino, o Fatah estava enfraquecido e as ruas fervilhavam. Os líderes daquela facção estavam apavorados com a possibilidade de que o Hamas assumisse o controle, dando início a uma disputa por território. Os Estados Unidos, Israel e a comunidade internacional temiam uma guerra civil. Aquele gesto do líder supremo do Hamas na Cisjordânia foi um choque para todos, mas eles compreenderam sua mensagem: "Acalmem-se todos. O Hamas não vai tirar proveito da morte de Arafat. Não haverá guerra civil."

No entanto, após uma década de detenções, prisões e assassinatos, o Shin Bet ainda não fazia ideia de quem realmente controlava o Hamas. Nenhum de nós fazia ideia. Eu os ajudara a prender militantes conhecidos, homens fortemente envolvidos no movimento de resistência, sempre esperando que fossem eles os líderes. Durante anos, pusemos pessoas sob detenção administrativa, às vezes com base apenas em uma suspeita. O Hamas, porém, nunca parecia notar a ausência delas.

Então, quem realmente era o responsável?

O fato de não ser meu pai foi uma grande surpresa para todos, até para mim. Colocamos escutas em seu escritório e em seu carro, monitoramos todos os seus movimentos. Sem sombra de dúvida, não era ele que estava dando as cartas.

O Hamas sempre tinha sido uma espécie de fantasma. Não tinha escritório central nem filiais, não havia um lugar em que as pessoas pudessem aparecer para conversar com os representantes do movimento. Muitos palestinos iam ao escritório do meu pai, contavam seus problemas e pediam ajuda, sobretudo os familiares de prisioneiros e mártires que haviam perdido o marido ou o pai durante as intifadas. Porém, até o xeique Hassan Yousef estava às escuras. Todos achavam que ele tinha as respostas, mas meu pai não era diferente do restante de nós: tudo o que ele tinha eram perguntas.

Certa vez, ele me disse que estava pensando em fechar o escritório.

– Por quê? Onde você se encontrará com a imprensa? – perguntei.

– Não me importa. As pessoas vêm de todas as partes esperando que eu possa ajudá-las. Mas não tenho como atender a todos que precisam de ajuda: é simplesmente demais.

– Por que o Hamas não os ajuda? São as famílias dos integrantes do movimento. O Hamas tem muito dinheiro.

– Sim, mas a organização não dá o dinheiro a mim.

– Então, peça um pouco de dinheiro. Fale sobre todas as pessoas necessitadas.

– Não sei quem *eles* são nem como contatá-los.

– Mas você é o líder! – protestei.

– Não sou o líder.

– Você fundou o Hamas, pai. Se não é o líder, então quem é?

– Ninguém é líder!

Eu estava em choque. O Shin Bet estava gravando todas aquelas palavras e também ficou perplexo.

Um dia recebi uma ligação de Majeda Talahme, a mulher de Saleh. Não nos falávamos desde o funeral do seu marido.

– Oi, como vai? Como estão Mosab e as outras crianças?
Ela começou a chorar.
– Não tenho dinheiro para dar de comer aos meus filhos.
Pensei: *Que Deus o perdoe, Saleh, pelo que você fez à sua família.*
– Tudo bem, irmã, acalme-se. Vou tentar fazer alguma coisa – eu disse.
Depois do telefonema de Majeda, decidi ir até meu pai.
– A mulher de Saleh me ligou. Está sem dinheiro para comprar comida para os filhos.
– Infelizmente, Mosab, ela não é a única.
– Não é, mas Saleh era um grande amigo meu. Precisamos fazer algo imediatamente!
– Filho, eu já disse a você que não tenho dinheiro nenhum.
– Você não tem, mas alguém é o responsável pela organização. Alguém controla todo esse dinheiro. Isso não é justo! Esse homem morreu pelo movimento!

Meu pai me disse que faria o possível. Escreveu uma carta, uma espécie de "a quem interessar possa", e a enviou a um ponto de troca de correspondência. Não conseguimos rastreá-la, mas sabíamos que o destinatário estava em algum lugar na área de Ramallah.

Alguns meses antes, o Shin Bet me mandara a um cibercafé no centro da cidade. Sabíamos que alguém usando um dos computadores daquele lugar estava se comunicando com os líderes do Hamas em Damasco. Não sabíamos quem eram todos aqueles líderes, mas não havia como negar que a Síria era um centro de poder da facção. Fazia todo o sentido o Hamas manter uma estrutura completa – escritório, armas e acampamentos militares – em algum lugar fora do controle de Israel.

– Não sabemos como se dá a comunicação com Damasco – Loai disse –, mas esse homem parece perigoso.

Ao entrar no cibercafé, vi 20 pessoas sentadas diante dos computadores. Nenhuma tinha barba, ninguém parecia suspeito. No entanto, um homem chamou minha atenção, embora eu não saiba bem por quê. Não o reconheci, mas meu instinto me disse para ficar de olho nele. Eu sabia que não era um motivo forte, mas, ao longo dos anos, os agentes do Shin Bet aprenderam a confiar nos meus palpites.

Seja lá quem fosse o homem no cibercafé, estávamos convencidos de que ele provavelmente era perigoso. Somente pessoas de confiança podiam se comunicar com os líderes do Hamas em Damasco, por isso esperávamos que ele pudesse nos levar à esquiva e obscura elite que de fato comandava a organização. Divulgamos sua fotografia, mas ninguém o reconheceu. Comecei a duvidar dos meus instintos.

Algumas semanas depois, organizei um dia de visitas a uma propriedade que eu havia posto à venda em Ramallah. Várias pessoas compareceram, mas não recebi nenhuma proposta. Naquela mesma tarde, depois de eu ter fechado tudo, um homem me ligou perguntando se ainda podia ver a casa. Eu estava muito cansado, mas disse para ele ir até lá e eu o encontraria. Voltei ao imóvel e ele apareceu alguns minutos depois.

Era o homem do cibercafé. Ele me disse que se chamava Aziz Kayed. Estava bem barbeado e tinha uma aparência muito profissional. Dava para perceber que era um sujeito instruído. Ele contou que dirigia o respeitável Centro Al-Buraq de Estudos Islâmicos. Não parecia ser o elo que estávamos procurando. No entanto, em vez de confundir ainda mais o Shin Bet, mantive aquela descoberta em segredo.

Algum tempo depois do meu encontro com Kayed, meu pai e eu partimos para visitar cidades, vilarejos e campos de refugiados na Cisjordânia. Em uma dessas cidades, mais de 50 mil pessoas se reuniram para ver o xeique Hassan Yousef. Todas queriam tocá-lo e ouvir o que ele tinha a dizer. Meu pai ainda era profundamente amado.

Em Nabulus, um bastião do Hamas, nos encontramos com os principais líderes da organização e descobri quais deles eram integrantes do conselho *shurah*, um pequeno grupo de sete homens que toma decisões sobre questões estratégicas e atividades diárias do movimento. Como meu pai, eles eram alguns dos líderes mais antigos do Hamas, mas não eram os "executivos" que estávamos procurando.

Depois de todos aqueles anos, eu não conseguia acreditar que o controle do Hamas havia, de alguma maneira, em algum momento, passado para mãos desconhecidas. Se eu, que nasci e fui criado no cerne do movimento, não fazia ideia de quem dava as ordens, quem faria?

A resposta surgiu do nada. Um dos integrantes do conselho *shurah* em Nabulus mencionou o nome de Aziz Kayed e sugeriu que meu pai visitasse Al-Buraq para conhecer aquele "bom homem". Imediatamente, meus ouvidos se aguçaram. Por que um líder local do Hamas faria tal recomendação? Havia simplesmente coincidências demais: primeiro, Kayed chamou minha atenção no cibercafé, depois, apareceu para visitar a propriedade que eu pusera à venda e, naquele momento, o integrante do conselho estava dizendo que meu pai deveria conhecê-lo. Seria um sinal de que meu palpite estava correto e Aziz Kayed era uma pessoa importante dentro do Hamas?

Será que tínhamos tido a sorte de encontrar o responsável? Por mais improvável que parecesse, algo me disse para seguir meu instinto. Voltei correndo para Ramallah, de onde liguei para Loai e pedi que ele procurasse Aziz Kayed nos bancos de dados da agência.

Várias pessoas com esse nome apareceram nos resultados da busca, mas nenhum correspondia à descrição. Fizemos uma reunião de emergência e pedi que Loai ampliasse a pesquisa para toda a Cisjordânia. Os agentes que trabalhavam com ele acharam que eu estivesse louco, mas aceitaram meu pedido.

Daquela vez, nós o encontramos.

Aziz Kayed nascera em Nabulus e era um ex-integrante do movimento estudantil islâmico, mas havia interrompido suas atividades 10 anos antes. Era casado, tinha filhos e autorização para viajar para fora do país. A maioria de seus amigos não tinha vínculos com entidades religiosas. Não encontramos nada suspeito.

Expliquei ao Shin Bet tudo o que havia acontecido, desde o momento em que pisei no cibercafé até a visita a Nabulus com meu pai. Eles disseram que, apesar de confiarem em mim, nós simplesmente não tínhamos elementos suficientes para seguir adiante.

Enquanto estávamos conversando, pensei em outra coisa.

– Kayed me lembra três outros homens – eu disse a Loai. – Salah Hussein, de Ramallah; Adib Zeyadeh, de Jerusalém; e Najeh Madi, de Salfeet. Todos os três têm diplomas universitários e já foram muito ativos no Hamas. Porém, por algum motivo, de uma hora para outra pararam há 10 anos. Hoje, todos levam uma vida absolutamente normal, sem qualquer envolvimento político. Sempre me perguntei por que alguém tão enérgico em relação ao movimento largaria tudo daquela maneira.

Loai concordou que eu podia ter razão. Começamos a estudar a movimentação de cada um daqueles homens. Descobrimos que os três se comunicavam entre si e também com Aziz Kayed. Eles trabalhavam juntos no Al-Buraq, o que nos parecia coincidência demais.

Será que aqueles quatro homens improváveis eram os verdadeiros comandantes que controlavam o Hamas, até mesmo sua ala militar? Será que haviam se mantido fora do nosso radar enquanto mirávamos em todos os personagens que tinham mais visibilidade? Continuamos a pesquisar, monitorar e esperar. Nossa paciência finalmente foi recompensada com uma importante revelação.

Descobrimos que aqueles perigosos homens na faixa dos 30 anos haviam ganhado controle total do dinheiro e estavam comandando o movimento do Hamas na Cisjordânia. Trouxeram milhões de dólares do exterior, que usavam para comprar armas, fabricar explosivos, recrutar voluntários, manter fugitivos, fornecer apoio logístico e assim por diante – tudo isso sob o disfarce de um dos numerosos e aparentemente inofensivos centros de pesquisa da Palestina.

Ninguém os conhecia. Eles nunca apareciam na TV. Comunicavam-se apenas por meio de cartas deixadas em postos de troca de correspondência. Obviamente, não confiavam em ninguém, o que era confirmado pelo fato de que nem meu pai tinha a mínima ideia da existência deles.

Certo dia, seguimos Najeh Madi do seu apartamento até uma garagem comercial a uma quadra de distância. O que ele estava fazendo lá? Por que alugaria uma vaga de garagem tão longe de casa?

Nas duas semanas seguintes, não tiramos os olhos daquela estúpida garagem, mas ninguém voltou até lá. Por fim, a porta foi aberta, por dentro, e quem saiu foi Ibrahim Hamed!

O Shin Bet esperou apenas o tempo necessário para que ele voltasse ao edifício a fim de lançar uma operação de prisão. No entanto, quando ficou cercado pelas forças especiais, Hamed não combateu até a morte, como havia ordenado a Saleh e aos outros.

— Tire a roupa e saia! — foram as ordens, mas não houve resposta. — Você tem 10 minutos. Depois, vamos demolir o prédio.

Dois minutos depois, o líder da ala militar do Hamas na Cisjordânia saiu pela porta, de cuecas.

— Tire a roupa *toda*!

Ele hesitou, mas acabou se despindo e, nu, ficou na frente dos soldados.

Pudemos provar que Ibrahim Hamed foi pessoalmente responsável pela morte de mais de 80 pessoas. Talvez não seja um impulso muito cristão, mas, se dependesse de mim, ele teria sido mandado de volta para sua garagem imunda e trancado lá dentro para o resto da vida. Assim, o Estado teria economizado as custas de um julgamento.

A operação de captura de Hamed e o desmascaramento dos verdadeiros líderes do Hamas foi a ação mais importante que realizei para o Shin Bet. E também a última.

Capítulo 26
UMA VISÃO PARA O HAMAS
2005

Durante seu mais recente período na prisão, meu pai teve uma espécie de epifania. Ele sempre teve uma cabeça muito aberta e costumava se reunir e conversar com cristãos, pessoas que não eram religiosas e até mesmo judeus. Ouvia com atenção jornalistas, especialistas e analistas e assistia a palestras nas universidades. Também dava ouvidos a mim, seu assistente, conselheiro e protetor. Por esse motivo, sua visão era muito mais clara e ampla do que a dos outros líderes do Hamas.

Ele via que Israel era uma realidade imutável e reconhecia que muitos dos objetivos do Hamas eram ilógicos e inalcançáveis. Queria encontrar um meio-termo que ambos os lados pudessem aceitar sem se humilhar e perder o respeito. Então, em seu primeiro discurso público após ser libertado, ele sugeriu a possibilidade de haver dois Estados, o que traria uma solução para o conflito. Ninguém no Hamas tinha dado uma sugestão desse tipo. O mais perto que chegaram de um entendimento mútuo foi quando declararam cessar-fogo. Meu pai, porém, estava reconhecendo o direito de existência de Israel! Seu telefone não parou de tocar.

Diplomatas de todos os países, até dos Estados Unidos, entraram em contato conosco para solicitar encontros secretos com meu pai. Queriam ver com os próprios olhos se ele realmente existia. Eu atuava como intérprete, sem nunca sair do lado dele. Meus amigos cristãos o apoiavam incondicionalmente e ele os amava por causa disso.

Como era de esperar, ele enfrentou problemas. Embora falasse em nome do Hamas, meu pai sem dúvida não representava o núcleo da organização. No entanto, aquele teria sido o pior momento para ele se afastar. A morte de Yasser Arafat havia criado um enorme vácuo e deixado as ruas dos territórios ocupados em ebulição. Por toda parte se encontravam jovens radicais armados, cheios de ódio e sem líder.

Arafat não era tão difícil assim de ser substituído. Qualquer político corrupto servia. O problema era que ele havia centralizado completamente o controle da ANP e da OLP. Não tinha o que se chama de espírito de equipe e concentrara toda a autoridade e as relações. Além disso, seu nome estava em todas as contas bancárias.

Naquele momento, o Fatah estava repleto de candidatos a Arafat. Porém quem, entre eles, os palestinos e a comunidade internacional considerariam aceitável e suficientemente forte para controlar todas as facções? Nem mesmo Arafat havia de fato conseguido esse feito.

Quando o Hamas decidiu participar das eleições parlamentares palestinas alguns meses depois, meu pai não ficou muito entusiasmado. Após a incorporação da ala militar durante a Intifada de Al-Aqsa, ele havia testemunhado a organização se transformar em uma criatura estranha que mancava com uma perna militar muito comprida e uma perna política curta demais. O Hamas simplesmente não tinha ideia de como funcionava o jogo do governo.

Ser revolucionário exige pureza e rigidez. Governar, por sua vez, requer concessões e flexibilidade. Se o Hamas quisesse governar, a negociação não seria uma opção, mas uma necessidade. Como autoridades eleitas, os integrantes da organização de uma hora para outra se tornariam responsáveis pelo orçamento, e por água, comida, eletricidade e coleta de lixo. E todas as decisões teriam de ser submetidas à aprovação de Israel. Um Estado palestino independente precisaria ser um Estado cooperativo.

Meu pai se lembrou dos encontros com os líderes do Ocidente e de como o Hamas rejeitara todas as recomendações, mostrando-se uma organização tacanha e do contra. Se eles tinham se recusado a negociar com os americanos e os europeus, qual era a possibilidade de o Hamas eleito se sentar à mesa de negociações com os israelenses?

Ele não se importava que o Hamas apresentasse candidatos. Só não queria que fossem líderes conhecidos, que, como ele mesmo, eram amados e admirados pelo povo. Se isso acontecesse, temia que o Hamas saísse vencedor. E sabia que uma vitória da organização poderia se revelar um desastre para o povo. Os acontecimentos provaram que meu pai tinha razão.

— Certamente, tememos que Israel, e talvez outras nações também, imponha punições aos palestinos por terem votado no Hamas — eu o ouvi dizer a um repórter do jornal israelense *Haaretz*. — Eles dirão: "Vocês escolheram o Hamas, por isso intensificaremos o estado de sítio e dificultaremos a vida de vocês."[12]

No entanto, muitos integrantes estavam sentindo o cheiro de dinheiro, poder e glória. Até mesmo ex-líderes que haviam desistido da organização apareceram do nada para colher parte dos louros. Meu pai ficou enojado com a cobiça, a irresponsabilidade e a ignorância deles. Aqueles homens não sabiam a diferença entre CIA e USAID. Quem iria trabalhar com eles?

• • •

Eu me sentia frustrado com quase tudo — com a corrupção da Autoridade Nacional Palestina, a estupidez e a crueldade do Hamas e a lista aparentemente infinita de terroristas que precisavam ser presos ou eliminados. Estava ficando exausto da farsa e do risco que haviam se tornado minha rotina cotidiana e queria levar uma vida normal.

Caminhando pelas ruas de Ramallah em um dia de agosto, vi um homem que subia um lance de escadas carregando um computador para ser consertado e pensei que deveria haver uma demanda para a manutenção de computadores a domicílio. Como eu não trabalhava mais para a USAID, achei que poderia tornar meu tino comercial rentável.

Eu fizera amizade com o gerente de tecnologia da informação da USAID, que era um mago dos computadores. Quando contei a ele minha ideia, decidimos nos tornar sócios. Eu entrei com o dinheiro, ele forneceu o conhecimento tecnológico, e então contratamos técnicos, entre os quais algumas mulheres, para poder atender o mercado feminino árabe.

Demos à empresa o nome de Electric Computer Systems e criei alguns anúncios com a caricatura de um homem subindo uma escada carregando um computador enquanto o filho dizia "Papai, você não precisa fazer isso" e pedia que ele ligasse para nosso número gratuito.

Nosso telefone não parava de tocar e logo tivemos muito sucesso. Comprei um novo furgão para a empresa, conseguimos uma licença para vender produtos da Hewlett-Packard e passamos a oferecer também o serviço de criação e manutenção de redes. Eu estava satisfeito como nunca. Àquela altura, não precisava do dinheiro, mas sentia que estava fazendo algo produtivo e divertido.

...

Desde o início da minha odisseia espiritual, tive algumas conversas interessantes com meus amigos do Shin Bet sobre Jesus e as crenças que estavam se desenvolvendo dentro de mim.

– Acredite no que quiser – eles diziam. – Pode compartilhar suas crenças conosco, mas não fale com mais ninguém. E nunca seja batizado, porque isso seria uma declaração pública. Se alguém descobrir que se tornou cristão e renegou a fé islâmica, você poderá ter problemas sérios.

Não acredito que eles estivessem tão preocupados com meu futuro quanto estavam com o deles se viessem a me perder. Mas Deus estava trazendo tantas mudanças para minha vida que seria difícil refrear a minha fé.

Certo dia, meu amigo Jamal estava preparando o jantar para mim e falou:

— Mosab, tenho uma surpresa para você — disse ele mudando o canal da TV com um brilho nos olhos. — Dê uma olhada no programa que está passando na Al-Hayat. Talvez seja do seu interesse.

De repente, me vi olhando para a imagem de um velho padre copta chamado Zakaria Botros. Ele parecia bondoso e gentil e sua voz era cordial e cativante. Gostei dele, até perceber o que dizia. Ele estava realizando uma autópsia sistemática do Alcorão, abrindo-o e expondo cada um de seus ossos, músculos, cartilagens e órgãos, colocando-os em seguida sob o microscópio da verdade e apresentando todo o livro como canceroso.

As imprecisões factuais e históricas, bem como as contradições do Alcorão, eram reveladas de forma precisa e respeitosa, mas firme e convicta. Minha primeira reação foi contra-atacar e desligar a televisão. No entanto, isso durou apenas alguns segundos, antes que eu reconhecesse que aquela era a resposta de Deus às minhas preces. Com aquele discurso, o padre Zakaria removia todas as partes mortas de Alá que ainda me ligavam ao Islã e não permitiam que eu enxergasse a verdade de que Jesus é de fato o Filho de Deus. Até que isso acontecesse, eu não podia ir adiante e segui-lo. Aquela, porém, não era uma transição fácil. Tente imaginar a dor de acordar certo dia e descobrir que seu pai não é realmente seu pai.

Não sei dizer exatamente em que dia e hora "me tornei cristão" porque esse foi um processo que durou seis anos. No entanto, sabia que aquela era minha crença e que, apesar do que os agentes do Shin Bet afirmavam, eu precisava ser batizado.

Mais ou menos nessa mesma época, um grupo de cristãos americanos foi a Israel para fazer uma excursão pela Terra Santa e visitar a igreja com a qual mantinham contato, que era a que eu frequentava.

Com o passar do tempo, fiquei muito amigo de uma das moças do grupo. Eu gostava de nossas conversas e logo passei a confiar nela. Quando compartilhei minha jornada espiritual, ela me incentivou, me fazendo lembrar que Deus muitas vezes usa as pessoas mais surpreendentes para realizar seu trabalho. Aquilo certamente se aplicava à minha vida.

Certa noite, quando jantávamos no restaurante da colônia americana em Jerusalém Oriental, minha amiga me perguntou por que eu ainda não tinha sido batizado. Não podia contar a ela que era um agente do serviço secreto israelense e que estava envolvido até o pescoço em todas as atividades políticas e de segurança naquela região. A pergunta dela, no entanto, fazia todo o sentido, e eu já a havia feito a mim mesmo várias vezes.

– Você pode me batizar? – perguntei.

Ela disse que sim.

– Pode manter esse segredo só entre nós dois?

Ela concordou e acrescentou:

– A praia não fica muito longe daqui. Que tal irmos agora?

– Está falando sério?

– Claro que sim, por que não?

– Tudo bem, por que não?

Eu estava um pouco atordoado quando embarcamos no ônibus para Tel Aviv. Será que tinha esquecido minha origem? Realmente depositaria minha confiança naquela garota de San Diego? Quarenta e cinco minutos depois, caminhávamos pela praia, no ar doce e morno da noite. Ninguém ali poderia imaginar que o filho de um líder do Hamas, o grupo terrorista responsável pelo assassinato de 21 jovens na discoteca Dolphinarium, que ficava um pouco mais à frente naquela mesma rua, estava prestes a ser batizado.

Tirei minha camisa e entrei no mar.

• • •

Em 23 de setembro de 2005, enquanto voltávamos de um dos campos de refugiados perto de Ramallah, meu pai recebeu um telefonema.

– O que está acontecendo? – ele gritou ao telefone. – O quê?!

Meu pai parecia muito perturbado. Quando desligou, me contou que Sami Abu Zuhri, o porta-voz do Hamas em Gaza, ligara para dizer que os israelenses tinham acabado de matar muitos integrantes do Hamas durante um comício no campo de refugiados de Jebaliya. Zuhri insistia em falar que vira os aviões israelenses lançarem mísseis na multidão, interrompendo o cessar-fogo.

Meu pai havia se empenhado muito para negociar aquela trégua sete meses antes. Agora, parecia que todos os seus esforços tinham sido em vão. Ele não confiava em Israel e ficou furioso com a sede de sangue daquele país.

Eu, porém, não acreditava naquilo. Embora não tenha dito nada ao meu pai, algo naquela história não me cheirava bem.

Representantes da Al-Jazeera ligaram, pedindo que meu pai desse uma declaração sobre o episódio assim que chegássemos a Ramallah. Vinte minutos depois, estávamos nos estúdios.

Enquanto o preparavam para ir ao ar, liguei para Loai, que me garantiu que Israel não havia lançado nenhum ataque. Fiquei furioso. Pedi ao produtor que me deixasse ver as imagens do incidente. Ele me levou à sala de edição e nós dois assistimos a elas várias vezes. A explosão certamente ocorreu de baixo para cima, não de cima para baixo, como acontece em um ataque aéreo.

O xeique Hassan Yousef já estava no ar, discursando contra o traiçoeiro Estado de Israel, ameaçando pôr fim ao cessar-fogo e exigindo uma investigação internacional.

— Está se sentindo melhor agora? — perguntei enquanto ele saía do estúdio.

— Como assim?

— Agora, depois da sua declaração.

— Por que não deveria me sentir melhor? Não posso acreditar que os israelenses fizeram aquilo.

— Simplesmente porque não fizeram. Foi o Hamas. Zuhri é um mentiroso. Por favor, venha até a sala de edição, quero mostrar uma coisa.

Meu pai me seguiu até a pequena sala, onde assistimos ao vídeo diversas vezes.

— Observe a explosão. Olhe. O estouro acontece de baixo para cima. Não foi um ataque aéreo.

Soubemos depois que os integrantes da ala militar do Hamas em Gaza estavam se exibindo, se vangloriando de seu equipamento durante a manifestação, quando um míssil Qassam explodiu na traseira de uma picape, matando 15 pessoas e ferindo muitas outras.

Meu pai ficou chocado. No entanto, o Hamas não foi o único a encobrir a verdade naquele incidente mentiroso e motivado por interesses políticos. Apesar do que era mostrado nas imagens do noticiário, a Al-Jazeera continuou a difundir mentiras. Depois, tudo piorou. E muito.

Em retaliação pelo falso ataque em Gaza, o Hamas disparou cerca de 40 mísseis contra cidades no sul do território israelense, o primeiro grande ataque desde a saída completa de Israel de Gaza uma semana antes. Em casa, meu pai e eu assistíamos aos noticiários junto com o restante do mundo. No dia seguinte, Loai me avisou que o gabinete ministerial concluíra que o Hamas havia rompido o cessar-fogo.

Uma reportagem citava o general de divisão Yisrael Ziv, chefe de operações do Exército israelense: "Ficou decidido que lançaremos um ataque prolongado e constante contra o Hamas", o que, segundo o jornalista, indicava "que Israel estava se preparando para retomar os ataques contra os principais líderes do Hamas", uma prática suspensa após o cessar-fogo.[13]

— Seu pai precisa ser preso — disse Loai ao telefone.

— Está pedindo minha aprovação?

— Não. Estão pedindo especificamente a prisão dele, e não podemos fazer nada a respeito.

Fiquei furioso.

— Mas meu pai não lançou nenhum míssil na noite passada nem ordenou que fizessem isso. Ele não teve nada a ver com aquele episódio. Foram aqueles idiotas de Gaza.

No fim, perdi o ímpeto para argumentar. Eu estava esgotado, e Loai quebrou o silêncio.

— Você ainda está aí?

— Estou — respondi e me sentei. — Não é justo... mas entendo.

— Você também — disse ele baixinho.

— Eu também o quê? Preciso ser preso? Esqueça! Não vou voltar para lá. Não me importa o disfarce. Para mim, chega. Acabou.

— Meu irmão — ele sussurrou —, você acha que quero vê-lo preso? A decisão é sua. Se você quiser, fica solto. Mas esta situação é mais perigosa do que todas as outras. Você ficou ao lado do seu pai mais do que nunca no último ano. Todos sabem que você está completamente envolvido com o Hamas. Muitos acreditam que você até faz parte da liderança da organização... Se não for preso, vai ser morto em algumas semanas.

Capítulo 27
ADEUS
2005-2007

— O QUE ESTÁ ACONTECENDO? — meu pai perguntou quando me viu chorando.

Eu não sabia o que dizer, e ele sugeriu que preparássemos juntos o jantar para minha mãe e minhas irmãs. Ao longo dos anos, havíamos nos aproximado muito, e ele entendia que, às vezes, eu simplesmente precisava ficar só para pensar nas coisas.

Porém, enquanto cozinhávamos, sabendo que aquelas talvez fossem as últimas horas que passaríamos juntos por um bom tempo, fiquei arrasado. Decidi não deixá-lo ir sozinho para a prisão.

Depois do jantar, liguei para Loai:

— Tudo bem — disse a ele —, aceito voltar para a prisão.

Era 25 de setembro de 2005 e decidi caminhar até meu refúgio favorito nas montanhas, nos arredores de Ramallah, onde eu costumava rezar e ler a Bíblia. Rezei, chorei mais um pouco e pedi ao Senhor clemência para mim e minha família. Quando cheguei em casa, sentei e esperei. Meu pai, sem saber o que estava prestes a acontecer, já havia ido para a cama. Pouco após a meia-noite, as forças de segurança chegaram.

Os soldados nos levaram para a Prisão Ofer, onde fomos colocados em uma grande sala com centenas de outros homens detidos durante uma batida por toda a cidade. Daquela vez, também prenderam meus irmãos Oways e Mohammad. Loai me contou, em segredo, que eles eram suspeitos em um caso de homicídio. Um dos colegas de escola deles havia sequestrado, torturado e matado um colono israelense, e o Shin Bet interceptou um telefonema que o assassino dera para Oways no dia anterior. Mohammad foi liberado alguns dias depois, mas Oways ficou quatro meses na prisão antes de ser inocentado de qualquer envolvimento com o crime.

Durante 10 horas, ficamos agachados naquela sala com as mãos algemadas às costas. Agradeci a Deus em silêncio quando alguém deu uma cadeira a meu pai e vi que ele estava sendo tratado com respeito.

Fui condenado a três meses de detenção administrativa. Meus amigos cristãos me mandaram uma Bíblia, e eu cumpri minha pena estudando as Escrituras e seguindo a rotina sem pensar muito no que estava acontecendo. Fui libertado no dia de Natal de 2005, mas meu pai não. Ele permanece preso enquanto escrevo estas linhas.

• • •

As eleições parlamentares estavam se aproximando e todos os líderes do Hamas queriam se candidatar. Eles ainda me enojavam. Todos estavam livres, ao passo que o único homem realmente qualificado para liderar seu povo continuava preso atrás de arame farpado. Depois de tudo o que havia culminado em nossa prisão, não era necessário muito para convencer meu pai a não participar das eleições. Ele me mandou um recado, pedindo que eu transmitisse sua decisão a Mohammad Daraghmeh, um amigo e analista político da Associated Press.

A notícia foi divulgada algumas horas depois e meu telefone começou a tocar. Os líderes do Hamas haviam tentado contatar meu pai na prisão, mas ele se recusara a falar com eles.

– O que está acontecendo? – me perguntaram. – Isso é uma catástrofe! Vamos perder porque, se seu pai não concorrer, vai parecer que ele não aprova a realização das eleições!

– Se ele não quer participar – eu disse –, vocês devem respeitar sua decisão.

Em seguida, recebi um telefonema de Ismail Haniyeh, líder da chapa eleitoral do Hamas, que logo se tornaria o novo primeiro-ministro da Autoridade Nacional Palestina.

– Mosab, como líder do movimento, peço que você convoque uma coletiva e anuncie que seu pai ainda faz parte da chapa do Hamas. Diga que a matéria da Associated Press foi um erro.

Além de tudo, queriam que eu mentisse para ajudá-los. Haviam esquecido que o Islã condena a mentira ou achavam que não tinha problema faltar com a verdade porque a política não tem religião?

– Não posso fazer isso – disse. – Eu o respeito, mas respeito ainda mais meu pai e minha própria integridade.

E desliguei.

Trinta minutos depois, recebi uma ameaça de morte.

– Convoque a coletiva imediatamente – disse a pessoa do outro lado da linha – ou nós mataremos você.

– Então venham me matar.

Desliguei e telefonei para Loai. Em poucas horas, o sujeito que havia feito a ameaça estava preso.

Eu realmente não me importava com ameaças de morte, mas, quando meu pai ficou sabendo da ligação que recebi, telefonou para Daraghmeh e disse que participaria da eleição. Depois, pediu que eu me acalmasse e esperasse sua libertação. Ele me garantiu que se entenderia com o Hamas.

Obviamente, meu pai não podia fazer campanha de dentro da prisão. Mas não era necessário. O Hamas pôs sua fotografia por toda parte, incentivando, de maneira implícita, todos a votarem na chapa da organização.

O xeique Hassan Yousef foi eleito para o parlamento com uma enxurrada de votos, levando consigo todos os outros candidatos, como acontece com os carrapichos na juba de um leão.

• • •

Vendi minha parte na Electric Computer Systems para meu sócio porque sentia que muitas coisas na minha vida logo chegariam ao fim.

Quem eu era? Que tipo de futuro eu podia esperar se continuasse a viver daquela maneira?

Eu tinha 27 anos e nem podia namorar. Uma garota cristã teria medo da minha reputação como filho de um dos principais líderes do Hamas. Para uma garota muçulmana, um árabe cristão de nada servia. E que garota judia iria querer namorar com o filho de Hassan Yousef? Mesmo que uma mulher saísse comigo, sobre o que poderíamos conversar? O que na minha vida eu podia compartilhar? Que tipo de vida era aquela afinal? Eu sacrificara tudo em nome de quê? Em nome da Palestina? De Israel? Da paz?

De que servia ser o superespião do Shin Bet? A situação melhorara para meu povo? O derramamento de sangue havia parado? Meu pai estava em casa com a família? Israel passara a ser um lugar mais seguro? Eu servira de exemplo para meus irmãos e irmãs? Eu achava que havia sacrificado quase um terço da minha vida por nada, como "correr atrás do vento", como o rei Salomão descreve em Eclesiastes 4:16.

Eu nem podia compartilhar tudo o que aprendera ao desempenhar meus diferentes papéis. Quem acreditaria em mim?

Liguei para o escritório de Loai:

— Não posso mais colaborar com vocês.

— Por quê? O que aconteceu?

— Nada. Amo todos vocês e adoro o trabalho que faço com o serviço secreto. Acho até que posso estar viciado nele. Mas não estamos chegando a lugar nenhum. Travamos uma guerra que não pode ser vencida com prisões, interrogatórios e assassinatos. Nossos inimigos são as ideologias, e elas não se importam com incursões e toques de recolher. Não podemos explodi-las com um tanque. Vocês não são o nosso problema, e nós não somos o de vocês. Somos todos como ratos presos em um labirinto. Não posso mais levar esta vida. Para mim, chega!

Eu sabia que aquele era um golpe duro para o Shin Bet, afinal estávamos no meio de uma guerra.

— Tudo bem — disse Loai. — Vou informar aos chefes da agência e ver o que eles dizem.

Quando nos encontramos novamente, ele disse:

— Eis a oferta do Shin Bet: Israel tem uma grande empresa de comunicação. Podemos fornecer todo o dinheiro necessário para que você crie uma igualzinha a ela nos territórios palestinos. É uma grande oportunidade e você ficará seguro pelo resto da vida.

— Você não entende. Não se trata de dinheiro. O problema é que não estou chegando a lugar algum.

— As pessoas aqui precisam de você, Mosab.

— Vou encontrar outra maneira de ajudá-las, porque assim não temos tido resultado. Nem mesmo a agência consegue ver para onde está indo.

— Então, o que você quer?

— Quero sair do país.

Ele relatou nossa conversa a seus superiores. Fiz algumas propostas e ouvi as opções que os líderes do Shin Bet apresentaram, eles insistindo para que eu ficasse e eu reiterando que precisava ir embora.

— Muito bem, deixamos você passar vários meses na Europa, talvez um ano, contanto que prometa voltar.

– Não vou para a Europa. Quero ir para os Estados Unidos, tenho amigos lá. Talvez eu volte em um, dois ou cinco anos. Não sei. Neste momento, só sei que preciso dar um tempo.

– Ir para os Estados Unidos vai ser difícil. Aqui você tem dinheiro, trabalho e proteção de todos. Você criou uma reputação sólida, construiu uma bela empresa e vive com muito conforto. Sabe como será sua vida nos Estados Unidos? Você não terá destaque nem influência.

Eu disse que não me importava se tivesse de lavar pratos. Diante da minha insistência, eles se mostraram irredutíveis:

– Nem pensar nos Estados Unidos. Só se for para a Europa, e por pouco tempo. Vá e aproveite. Continuaremos a pagar seu salário. Simplesmente, vá e se divirta. Dê um tempo e depois volte.

– Se não tem jeito, então vou para casa. Não irei mais colaborar com vocês. Nem vou sair de casa, porque não quero dar de cara por acaso com um terrorista suicida e ser obrigado a denunciá-lo. Não se deem o trabalho de me ligar. Não trabalho mais para vocês.

Fui para a casa dos meus pais e desliguei o celular. Deixei minha barba crescer, e ela ficou longa e grossa. Muito preocupada comigo, minha mãe ia várias vezes ao meu quarto para me ver e perguntar se eu estava bem. Todos os dias eu lia a Bíblia, escutava música, assistia à televisão, pensava sobre os últimos 10 anos da minha vida e lutava contra a depressão.

Ao fim de três meses, minha mãe avisou que alguém desejava falar comigo ao telefone. Respondi que não queria falar com ninguém, mas, segundo ela, a pessoa tinha dito que era urgente, que era um velho amigo e conhecia meu pai.

Desci e atendi o telefone. Era alguém do Shin Bet.

– Queremos nos encontrar com você – disse a pessoa do outro lado da linha. – É muito importante. Temos boas notícias.

Fui à reunião. Meu afastamento havia criado um beco sem saída para eles. Viram que eu estava determinado a parar de colaborar.

— Tudo bem, deixaremos você ir para os Estados Unidos, mas só por alguns meses, e você precisa prometer que vai voltar.

— Não sei por que insistem em algo que sabem que não vão obter — eu disse em tom calmo, mas firme.

Por fim, disseram:

— Muito bem, deixaremos você ir com duas condições: primeiro, precisa contratar um advogado e solicitar uma permissão judicial para deixar o país por razões médicas, senão vai levantar suspeitas de ser colaborador. Segundo, você tem de voltar.

O Shin Bet nunca permitia que os integrantes do Hamas cruzassem as fronteiras, a menos que precisassem de algum tratamento médico não disponível nos territórios palestinos. Eu realmente tinha um problema na mandíbula que impedia a oclusão dos meus dentes, e a cirurgia necessária para corrigi-lo não era realizada na Cisjordânia. Aquilo nunca havia me incomodado muito, mas presumi que seria uma desculpa tão boa quanto qualquer outra, então contratei um advogado para mandar um relatório médico ao tribunal, solicitando permissão para viajar para os Estados Unidos a fim de fazer a operação.

O propósito de toda essa manobra era criar um rastro de documentos autênticos na esfera jurídica e mostrar que eu estava lutando com uma burocracia hostil em uma tentativa para deixar Israel. Se o Shin Bet me deixasse partir facilmente, iria parecer favoritismo e as pessoas poderiam começar a perguntar o que eu fizera em troca dessa permissão. Então, era preciso fingir que eles estavam dificultando minha vida e lutando comigo em cada etapa.

No entanto, o advogado que escolhi se revelou um obstáculo. Aparentemente, ele não achava que eu tinha muita chance, então pediu seus honorários adiantados, que eu paguei, mas depois cruzou os braços e não fez nada. O Shin Bet não tinha papelada para preencher porque não recebera nada do meu advogado. Toda semana eu ligava para ele e perguntava sobre o progresso do meu caso. Ele só precisava tratar da papelada, mas continuava adiando e mentindo para mim. Dizia que havia um problema, que tinham ocorrido complicações. Todas as vezes dizia que precisava de mais dinheiro, e eu pagava.

Essa lenga-lenga durou seis meses. Finalmente, em 1º de janeiro de 2007, recebi um telefonema.

— Você tem permissão para partir — informou o advogado, como se tivesse acabado de resolver o problema da fome no mundo.

...

— Você poderia se encontrar só mais uma vez com um dos líderes do Hamas no campo de refugiados de Jalazone? — Loai perguntou. — Você é a única pessoa...

— Estou deixando o país daqui a cinco horas.

— Bom, deixa pra lá — disse ele desistindo. — Cuide-se e mantenha contato conosco. Ligue quando tiver cruzado a fronteira para nos dizer que está tudo bem.

Telefonei para alguns conhecidos na Califórnia e contei que estava a caminho. É claro que eles não faziam ideia de que eu era o filho de um importante líder do Hamas e espião do Shin Bet, e ficaram muito empolgados. Guardei algumas roupas em uma mala pequena e desci para contar a novidade à minha mãe. Ela já estava na cama.

Eu me ajoelhei a seu lado e disse a ela que partiria em algumas horas, cruzaria a fronteira da Jordânia e viajaria para os Estados Unidos. Nem naquele momento pude explicar o motivo.

Os olhos dela diziam tudo. *Seu pai está na prisão, e você é como um pai para seus irmãos e irmãs. O que vai fazer nos Estados Unidos?* Eu sabia que ela não queria me ver partir, mas, ao mesmo tempo, desejava que eu ficasse em paz. Ela disse que esperava que eu conseguisse construir uma vida lá depois de passar por tantas situações perigosas. Porém, não tinha ideia de todos os riscos que eu havia corrido.

— Quero lhe dar um beijo de despedida — ela disse. — Por favor, me acorde de manhã, antes de partir.

Ela me desejou sorte, e eu disse que ia sair muito cedo e que ela não precisava se levantar para se despedir. Mas ela era minha mãe. Esperou acordada ao meu lado a noite toda na sala de estar, junto com meus irmãos e irmãs e meu amigo Jamal.

Enquanto arrumava minhas coisas antes de partir, quase pus na mala minha Bíblia, o exemplar que eu havia estudado durante anos, até na prisão, e que continha todas as minhas anotações, mas senti que deveria dá-la a Jamal.

— Não tenho um presente mais caro para dar a você antes de ir embora — eu disse. — Aqui está a minha Bíblia. Leia-a e siga-a.

Tinha certeza de que Jamal atenderia meu desejo e provavelmente a leria sempre que pensasse em mim. Eu me certifiquei de que tinha dinheiro suficiente para me sustentar durante um tempo, saí de casa e segui na direção da ponte Allenby, que liga Israel à Jordânia.

Não tive problema em passar pelos postos de fronteira de Israel. Paguei os 35 dólares equivalentes à taxa de saída do país e entrei no enorme terminal da imigração com seus detectores de metal, aparelhos de raios X e a infame Sala 13, na qual os suspeitos eram interrogados. Mas aqueles dispositivos, além das revistas corporais, eram na maior parte para quem estava vindo da Jordânia e *entrando* em Israel, não para quem estava saindo do território israelense.

No terminal havia uma multidão usando shorts e pochetes, quipás e turbantes árabes, véus e bonés de beisebol, algumas pessoas carregando mochilas, outras empurrando carrinhos abarrotados de bagagem. Finalmente, embarquei em um dos grandes ônibus da empresa jordaniana Jett, o único transporte público permitido na ponte.

Tudo bem, pensei, *está quase no fim.*

Mas eu ainda estava um pouco paranoico. O Shin Bet simplesmente não permitia que pessoas como eu deixassem o país, nunca soube de ninguém que tenha conseguido. Até mesmo Loai ficou surpreso por eu ter conseguido a permissão.

Quando cheguei ao lado jordaniano, apresentei meu passaporte. Estava preocupado porque, embora meu visto americano ainda valesse por três anos, meu passaporte expiraria em menos de 30 dias.

Por favor, rezei, *me deixe entrar na Jordânia por um dia. É tudo o que preciso.*

No entanto, me preocupei à toa, porque não houve problema algum. Peguei um táxi para Amã e comprei uma passagem da Air France. Hospedei-me em um hotel por algumas horas, depois segui para o aeroporto internacional Rainha Alia e embarquei no meu voo para a Califórnia via Paris.

Sentado no avião, pensei no que estava deixando para trás, as coisas boas e as ruins: minha família e meus amigos, mas também o derramamento de sangue, o desperdício e a inutilidade infinitos.

Demorei um pouco a me acostumar à ideia de estar realmente livre – livre para ser eu mesmo, livre de encontros clandestinos e de prisões israelenses, livre de sempre olhar para trás.

Era estranho. E maravilhoso.

• • •

Um dia, caminhando por uma calçada na Califórnia, vi um rosto conhecido vindo na minha direção. Era o rosto de Maher Odeh, o cérebro por trás de muitos atentados suicidas, o sujeito que eu vira sendo visitado pelos capangas de Arafat em 2000. Depois, eu os desmascarei como a célula fundadora das fantasmagóricas Brigadas dos Mártires de Al-Aqsa.

No início, não tive certeza absoluta de que era Odeh. As pessoas parecem diferentes quando estão fora de contexto. Eu tinha esperança de estar enganado. O Hamas nunca ousou entrar no território americano para realizar atentados. Seria ruim para os Estados Unidos se ele estivesse aqui. Seria ruim para mim também.

Nossos olhos se cruzaram e nos encaramos por uma fração de segundo. Tive quase certeza de ter visto uma centelha de reconhecimento em seus olhos antes de ele seguir caminhando pela rua.

EPÍLOGO

Em julho de 2008, eu estava jantando em um restaurante com meu amigo Avi Issacharoff, jornalista do *Haaretz* em Israel. Contei a ele a história da minha conversão ao cristianismo porque queria que a notícia fosse divulgada primeiro em Israel, não no Ocidente. Ela foi publicada no jornal com a manchete "Filho Pródigo".

Como costuma acontecer com muitos seguidores de Jesus, a declaração pública da minha fé partiu o coração dos meus pais, irmãos e amigos.

Em meio à vergonha causada por essa revelação, uma das poucas pessoas que deram apoio à minha família foi meu amigo Jamal, que se juntou a ela em seu pranto. Terrivelmente sozinho após minha partida, Jamal conheceu uma linda jovem, ficou noivo e se casou duas semanas depois de o artigo ter sido publicado no *Haaretz*.

No casamento de Jamal, meus familiares não conseguiram conter as lágrimas porque a cerimônia os fazia pensar em mim, em como eu havia destruído meu futuro e em como nunca me casaria e teria uma família muçulmana. Ao ver a tristeza deles, até o recém-casado começou a chorar. A maioria dos outros convidados do casamento também chorou, mas tenho certeza de que foi por outro motivo.

— Você não podia ter esperado duas semanas para fazer seu anúncio *depois* do meu casamento? — Jamal me perguntou posteriormente durante um telefonema. – Você transformou a melhor coisa da minha vida num desastre.

Eu me senti péssimo. Ainda bem que ele continua sendo meu melhor amigo.

Meu pai recebeu a notícia em sua cela na prisão. Ao acordar, soube que seu filho mais velho se convertera ao cristianismo. De seu ponto de vista, eu tinha destruído meu futuro e também o da família. Ele acha que, um dia, serei levado para o inferno bem diante de seus olhos e, então, seremos separados para sempre.

Meu pai chorou como um bebê e não quis sair da cela. Prisioneiros de todas as facções foram até ele.

– Todos nós somos seus filhos – disseram. – Por favor, se acalme.

Ele não podia confirmar a veracidade da reportagem. No entanto, uma semana depois, Anhar, minha irmã de 17 anos, que era a única parente com permissão para visitá-lo, foi até a prisão. Imediatamente ele viu nos olhos dela que tudo era verdade e não conseguiu se controlar. Outros prisioneiros deixaram os familiares que os estavam visitando e foram chorar com ele. Meu pai tentou tomar fôlego para se desculpar com eles, mas acabou chorando ainda mais. Até mesmo os guardas israelenses, que o respeitavam, choraram.

Eu lhe mandei uma carta de seis páginas, dizendo como era importante que ele descobrisse a verdadeira natureza do Deus que sempre havia amado, mas nunca conhecera.

Meus tios esperavam ansiosamente que meu pai me deserdasse. Quando ele se recusou a fazê-lo, deram as costas a minha mãe e meus irmãos. Mas meu pai sabia que, se me deserdasse, os terroristas do Hamas me matariam. Ele continuou me protegendo, por mais profundas que fossem as feridas que eu tinha causado.

Oito semanas depois, os homens da prisão Ktzi'ot, no deserto de Negev, ameaçaram se rebelar, e o Shabas, o Serviço Penitenciário de Israel, pediu a meu pai que fizesse o possível para acalmar a situação.

Certo dia, minha mãe, que me telefonava toda semana desde minha chegada aos Estados Unidos, me ligou:

— Seu pai está no Negev. Alguns dos prisioneiros contrabandearam telefones celulares. Você gostaria de falar com ele?

Eu não podia acreditar. Achei que só teria a oportunidade de falar com meu pai quando ele fosse libertado.

Liguei, mas ninguém atendeu. Então liguei novamente.

— Alô!

Era a voz dele. Eu mal conseguia falar.

— Oi, pai.

— Olá.

— Sinto saudade da sua voz.

— Como você está?

— Estou bem, mas isso não importa. Como o senhor está?

— Tudo bem. Viemos aqui falar com os prisioneiros e tentar acalmar os ânimos.

Ele não havia mudado em nada. Sua principal preocupação continuava a ser seu povo. E ele sempre seria o mesmo.

— Como está sua vida nos Estados Unidos agora?

— Está ótima. Estou escrevendo um livro...

Cada um dos prisioneiros tinha apenas 10 minutos ao telefone, e meu pai nunca se valeria de sua posição para receber um tratamento especial. Eu queria contar sobre minha nova vida, mas ele não queria falar a respeito desse assunto.

— Não importa o que aconteceu — ele me disse —, você ainda é meu filho. É parte de mim, e nada mudará. Você tem uma opinião diferente, mas ainda é meu filho querido.

Fiquei atônito. Aquele homem era incrível.

Liguei novamente no dia seguinte. Ele estava triste, mas me ouviu.

– Tenho um segredo que preciso contar ao senhor – eu disse.

– Quero contar agora para que o senhor não venha a saber pelos meios de comunicação.

Expliquei que havia trabalhado para o Shin Bet durante 10 anos, que ele ainda estava vivo porque eu concordara com sua detenção a fim de protegê-lo, que seu nome estava no topo da lista de terroristas a serem eliminados por Israel e que ele ainda permanecia na prisão porque eu não estava mais lá para garantir sua segurança.

Silêncio. Meu pai não disse nada.

– Eu te amo – eu disse finalmente. – O senhor sempre será meu pai.

POSTSCRIPTUM

Ao contar minha história, a maior esperança que tenho é mostrar ao meu povo – os palestinos seguidores do Islã, que têm sido usados por regimes corruptos há centenas de anos – que a verdade pode libertá-los.

Também faço este relato para permitir que o povo israelense saiba que há esperança. Se eu, o filho de um dos líderes de uma organização terrorista cujo objetivo é a extinção de Israel, pude chegar a um ponto no qual não apenas aprendi a amar o povo judeu como também arrisquei minha vida por ele, é porque existe um sinal de esperança.

Minha história também traz uma mensagem para os cristãos. Devemos aprender com o sofrimento do meu povo, que carrega um fardo pesado por tentar achar seu caminho para atingir a graça de Deus. Precisamos ir além das regras religiosas que criamos para nós mesmos, amando as pessoas incondicionalmente, em todas as partes do mundo. Se formos representar Jesus para o mundo, precisamos viver de acordo com sua mensagem de amor. Se quisermos segui-lo, também devemos esperar ser perseguidos. Deveríamos ficar felizes por sermos perseguidos em seu nome.

Para os especialistas nas questões do Oriente Médio, autoridades governamentais, estudiosos e líderes de organizações de inteligência, escrevo na esperança de que esta história simples contribua para o entendimento desse problema, apresentando soluções para uma das regiões mais problemáticas do mundo.

Ofereço minha história sabendo que muitas pessoas, incluindo as mais importantes para mim, não entenderão meus motivos nem meu modo de pensar.

Algumas pessoas me acusarão de ter feito o que fiz por dinheiro. A ironia é que antes eu não tinha problema para ganhar dinheiro, mas agora estou levando uma vida muito modesta. Embora seja verdade que minha família enfrentou dificuldades financeiras, sobretudo durante os longos períodos em que meu pai esteve na prisão, acabei me tornando um jovem razoavelmente rico. Com o salário que eu recebia do governo israelense, minha renda era cerca de 10 vezes a renda média do meu país. Eu tinha uma vida boa, possuía duas casas e um carro esporte novo. E poderia ter ganhado ainda mais.

Quando eu disse que não queria mais trabalhar para os israelenses, eles se ofereceram para criar minha própria empresa de comunicação, que teria me rendido milhões de dólares se eu tivesse ficado lá. No entanto, recusei a oferta e vim para os Estados Unidos, onde não consegui encontrar um emprego em tempo integral e praticamente me tornei um sem-teto. Espero que, algum dia, a questão financeira não seja mais um problema para mim, mas aprendi que apenas o dinheiro nunca me deixará satisfeito. Se ele fosse meu maior objetivo, eu poderia ter ficado onde estava e continuado a colaborar com Israel. Poderia ter aceitado as doações que me ofereceram desde que me mudei para a Califórnia. Mas não fiz nada disso porque não quero fazer do dinheiro a minha prioridade, ou dar a impressão de que é isso que me move.

Algumas pessoas podem achar que estou fazendo isto para chamar atenção, mas atenção não me faltava em meu país.

Foi muito mais difícil abrir mão do poder e da autoridade que eu tinha como filho de um importante líder do Hamas. Já tendo sentido o gosto do poder, sei como ele pode ser viciante, bem mais do que o dinheiro. Eu gostava do poder que tinha na minha antiga vida, porém quem está viciado, até mesmo no poder, não está exercendo o controle – está sendo controlado.

A liberdade, um anseio profundo por liberdade, é o cerne da minha história.

Sou filho de um povo escravizado por sistemas corruptos há muitos séculos.

Eu era prisioneiro dos israelenses quando meus olhos se abriram para o fato de o povo palestino ser tão oprimido por seus próprios líderes quanto por Israel.

Eu era um seguidor devoto de uma religião que exigia o respeito estrito de regras rígidas para que pudesse agradar o deus do Alcorão e garantir meu lugar no paraíso.

Eu tinha dinheiro, poder e status na minha antiga vida, mas o que realmente queria era liberdade. E isso significava, entre outras coisas, deixar para trás o ódio, o preconceito e o desejo de vingança.

A mensagem de Jesus – amai vossos inimigos – foi o que finalmente me libertou. Não fazia mais diferença quem eram meus amigos ou inimigos, eu devia amar a todos. E podia ter uma relação de amor com um Deus que me ajudaria a amar os outros.

Esse tipo de relacionamento com Deus é não apenas a fonte da minha liberdade, mas também o elemento essencial da minha nova vida.

...

Depois de ler este livro, por favor, não pense que me tornei uma espécie de seguidor supremo de Jesus. Ainda estou me esforçando. O pouco que sei e entendo da minha fé teve origem em estudos e leituras da Bíblia. Em outras palavras, sou um seguidor de Jesus Cristo, mas estou apenas começando a me tornar seu discípulo.

Nasci e fui criado em um ambiente religioso que insistia que a salvação dependia de boas ações. Tenho muito a desaprender para abrir espaço para a verdade:

> *Quanto à antiga maneira de viver, vocês foram ensinados a despir-se do velho homem, que se corrompe por desejos enganosos, a serem renovados no modo de pensar e a revestir-se do novo homem, criado para ser semelhante a Deus em justiça e em santidade provenientes da verdade.*
>
> EFÉSIOS, 4:22-24

Como muitos outros seguidores de Cristo, me arrependi de meus pecados e sei que Jesus é o Filho de Deus que se tornou homem, morreu por nossos pecados, ressuscitou dos mortos e se sentou à direita do Pai. Fui batizado, no entanto acho que mal entrei pelo portão do Reino de Deus. Disseram-me que há muito, muito mais, e eu quero tudo.

Nesse meio-tempo, ainda luto com as coisas mundanas, a carne e o diabo. Continuo a ter concepções equivocadas e luto com o que às vezes parecem ser questões invencíveis. Mas espero que eu, "o pior dos pecadores" (1 Timóteo 1:16) – como na descrição que o apóstolo Paulo fez de si mesmo para Timóteo –, me torne o que quer que Deus queira que eu seja, contanto que eu não desista.

Então, se você me encontrar na rua, por favor, não me peça conselhos nem minha opinião sobre o significado desse ou daquele versículo. Você provavelmente já está muito mais adiantado do que eu na leitura das Escrituras. Em vez de olhar para mim como um troféu espiritual, reze por mim, para que minha fé se fortaleça e para que eu não encontre muitos obstáculos ao longo do caminho que me leva a Jesus.

∴

Enquanto continuarmos a procurar os inimigos em outros lugares que não dentro de nós mesmos, sempre haverá um problema no Oriente Médio.

A religião não é a solução. A liberdade da opressão também não vai resolver as coisas. Livre da opressão da Europa, Israel se tornou o opressor. Livres de perseguições, os muçulmanos se tornaram perseguidores. Cônjuges e filhos maltratados muitas vezes continuam a maltratar seus cônjuges e filhos. Embora seja um clichê, ainda é verdade: pessoas feridas, a menos que sejam curadas, ferem outras pessoas.

Manipulado por mentiras e guiado pelo racismo, pelo ódio e pela revolta, eu estava me tornando uma dessas pessoas. Então, em 1999, encontrei o único Deus verdadeiro. Ele é o Pai cujo amor está além de qualquer expressão, embora o tenha manifestado por meio do sacrifício de seu único Filho em uma cruz para expiar os pecados do mundo. Ele é o Deus que, três dias depois, demonstrou seu poder e sua justiça fazendo Jesus ressuscitar dos mortos. Ele é o Deus que, além de me mandar amar e perdoar meus inimigos como ele mesmo fez, me dá o poder para colocar isso em prática.

Verdade e perdão são a única solução para o Oriente Médio. Mas o desafio, principalmente entre israelenses e palestinos, não é *encontrar* a solução. O desafio é ser o primeiro com coragem suficiente para *abraçá-la*.

OS PERSONAGENS

A FAMÍLIA DE MOSAB
Xeique Yousef Dawood – Seu avô paterno.
Xeique Hassan Yousef – Seu pai; cofundador e líder do Hamas desde 1986.
Sabha Abu Salem – Sua mãe.
Ibrahim Abu Salem – Seu tio (irmão de sua mãe); cofundador da Irmandade Muçulmana na Jordânia.
Dawood – Seu tio (irmão de seu pai).
Yousef Dawood – Seu primo, filho de Dawood, que o ajudou a comprar armas que não funcionaram.
Os irmãos de Mosab – Sohayb (1980), Seif (1983), Oways (1985), Mohammad (1987), Naser (1997).
As irmãs de Mosab – Sabeela (1979), Tasneem (1982), Anhar (1990).

PERSONAGENS PRINCIPAIS (EM ORDEM DE APARIÇÃO)
Hassan al-Banna – Professor primário egípcio que pregava um retorno à pureza e à simplicidade do Islã; fundador da Irmandade Muçulmana.
Jamal Mansour – Cofundador do Hamas em 1986; assassinado por Israel.
Ibrahim Kiswani – Amigo de Mosab que o ajudou a comprar armas que não funcionaram.
Loai – Agente do Shin Bet que mantinha contato com Mosab.
Marwan Barghouti – Secretário-geral do Fatah.
Maher Odeh – Líder do Hamas e chefe de sua ala de segurança na prisão.
Saleh Talahme – Terrorista do Hamas e amigo de Mosab.
Ibrahim Hamed – Chefe da ala de segurança do Hamas na Cisjordânia.
Sayyed al-Sheikh Qassem – Terrorista do Hamas.
Hasaneen Rummanah – Terrorista do Hamas.
Khalid Meshaal – Líder do Hamas em Damasco, Síria.
Abdullah Barghouti – Fabricante de bombas.

OUTROS PERSONAGENS (EM ORDEM ALFABÉTICA)
Abdel Aziz al-Rantissi – Líder do Hamas; líder do campo de deportados no Líbano.
Abdel-Basset Odeh – Terrorista suicida do Hamas, responsável pelo atentado no Park Hotel.
Abu Ali Mustafa – Secretário-geral da FPLP; assassinado por Israel.
Abu Saleem – Açougueiro; o vizinho maluco de Mosab.
Adib Zeyadeh – Líder secreto do Hamas.
Ahmad Ghandour – Um dos primeiros líderes das Brigadas dos Mártires de Al-Aqsa.

Ahmad al-Faransi – Assistente de Marwan Barghouti.
Ahmed Yassin – Cofundador do Hamas em 1986; assassinado por Israel.
Akel Sorour – Amigo de Mosab e colega de prisão.
Amar Salah Diab Amarna – Primeiro terrorista suicida oficial do Hamas.
Amer Abu Sarhan – Matou a facadas três israelenses em 1989.
Amnon – Judeu convertido ao cristianismo e colega de prisão de Mosab.
Anas Rasras – Líder do *maj'd* na prisão de Megiddo.
Ariel Sharon – O 11º primeiro-ministro de Israel (2001-2006).
Avi Dichter – Diretor do Shin Bet.
Ayman Abu Taha – Cofundador do Hamas em 1986.
Aziz Kayed – Líder secreto do Hamas.
Baruch Goldstein – Médico nascido nos Estados Unidos que matou 29 palestinos em Hebron durante o Ramadã.
Bilal Barghouti – Primo de Abdullah Barghouti, terrorista do Hamas.
Bill Clinton – O 42º presidente dos Estados Unidos.
Capitão Shai – Oficial das Forças de Defesa de Israel.
Daya Muhammad Hussein al-Tawil – Terrorista suicida do Monte Francês.
Ehud Barak – O 10º primeiro-ministro de Israel (1999-2001).
Ehud Olmert – O 12º primeiro-ministro de Israel (2006-2009).
Fathi Shaqaqi – Fundador da Jihad Islâmica palestina e o militante que deu início aos atentados suicidas a bomba.
Fouad Shoubaki – Chefe da área financeira da Autoridade Nacional Palestina para operações militares.
Hassan Salameh – Amigo de Yahya Ayyash, que o ensinou a fabricar bombas para matar israelenses.
Imad Akel – Líder das Brigadas Al-Qassam, a ala militar do Hamas; foi morto pelos israelenses.
Ismail Haniyeh – Primeiro-ministro palestino eleito em 2006.
Izz al-Din Shuheil al-Masri – Terrorista suicida que executou o atentado à pizzaria Sbarro.
Jamal al-Dura – Pai de Mohammed al-Dura, de 12 anos, que os palestinos alegam ter sido assassinado por soldados israelenses durante uma manifestação das forças de segurança palestinas em Gaza.
Jamal al-Taweel – Líder do Hamas na Cisjordânia.
Jamal Salim – Líder do Hamas morto durante o assassinato de Jamal Mansour em Nabulus.
Jamil Hamami – Cofundador do Hamas em 1986.
Jibril Rajoub – Chefe da segurança da Autoridade Nacional Palestina.
Juma'a – Coveiro do cemitério próximo da casa onde Mosab morava na infância.
Rei Hussein – Rei da Jordânia (1952-1999).
Kofi Annan – Sétimo secretário-geral das Nações Unidas (1997-2006).
Leonard Cohen – Cantor e compositor canadense que compôs "First We Take Manhattan".

Mahmud Muslih – Cofundador do Hamas em 1986.

Majeda Talahme – Mulher do terrorista do Hamas Saleh Talahme.

Maomé – Fundador do Islã.

Mohammad Daraghmeh – Jornalista palestino.

Mohammed al-Dura – Garoto de 12 anos supostamente assassinado por soldados das Forças de Defesa de Israel durante uma manifestação do Fatah em Gaza.

Mohammed Arman – Integrante da célula terrorista do Hamas.

Mosab Talahme – Filho mais velho do terrorista Saleh Talahme.

Muhammad Jamal al-Natsheh – Cofundador do Hamas em 1986 e chefe de sua ala militar na Cisjordânia.

Muhaned Abu Halawa – Integrante das Brigadas dos Mártires de Al-Aqsa.

Najeh Madi – Líder secreto do Hamas.

Nissim Toledano – Policial de fronteira israelense assassinado pelo Hamas.

Ofer Dekel – Oficial do Shin Bet.

Rehavam Ze'evi – Ministro do Turismo de Israel assassinado por matadores da Frente Popular para a Libertação da Palestina.

Saddam Hussein – Ditador do Iraque que invadiu o Kuwait em 1990.

Saeb Erekat – Ministro palestino.

Saeed Hotari – Terrorista do atentado suicida a bomba na boate Dolphinarium.

Salah Hussein – Líder secreto do Hamas.

Sami Abu Zuhri – Porta-voz do Hamas em Gaza.

Shada – Trabalhador palestino morto por engano pelo artilheiro de um tanque israelense.

Shimon Peres – Nono presidente de Israel, tomou posse em 2007; também foi primeiro-ministro e ministro das Relações Exteriores.

Shlomo Sakal – Israelense que vendia plásticos, morto a facadas em Gaza.

Tsibouktsakis Germanus – Monge grego ortodoxo assassinado por Ismail Radaida.

Yahya Ayyash – Fabricante de bombas a quem se atribui o desenvolvimento da técnica dos atentados suicidas no conflito israelense-palestino.

Yasser Arafat – Por muito tempo foi presidente da Organização para a Libertação da Palestina, presidente da Autoridade Nacional Palestina; morreu em 2004.

Yisrael Ziv – General de divisão das Forças de Defesa de Israel.

Yitzhak Rabin – Quinto primeiro-ministro de Israel (1974-1977; 1992-1995), assassinado pelo radical de direita israelense Yigal Amir em 1995.

Zakaria Botros – Padre copta que aproximou inúmeros muçulmanos de Cristo por meio da televisão via satélite, expondo os erros do Alcorão e revelando a verdade das Escrituras.

GLOSSÁRIO

abu – Filho de.
Acordo de Oslo – Acordo alcançado em 1993 entre Israel e a Organização para a Libertação da Palestina.
adad – Número.
adhan – Convocação dos muçulmanos para a prece, feita cinco vezes ao dia.
Alá – Termo árabe que significa Deus.
Alcorão – O livro sagrado do Islã.
Al-Fatihah – Sura (passagem) inicial do Alcorão, lida pelo imã ou líder religioso.
Al-Jazeera – Canal árabe de notícias via satélite; sediado no Qatar.
Autoridade Nacional Palestina (ANP) – Formada em 1994, segundo o Acordo de Oslo, como entidade de governo da Cisjordânia e de Gaza.
baclavá – Doce feito de camadas de massa recheadas com nozes picadas e adoçadas com mel.
Brigadas dos Mártires de Al-Aqsa – Grupo terrorista, formado durante a Segunda Intifada a partir de vários grupos de resistência, que realizou atentados suicidas a bomba e outros ataques contra alvos israelenses.
Brigadas Ezzedeen Al-Qassam – Ala militar do Hamas.
Califado – Liderança política islâmica.
charia – Lei religiosa islâmica.
conselho *shurah* – No Islã, um comitê formado por sete decisores.
coquetel molotov – Bomba feita de substância inflamável, geralmente uma garrafa cheia de gasolina com um pavio feito de tecido, que é acesa e arremessada no alvo.
curdos – Grupo étnico cuja maioria da população vive no Curdistão, que abrange partes do Iraque, do Irã, da Síria e da Turquia.
dinar – Moeda oficial da Jordânia, usada em toda a Cisjordânia junto com o shekel israelense.
emir – Chefe ou comandante em árabe.
Fatah – Maior facção política da Organização para a Libertação da Palestina.
fatwa – Decreto jurídico relativo à lei islâmica emitido por um estudioso islâmico.
fedayeen – Guerreiros da liberdade, dispostos a se sacrificar para libertar a Palestina do jugo de Israel.
Força 17 – Unidade de elite de Yasser Arafat.
Forças de Defesa de Israel – As forças militares de Israel, que incluem o Exército, a Aeronáutica e a Marinha.
Frente Democrática para a Libertação da Palestina (FDLP) – Organização secular marxista-leninista que se opõe à ocupação israelense da Cisjordânia e de Gaza.
Frente Popular para a Libertação da Palestina (FPLP) – Organização de resistência marxista-leninista atuante na Cisjordânia e em Gaza.

Guerra dos Seis Dias – Guerra breve em 1967 entre Israel e Egito, Jordânia e Síria.
hadith – Tradições orais do Islã.
hajj – Peregrinação a Meca.
Hamas – Movimento islâmico de resistência atuante na Cisjordânia e em Gaza, classificado pelos Estados Unidos, pela União Europeia e por outros países como organização terrorista.
Hezbollah – Organização islâmica política e paramilitar atuante no Líbano.
hijab – Chapéu ou véu usado por mulheres muçulmanas em certas culturas.
imã – Líder islâmico, geralmente de uma mesquita.
Império Otomano – Império turco que durou aproximadamente de 1299 a 1923.
intifada – Rebelião ou levante.
jalsa – Grupo de estudos islâmicos.
jihad – A guerra santa muçulmana para defender o Islã de seus inimigos infiéis. Literalmente, significa "luta", mas é interpretada por grupos militantes islâmicos como uma convocação à luta armada, até mesmo ao terrorismo.
Jihad Islâmica – Movimento islâmico de resistência atuante na Cisjordânia e em Gaza, classificado pelos Estados Unidos, pela União Europeia e por outros países como organização terrorista.
Knesset – Parlamento de Israel.
Ktzi'ot – Prisão israelense formada por tendas no Negev onde Mosab cumpriu pena.
Likud – Partido político de direita em Israel.
maj'd – Ala de segurança do Hamas.
Maskobiyeh – Centro de detenção israelense localizado em Jerusalém Ocidental.
Meca – Local mais sagrado do Islã, situado na Arábia Saudita, onde o profeta Maomé fundou sua religião.
Medina – Segundo lugar mais sagrado do Islã, onde Maomé foi enterrado, situado na Arábia Saudita.
Megiddo – Presídio no norte de Israel.
Merkava – Tanque de combate usado pelas Forças de Defesa de Israel.
mesquita – Local de culto e prece dos muçulmanos.
Mesquita de Al-Aqsa – Terceiro local mais sagrado do Islã, de onde, segundo os muçulmanos, Maomé ascendeu ao céu. Situa-se no Monte do Templo, o lugar mais sagrado para os judeus, onde eles acreditam que ficavam os antigos Templos Judeus.
mi'var – Em Megiddo, uma unidade de triagem na qual os prisioneiros ficavam antes de serem transferidos para seus setores.
minarete – Torre alta de uma mesquita da qual um líder religioso muçulmano convoca os fiéis para as preces.
Monte do Templo – Na Cidade Velha de Jerusalém, o lugar onde estão situados a Mesquita Al-Aqsa e o Domo da Rocha, as construções islâmicas mais antigas do mundo; também se acredita que seja o local do Primeiro e Segundo Templos Judeus.
Mossad – Agência internacional de inteligência de Israel, comparável à CIA americana.
mujahid – Guerrilheiro muçulmano que luta na jihad, disposto a sacrificar a própria vida em nome de Alá e da religião islâmica.

Munkar e Nakir – Anjos que atormentam os mortos, segundo a crença muçulmana.
Operação Escudo Defensivo – Grande operação militar realizada pelas Forças de Defesa de Israel durante a Segunda Intifada.
Organização para a Libertação da Palestina (OLP) – Organização política/de resistência liderada por Yasser Arafat entre 1969 e 2004.
Partido Trabalhista – Partido político socialista/sionista de Israel.
Ponte Allenby – Ponte sobre o rio Jordão entre Jericó e a Jordânia; originalmente construída pelo general britânico Edmund Allenby em 1918.
rak'ah – Conjunto islâmico de preces e posturas.
Ramadã – Mês de jejum para comemorar o recebimento do Alcorão por parte de Maomé.
sawa'ed – Agentes da ala de segurança do Hamas nos campos de prisioneiros de Israel, que jogavam bolas contendo mensagens de uma seção para outra.
Scud – Míssil balístico desenvolvido pela União Soviética durante a Guerra Fria.
Setembro Negro – Confronto sangrento entre o governo jordaniano e as organizações palestinas em setembro de 1970.
shaweesh – Um prisioneiro escolhido para representar outros detentos junto aos administradores carcerários israelenses; alguém "leal".
Shin Bet – Serviço secreto interno israelense, comparável ao FBI americano.
shoter – Guarda carcerário ou policial em hebraico.
sunismo – Maior ramo da crença muçulmana.
sura – Capítulo do Alcorão.
territórios ocupados – Cisjordânia, Gaza e colinas de Golã.
wudu – Ritual islâmico de purificação.
xeique – Idoso ou líder muçulmano.
xiismo – Segundo maior ramo da crença muçulmana depois do sunismo.

CRONOLOGIA

1923 – Fim do Império Otomano.
1928 – Hassan al-Banna funda a Sociedade dos Irmãos Muçulmanos.
1935 – A Irmandade Muçulmana é estabelecida na Palestina.
1948 – A Irmandade Muçulmana age com violência contra o governo egípcio; Israel declara sua independência; Egito, Líbano, Síria, Jordânia e Iraque invadem Israel.
1949 – Hassan al-Banna é assassinado; é criado o campo de refugiados Al-Aman na Cisjordânia.
1964 – É fundada a Organização para a Libertação da Palestina.
1967 – Guerra dos Seis Dias.
1968 – A Frente Popular para a Libertação da Palestina sequestra um Boeing 707 da El Al e o leva para Argel; não há mortes.
1970 – Setembro Negro, milhares de combatentes da OLP são mortos por tropas jordanianas, quando a Jordânia expulsa a OLP.
1972 – Onze atletas israelenses são assassinados pelo Setembro Negro nas Olimpíadas de Munique.
1973 – Guerra do Yom Kippur.
1977 – O xeique Hassan Yousef se casa com Sabha Abu Salem.
1978 – Mosab Hassan Yousef nasce; 38 pessoas morrem em um ataque do Fatah na Estrada Litorânea de Israel ao norte de Tel Aviv.
1979 – Fundação da Jihad Islâmica Palestina.
1982 – Israel invade o Líbano e expulsa a OLP.
1985 – Hassan Yousef e família se mudam para Al-Bireh.
1986 – O Hamas é fundado em Hebron.
1987 – Hassan Yousef aceita um segundo emprego como professor de religião para muçulmanos na escola cristã de Ramallah; início da Primeira Intifada.
1989 – Primeira detenção e encarceramento de Hassan Yousef. Amer Abu Sarhan, do Hamas, mata três israelenses.
1990 – Saddam Hussein invade o Kuwait.
1992 – A família de Mosab se muda para Betunia; Hassan Yousef é preso. Terroristas do Hamas sequestram e matam o policial israelense Nissim Toledano; líderes palestinos são deportados para o Líbano.
1993 – Acordo de Oslo.
1994 – Baruch Goldstein mata 29 palestinos em Hebron. Primeiro atentado suicida a bomba. Yasser Arafat volta triunfante para Gaza com o objetivo de estabelecer o quartel-general da Autoridade Nacional Palestina.
1995 – O primeiro-ministro israelense Yitzhak Rabin é assassinado; Hassan Yousef é preso pela Autoridade Nacional Palestina; Mosab compra armas ilegais que acabam não funcionando.

1996 – O especialista em fabricação de bombas do Hamas, Yahya Ayyash, é assassinado; Mosab é detido e vai para a prisão pela primeira vez.
1997 – Mosab é libertado; o Mossad faz uma tentativa frustrada de assassinar Khalid Meshaal.
1999 – Mosab começa a frequentar um grupo de estudos bíblicos.
2000 – Conferência de cúpula de Camp David. Início da Segunda Intifada (também conhecida como Intifada de Al-Aqsa).
2001 – Atentados suicidas do Monte Francês; atentados suicidas na boate Dolphinarium e na pizzaria Sbarro; o secretário-geral da FPLP, Abu Ali Mustafa, é assassinado por Israel; o ministro do Turismo de Israel, Rehavam Ze'evi, é assassinado por matadores da FPLP.
2002 – Israel lança a Operação Escudo Defensivo. Nove pessoas são mortas no ataque à Universidade Hebraica de Jerusalém. Mosab e o pai são detidos e vão para a prisão.
2003 – Forças da Coalizão Ocidental libertam o Iraque. Saleh Talahme, Hasaneen Rummanah e Sayyed al-Sheikh Qassam, terroristas do Hamas, são assassinados por Israel.
2004 – Morte de Yasser Arafat. Hassan Yousef é libertado.
2005 – Mosab é batizado. Fim do cessar-fogo entre o Hamas e Israel. Mosab é preso pela terceira vez; Mosab é solto.
2006 – Ismail Haniyeh é eleito primeiro-ministro palestino.
2007 – Mosab deixa os territórios ocupados e vai para os Estados Unidos.

NOTAS

1 Essa informação nunca foi divulgada. Na verdade, o registro histórico está repleto de imprecisões sobre o dia em que o Hamas surgiu como organização. A Wikipedia, por exemplo, afirma erroneamente que "o Hamas foi criado em 1987 pelo xeique Ahmed Yassin, por Abdel Aziz al-Rantissi e Mohammad Taha a partir da ala palestina da Irmandade Muçulmana do Egito no início da Primeira Intifada...". Esse verbete só está exato em relação a dois dos sete fundadores e aumentou em um ano a data de fundação. Ver http://en.wikipedia.org/wiki/Hamas (acessado em 20 de novembro de 2009).

O MidEastWeb informa: "O Hamas foi formado por volta de fevereiro de 1988 para permitir a participação da irmandade na Primeira Intifada. Seus líderes fundadores eram: Ahmed Yassin, 'Abd al-Fattah Dukhan, Muhammed Shama', Ibrahim al-Yazuri, Issa al-Najjar, Salah Shehadeh (de Bayt Hanun) e 'Abd al-Aziz Rantisi. O Dr. Mahmud Zahar também costuma ser listado como um dos primeiros líderes. Outros líderes citados: o xeique Kahlil Qawqa, Isa al-Ashar, Musa Abu Marzuq, Ibrahim Ghusha, Khalid Mish'al." Esse verbete é ainda mais inexato do que o da Wikipedia. Ver http://www.mideastweb.org/hamashistory.htm (acessado em 20 de novembro de 2009).

2 O primeiro grande sequestro de avião realizado pela OLP foi em 23 de julho de 1968, quando ativistas da Frente Popular para a Libertação da Palestina desviaram um Boeing 707 da companhia El Al para Argel. Doze passageiros israelenses e 10 tripulantes foram mantidos como reféns. Não houve mortes. No entanto, 11 atletas israelenses foram mortos quatro anos depois em um atentado terrorista liderado pela OLP durante as Olimpíadas de Munique. Em 11 de março de 1978, combatentes do Fatah atracaram um barco ao norte de Tel Aviv, sequestraram um ônibus e iniciaram um ataque ao longo da Estrada Litorânea, matando 35 pessoas e ferindo outras 70.

A organização não teve dificuldade para recrutar palestinos refugiados, que perfaziam dois terços da população da Jordânia. Com dinheiro sendo enviado de outros países árabes em apoio à causa, a OLP se tornou mais forte e mais bem armada até mesmo do que a polícia e o Exército jordanianos. Não demorou muito para que seu líder, Yasser Arafat, chegasse perto de assumir o país e estabelecer um Estado palestino.

O rei Hussein da Jordânia teve de agir com rapidez e firmeza para não perder seu país. Anos depois, fiquei surpreso ao saber, por meio de um relacionamento imprevisível com o serviço de segurança israelense, que o monarca da Jordânia havia estabelecido uma aliança secreta com Israel naquela época, apesar de todos os outros países árabes estarem empenhados em sua destruição. Era a opção lógica, é claro, porque o rei Hussein não conseguia proteger seu trono e Israel não conseguia patrulhar com eficácia a longa fronteira entre os dois países. No entanto, teria sido um suicídio político e cultural para o rei se essa informação tivesse vazado.

Então, em 1970, antes que a OLP pudesse obter mais controle, o rei Hussein ordenou que seus líderes e combatentes saíssem do país. Quando se recusaram, ele os expulsou, com a ajuda de armas fornecidas por Israel, em uma campanha militar que ficou conhecida entre os palestinos como Setembro Negro.

A revista *Time* citou a seguinte frase dita por Arafat aos líderes árabes simpáticos à causa: "Um massacre foi cometido. Milhares de pessoas estão sob escombros. Corpos apodrecem. Centenas de milhares de pessoas estão desabrigadas. Nossos mortos estão espalhados pelas ruas. Fome e sede estão matando as crianças, as mulheres e os velhos que nos restam." ("The Battle Ends: The War Begins", *Time*, 5 de outubro de 1970)

O rei Hussein tinha uma grande dívida com Israel, que tentaria pagar em 1973, avisando Jerusalém que uma coalizão árabe liderada pelo Egito e pela Síria estava prestes a invadi-lo. Infelizmente, Israel não levou o aviso a sério. A invasão aconteceu durante o Yom Kippur, e Israel, despreparado, sofreu perdas significativas e desnecessárias. Esse é outro segredo que os israelenses também só me revelaram mais tarde.

Depois do Setembro Negro, os sobreviventes da OLP fugiram para o sul do Líbano, que ainda estava sofrendo com uma guerra civil sangrenta. Lá, a organização começou uma nova tomada de poder, crescendo e ganhando força até praticamente se tornar um Estado dentro do Estado.

A partir da sua nova base de operações, a OLP começou a executar atividades hostis e sem fim com o intuito de cansar Israel. Beirute era fraca demais para deter o bombardeio infinito e os ataques de míssil contra as comunidades no norte do território israelense. Em 1982, Israel invadiu o Líbano, expulsando a OLP em uma campanha de quatro meses. Arafat e 1.000 combatentes que sobreviveram foram exilados na Tunísia. No entanto, mesmo àquela distância, a OLP continuou a lançar ataques contra Israel e a reunir um exército de combatentes na Cisjordânia e em Gaza.

3 "Arafat's Return: Unity is 'the Shield of Our People'". *The New York Times*, 2 de julho de 1994, http://www.nytimes.com/1994/07/02/world/arafat-in-gaza-arafats-return-unity-is-the-shield-of-our-people.html (acessado em 23 de novembro de 2009).

4 Ministério das Relações Exteriores de Israel, "Suicide and Other Bombing Attacks in Israel Since the Declaration of Principles (setembro de 1993)"; The Palestinian Academic Society for the Study of International Affairs, Jerusalém, "Palestine Facts – Palestine Chronology 2000, http://www.passia.org/palestine_facts/chronology/2000.html. Ver também http://www.mfa.gov.il/MFA/MFAArchive/2000_2009/2000/11/Palestinian%20Terrorism-%20Photos%20-%20November%202000.

5 A confirmação dessa ligação seria feita no ano seguinte, quando Israel invadiu Ramallah e vasculhou o quartel-general de Arafat. Entre outros documentos, encon-

traram uma fatura, datada de 16 de setembro de 2001, das Brigadas dos Mártires de Al-Aqsa para o general de brigada Fouad Shoubaki, chefe do setor financeiro para operações militares. Era pedido o reembolso por explosivos usados em atentados em cidades israelenses e dinheiro para a construção de mais bombas e para cobrir o custo de cartazes de propaganda que promoviam os terroristas suicidas. Yael Shahar, "Al-Aqsa Martyrs Brigade – A Political Tool with an Edge", 3 de abril de 2002, International Institute for Counter-Terrorism, IDG Herzliya.

6 Leonard Cole, *Terror: How Israel Has Coped and What America Can Learn* (Bloomington, Indiana: Indiana University Press, 2007), 8.

7 "Obituary: Rehavam Zeevi", BBC News, 17 de outubro de 2001, http://news.bbc.co.uk/2/hi/middle_east/1603857.stm (acessado em 24 de novembro de 2009).

8 "Annan Criticizes Israel, Palestinians for Targeting Civilians", U.N. Wire, 12 de março de 2002, http://www.unwire.org/unwire/20020312/24582_story.asp (acessado em 23 de outubro de 2009).

9 União Europeia, "Declaration of Barcelona on the Middle East", 16 de março de 2002, http://europa.eu/bulletin/en/200203/i1055.htm.

10 Uma interessante nota complementar sobre o coronel Jibril Rajoub: esse homem havia tirado proveito de sua posição como chefe da segurança na Cisjordânia para construir seu próprio reino, fazendo com que seus oficiais se curvassem e agissem de modo submisso, como se ele fosse herdeiro de um trono. Vi a mesa do seu café da manhã ranger sob o peso de 50 pratos diferentes preparados somente para mostrar a todos sua importância. Também vi que Rajoub era rude e desleixado, além de se comportar mais como um bandido do que como um líder. Quando Arafat reuniu o maior número possível de líderes do Hamas em 1995, Rajoub os torturou de forma impiedosa. Muitas vezes, o Hamas havia ameaçado assassiná-lo, o que fez com que ele comprasse um carro à prova de balas e de explosões. Nem mesmo Arafat tinha algo do gênero.

11 Associated Press, "Palestinian Bombmaker Gets 67 Life Terms", MSNBC, 30 de novembro de 2004, http://www.msnbc.msn.com/id/6625081/.

12 Danny Rubinstein, "Hamas Leader: You Can't Get Rid of Us", *Haaretz*, http://www.haaretz.com/hasen/pages/ShArt.jhtml?itemNo=565084&contrassID=2&subContrassID=4&sbSubContrassID=0.

13 "Israel Vows to 'Crush' Hamas after Attack", Fox News, 25 de setembro de 2005, http://www.foxnews.com/story/0,2933,170304,00.html (acessado em 5 de outubro de 2009).

CONHEÇA ALGUNS DESTAQUES DE NOSSO CATÁLOGO

- Augusto Cury: Você é insubstituível (2,8 milhões de livros vendidos), Nunca desista de seus sonhos (2,7 milhões de livros vendidos) e O médico da emoção
- Dale Carnegie: Como fazer amigos e influenciar pessoas (16 milhões de livros vendidos) e Como evitar preocupações e começar a viver
- Brené Brown: A coragem de ser imperfeito – Como aceitar a própria vulnerabilidade e vencer a vergonha (600 mil livros vendidos)
- T. Harv Eker: Os segredos da mente milionária (2 milhões de livros vendidos)
- Gustavo Cerbasi: Casais inteligentes enriquecem juntos (1,2 milhão de livros vendidos) e Como organizar sua vida financeira
- Greg McKeown: Essencialismo – A disciplinada busca por menos (400 mil livros vendidos) e Sem esforço – Torne mais fácil o que é mais importante
- Haemin Sunim: As coisas que você só vê quando desacelera (450 mil livros vendidos) e Amor pelas coisas imperfeitas
- Ana Claudia Quintana Arantes: A morte é um dia que vale a pena viver (400 mil livros vendidos) e Pra vida toda valer a pena viver
- Ichiro Kishimi e Fumitake Koga: A coragem de não agradar – Como se libertar da opinião dos outros (200 mil livros vendidos)
- Simon Sinek: Comece pelo porquê (200 mil livros vendidos) e O jogo infinito
- Robert B. Cialdini: As armas da persuasão (350 mil livros vendidos)
- Eckhart Tolle: O poder do agora (1,2 milhão de livros vendidos)
- Edith Eva Eger: A bailarina de Auschwitz (600 mil livros vendidos)
- Cristina Núñez Pereira e Rafael R. Valcárcel: Emocionário – Um guia lúdico para lidar com as emoções (800 mil livros vendidos)
- Nizan Guanaes e Arthur Guerra: Você aguenta ser feliz? – Como cuidar da saúde mental e física para ter qualidade de vida
- Suhas Kshirsagar: Mude seus horários, mude sua vida – Como usar o relógio biológico para perder peso, reduzir o estresse e ter mais saúde e energia

sextante.com.br